モンスター

百 田 尚 樹

幻冬舎文庫

モンスター

目次

プロローグ

女が屋根のないプラットホームに降り立った時、ホームで水を打っていた中年の駅長は、思わず手を止めて女を見た。

彼は二十二年の駅員業務で町の住人のほとんどの顔を知っていたが、初めて見る顔だった。昼過ぎの電車で駅に降りたのは女一人だった。

彼は少しの間仕事を忘れて、しげしげと女を見つめた。そうしたのは、女が知らない顔だったからではなく、思わず惹(ひ)きつけられるほどの美しさを持っていたからだ。女は白い帽子を被り、淡い紫色のスプリングコートを着ていた。

女は駅長に目を合わすことはしなかったが、その露骨な視線を平然と受け止めていた。見られることに慣れている女だ、と駅長は思った。都会にはたまにこういう女がいる。年はいくつくらいだろう。二十代に見えるが、妙な落ち着きがある。

プラットホームを歩いて改札に向かう女の後ろ姿を見ながら、中年の駅長は、これまで町で見た女の中で一番の美人かもしれないなとぼんやりと思った。女は膝まであるロングブーツを履いていた。帽子の下から覗く軽いウェーブのかかった長い髪の毛が、歩くたびに揺れた。

改札にいた若い駅員はキップを受け取る時、思わず女の顔に見とれてしまった。女は彼と目が合うと少し微笑んだ。彼は女の大きな黒目を見た時、吸い込まれそうになる気がした。こんな目を見たのは初めてだった。気の利いた挨拶の言葉でも掛けようと思ったが、何も浮かばなかった。

女が改札を通りすぎるのを見ながら、駅員は、ああ畜生、と思った。「こんにちは」の一言でよかった、もしかしたら会話が弾んだかもしれない。あんな女を恋人にできたら、仲間に思い切り自慢できるのになあ——。ああ畜生、と駅員はもう一度心の中で呟いた。

売店にいた女店員は、女が売り場の前に立ったので、あくびをしかけていたのを慌ててやめた。いつもなら客の前でも平気だったが、思わず口を閉じたのは、綺麗な女の前で無様な顔はできないと思ったからだ。

今年三十歳になる独身の女店員は、ガムを選んでいる女の顔をじっと観察しながら、この人は私よりも若いのかなと考えた。化粧が濃いから、自分の方が若いかもしれない。でも美しさでは太刀打ちできないのは素直に認めた。肌の若さは勝ってるかもと思ったが、それもよく見ると自信がなくなった。

女はガムを一つ取り出して、これを下さい、と言った。店員は女の黒目に惹きつけられた。何、この大きな目。

ガムを受け取る時に、ありがとう、と言った女の口元から白く美しく並んだ歯が覗いた。店員は自分の悪い歯並びを隠すように、あまり口を開けずに、ありがとうございましたと言った。

去っていく女の後ろ姿を見ながら、店員は、あんな美人に生まれたかったなあと心の中でため息をついた。それなら、自分の人生は全然違ったものになったかもしれない。

駅前のロータリーで客待ちしながら車の中でうたた寝をしていた初老の運転手は、ガラス窓をこつこつ叩く音で目を覚ました。助手席の方を見ると、紫色のコートが見えた。運転手は慌ててドアを開けた。

女はしなやかに滑るようにタクシーに乗り込んだ。乗り方が様になっていると運転手は思った。転がるように乗り込んで、どすんと座るおばちゃんたちとは違う。ルームミラー越しに客の顔を見て、美人だなと思った。

女は行き先を告げた。運転手はそれを聞いた時、もしかしたら、前に工務店の社長が言っていた例の女かなと思った。

タクシーは旧市街のはずれにある改築中のペンションに向かった。バブルの頃に、都会からやってきた脱サラした男が建てたものだ。おそらく銀行屋か何かに入れ知恵されたのだろう。しかしペンションは流行らず、男は自殺した。建物は銀行管理のまま、長らく幽霊屋敷のようになっていた。

そのペンションで半年前から改築工事が始まったのだ。聞くところによると、レストランになるらしい。請け負ったのは、地元の工務店だったが、建築家は東京から来たという。

工務店の社長を通して施主の噂が広まった。

「腰を抜かすぐらいの別嬪だった」

五十歳になる社長は、まるで芸能人に会ったのを自慢するかのように会う人ごとに吹聴した。運転手自身も聞いた。

たまたまその女を見た二十代の工務店の現場監督も「大変な美人だった」と言った。ただし、「僕の好みではないが」という言葉を付け加えはしたが。

その話に尾ひれが付き、一時は有名なタレントらしい、いやモデルらしいという話が広がったが、さすがにそれはないだろうということになった。改築中に一度も女が来なかったことが、余計に町の人たちの好奇心に火を点けた。しかし噂にするには、あまりにも情報量が少なかった。

結局、どこかの会社の社長か金持ちが、愛人に道楽で店でもやらせようとして建てたのだろうということで落ち着いたが、水商売の女ではないかという噂も根強く残っていた。

タクシー運転手は、車を走らせながら、うきうきした気分になっていた。噂の美女を邸宅に案内する最初の男であるということが妙に誇らしく思えた。

彼は何度もルームミラーに映る女を見た。見れば見るほど綺麗な女だ。この町にはこれほどの美人はいないないなと思った。

彼は何度か話しかけようと思ったが、緊張して声を掛けることができなかった。いつもなら自然に客相手に軽口を叩くのに、なぜか気後れした。町のもんじゃないからだ、と彼は心の内で言い訳した。昔から、たまに都会からやって来た客を乗せる時は緊張するからな。

しかし何か一言でも聞いておかないと、あとでみんなに喋る時に、何とも恰好がつかない。せっかく噂の女を乗せたのだから、皆がへぇと聞きたがるような話をしてやりたい。

彼は意を決してルームミラーを見た。その瞬間、女と目が合った。彼の勇気は途端に挫け、話すきっかけを失った。女が一瞬微笑んだような気がした。

「桜並木ね」

と女が口を開いた。澄んだ声だった。

運転手は前方を見つめたままうなずいた。車は堤に桜が並ぶ、川沿いの土手を走っていた。

「もうすぐ咲きそうね」

「はい」と運転手は幾分緊張して答えた。「満開になると、とてもきれいです」

女は左の桜並木を見ながらうなずいた。

「素敵な町ね」

「ありがとうございます」

運転手はルームミラーの女の顔を見ながら言った。女は微笑んだ。

この人は素敵な人だ。優しくて、品がある。

一・町で一番美しい女

私は、町で一番美しい女――その噂を教えてくれたのはフロアスタッフの梨沙だ。

その噂は本当だ。魔法の鏡がなくてもそれはわかる。

この町に私ほど美しい女はいない。こんな鄙(ひな)びた田舎町に、私より美しい女がいるはずがない。もしいたとすれば、そんな女はとっくに東京へでも行っている。私は東京からやって来たのだ。

梨沙は言った。

「この前喫茶店で、知らないおばさんたちがママさんの話をしていました」

「まあ」

「オンディーヌのオーナーはすごい美人だそうよって言ってました。一人のおばさんは、ママさんが町で一番の美人かもって――」

するともう一人のフロアスタッフの美香が、

「私なんか、しょっちゅう、いろんな人に、オーナーはすごく綺麗な人なんでしょうって聞かれるわ」

と言った。

「店に来たら見られるじゃん」

と梨沙がおかしそうに言った。

ランチの客が去って、暇になった時の会話だ。

店を開いてひと月あまりで、もう町の女たちの間で、そんな噂が出始めていたのだ。小さな町だから話題もないのだろうが、それにしても他に話すことはないのだろうか。でもその噂は歓迎だ。

「私もママさんが町で一番の美人だと思うな」

梨沙の言葉に、私は恥ずかしそうに顔を少し赤らめ、俯き(うつむ)ながら首を振る。顔を自由に赤くするのは私の特技の一つだ。そんな私を見て、梨沙たちはおかしそうに笑う。

「ママさんって、すごく可愛らしいところがありますよね」

「からかわないで」

私はそう言いながら、素直な子たち、と思った。

フロアスタッフは梨沙と美香の二人だ。二人とも人並み以上の美しい娘で、ぽっちゃりとした子供らしい顔をした梨沙は面接で採り、痩せて大人びた雰囲気を持つ美香は地元のショッピングストアでスカウトした。

フロアスタッフを器量で選んだのは、店のグレードを上げるためだったが、私は個人的にも綺麗な顔立ちをしている子が好きだ。綺麗な子はそうでない子に比べて素直だからだ。

美しい女は単純で扱いやすい。対して不器量な女は怖い。心の中で何を考えているのかわからない。不器量な娘たちは美人の娘たちよりも、ある意味ずっと賢くて鋭い。だからフロアスタッフは美人を揃えた。

でも——私は彼女たちよりも圧倒的に美しい。

ここは瀬戸内海に面した古い町だ。

戦後しばらくの間、K興産で賑わったこの町も、K興産の規模縮小に伴って小さくなった。三十数年前は七万人もいたのに、今では四万人に減った。けれど、十年前からは人口はほとんど変わらないという。成長することもなく、また死に絶えることもない、忘れられた町なのだ。

それでも町は相変わらずK興産の町だ。若者たちの多くは高校を卒業するとK興産の関連会社に勤めたり、都会の大学へ行く。その何割かは大学卒業と同時に戻ってくる。一部は役所に、そしてかなりはK興産に就職する。

オンディーヌは町を少し離れた高台にある。古いペンションを改築したレストランだ。

かつてバブルの時に脱サラしてペンションを建てた前のオーナーは、その後、商売が行き詰まり自殺したと聞いた。田舎ではそういう物件は売れない。それにこんな町のペンションでは商売にならない。私は買い手がないままに長年放置されていた建物を買って、大幅な改築をした。土地と上物で二千万ちょっとだったが、リフォームには四千万円近くかけた。たかだか田舎の小さなフレンチレストランに六千万円もかけるなんて、誰が見たってどうかしている。

一階にあった二つの客室と食堂を一つにしてダイニングスペースにし、中二階にあった客室をプライベートルームにした。二階にあった二つの客室は、壁をぶち抜いて私の居間兼寝室にした。

建物の外壁を洋館風にし、レストランの内壁には壁紙ではなくオークを使い、床にはコルクを敷いた。照明は幾分抑え気味にして、大人の雰囲気を演出した。

シェフの村上は六十歳を過ぎていたが、かつては一流ホテルのチーフをつとめた男だった。ただ、この町の田舎者たちにこの味がわかるだろうかという心配があった。新鮮な魚くらいしか旨いものを食べたことがない住民たちに、都会のフランス料理の味が理解できるのだろうか。

それに値段もかなり高めに設定していた。村上が「それは東京の値段ですよ」というのを無視して付けた。もちろんその分いい素材を使っている。彼は「そんな値段では長くはやっていけませんよ」と言った。「レストランはリピーターが重要です。高い値段だと、二度目三度目と来にくくなる」

村上の言うとおりだ。最初は評判を聞いて話のタネにやって来ても、二度目は足が遠のくかもしれない。もしかしたら一年後には閑古鳥が鳴いているかもしれない。しかし彼がそれを心配する必要はない。彼とは最初から一年契約ということで話をしている。それに見合うだけの年収を約束しているし、半年分を前払いもした。

開店初日から、ランチタイムには行列ができるほど客が来た。

店内はカウンターとテーブルが五つというこぢんまりした店だから、すぐに一杯になる。ただし五つのテーブルはそれぞれが小さな壁で仕切られていて、半個室風になっている。

客が多めに来ることを予想して、玄関前のホールは少し広めに取っていて待ち客のために多くの椅子を用意していたが、足りなくて、溢（あふ）れた客は外に並んだ。客のほとんどはおばさんだった。宣伝などは一切していなかったのに、開店一週間前に新聞に入れたチラシだけで、これだけ客が来るとは信じられなかった。しかもランチもコースになっていて、決してリーズナブルではなかったにもかかわらずだ。皆、おかしいくらいにおめかししてやってきた。

村上の助言を受け入れて、三日目からランチタイムの時に限り食事時間は一時間半にし、同時に完全予約制にした。三時間で二回転できる。あっという間に一週間の予約が埋まった。ディナーはランチよりもはるかに高かったから予約客が殺到するということはなかったが、それでも毎夜、五つのテーブルにはほとんど客が付いていたし、カウンターも半分くらい埋まっていた。夜の客はK興産の社員や役所関係の男たちがメインだった。もちろん夫婦でやってくる客もいた。食事のラストオーダーは九時で、それ以降はバーになるが、十二時には店を閉める。

もともと私は夜にしか興味がない。ランチタイムにやってくる女たちにはまったく関心がなかった。

ひと月経(た)っても客足は落ちなかった。

「いずれこの町の住人の全員がこの店に来ますね」梨沙が言った。

そうであってほしい、と思った。私の目的もそこにある。

洒落(しゃれ)た外観とインテリアで、一流の味を持ったこの店は、町の住民を魅了しつつあった。でもこの店の一番の魅力は、オーナーである私だ。町の誰もが見たこともないような美しい女がそこにいるのだ。

「ママさんは本当に三十二歳なんですか？」

梨沙が聞いた。私は少し、どきっとした。

いつものようにランチタイムが終わり、従業員だけの遅い昼食の時の会話だ。

「もっと老けて見える？」私はにっこり笑って言った。

梨沙は慌てて手を振った。「反対です。どう見ても二十代後半にしか見えないから」

私は恥ずかしそうに頭を下げた。「ありがとう。お世辞でも嬉（うれ）しいわ」

「お世辞じゃないです」

梨沙の言葉に、美香も「私も二十代にしか見えません」と言った。

一人、シェフの村上だけは、いつものように会話に加わることなく、黙って食べていた。六十歳を過ぎた者にしてみれば、三十代に見えようが二十代に見えようがたいしたことではなかったのかもしれないが、彼はいつも余計なことは一切言わないタイプだった。

この子たちに本当の年齢を教えてやったら、どんな顔をするだろうか。もうすぐ三十八歳になると知ったら、どんなリアクションをするだろうと思うと、見てみたい気持ちにもなった。しかしそれを言えば、噂はたちまち町を走るだろう。

「ママさんはなぜ東京からこんな町に来たのですか？」

「私の友人にこの町出身の人がいてね。その友人がいつもこの町を自慢していて、海に沈む夕陽のこととか。それでいつか住んでみたいと思っていたの」

「それってママさんの、恋人？」

「違うわよ。女性よ」

梨沙たちは少しがっかりしたようだ。彼女たちくらいの女の子の頭の中には、いつも恋愛のドラマが詰まっている。

「そのお友達の人はどこに住んでるんですか？」

「亡くなったわ」

梨沙は少し驚いたような顔をした。

「私の分身みたいな人だった。いや、もう一人の私かな？」

二人のフロアスタッフは、私の言葉の意味を理解しかねたのか、曖昧な笑みを浮かべた。

「村上さん、パスタのお代わりあります？」

美香が遠慮がちに言った。

村上が「あるよ」と答えると、梨沙が「じゃあ、私も」と言った。

村上が立ち上がりながら、「ママさんは？」と私に尋ねた。私の皿には、まだかなりの量のパスタが残っていた。

「私はいいわ。ありがとう」

「ママさんは食が細いですよね」

美香の言葉に、私は曖昧にうなずいた。私は食事が遅いし、沢山は食べられない。顎の力が弱いからだ。

村上が厨房から新しいパスタを持ってきた。

「村上さんのパスタは最高！」

「これを食べることができるだけで、お給料の何割か余分に貰った気分」

無口な村上が少しだけ嬉しそうに笑った。

「でも、私は気になるなあ」梨沙が言った。「ママさんみたいに綺麗な人がこんな町にやって来るなんて」

「おかしい？」

「おかしいってことはないんだけど――。だってママさんなら東京にいたらもっと素敵なことがいっぱいあると思うから」

彼女たちはいたって素朴に信じていたのだ。綺麗な女は田舎ではなく東京に行くべきだ。美人は都会でこそ価値がある、と。

しかし東京は美人の基準が違う。この町では美人で通っても東京ではそうではないケースが多い。レベルが高い低いの問題ではない。東京は美人の絶対数が多いからだ。東京で美しさを金に換えるなら、かなりの美しさを持っていなければならない。それだけの美と覚悟があるなら美しい女はいくらでも金を手にすることができる。しかし幸せになれるかどうかはわからない。

美しさで買える幸せは所詮限られたものだ。

梨沙も美香も十分美しい娘だ。しかしその程度の美しさで東京へ出たところで、たいして得することはない。街でナンパされる回数が増えたり、合コンでアドレスを頻繁に聞かれることが、幸せとは言えないだろう。恋人の数が増えることが幸せと言えるだろうか。いや、幸せなのかな。

「東京に行きたいの？」

「行きたいです！」梨沙は言った。「でも、親が許してくれなくて――」

「私も」美香が言った。

「もっと田舎だったら就職口もなかったから、都会に行くしかなかったのに。なまじ小都市だから、仕事があるのよね」

梨沙が残念そうに言った。

「ママさんはどうしてこんな町に来たんですか？　お友達が言ってたからだけじゃないでしょう」

「何だと思うの？」

「男性！」と美香は言った。

私は驚いた顔をしながら、「男性？」と聞きなおした。

「もしかして、ママさんは好きな男性を追いかけてこの市までやって来たんじゃないですか」

「想像力豊かねえ」

私は笑ったが、内心で彼女たちの勘の良さに舌を巻いていた。

しかしそれは勘が鋭いのではなく幼いからだ。まだ恋の世界こそが女の世界だと信じているにすぎない。

ところがそれを言った彼女たち自身、自らの言葉に確信を持っていなかった。私が笑って否定すると、あっさりと納得した。彼女たちは、大人の人生はもっと複雑で恋なんて入り込む余地のないものと思っているのだろう。その常識も正しい。

たしかに分別のある大人のほとんどは恋になんか狂わない。この町の三十八歳の女性は皆そんなものは卒業して、子育てや夫婦問題で心と体をすり減らしているに違いない。

＊

四人連れの背広を着た中年男性の客が入ってくるのが見えた。

私が私室に使っている中二階のプライベートルームの窓はマジックミラーになっていて、上から店全体を見渡せる。

梨沙が奥の左側の少し広めのテーブルに案内するのを見ていた。四人のうちの二人の顔には見覚えがある。ピンク色のネクタイをしている男は、この市の助役だ。もう一人はたしか土木部長だったはずだ。この市の主だった顔は、ほとんど頭の中に入っている。

今は五つあるテーブルのうち三つが埋まっている。一つは中年の夫婦、もう一つはＯＬ風の女三人連れだ。小さな町だが、銀行もあれば保険会社もある。それにＫ興産の本社と関連会社がいくつかある。

私は頃合いを見て、プライベートルームを出て、店に顔を出した。テーブルの客が一斉に私を見た。

私は食後のデザートを食べている夫婦のテーブルに近づいた。

「お味はいかがでしたか」

「大変、美味しかったです」

妻の方が嬉しそうに言った。夫もうなずいた。

私は丁寧に頭を下げると、次にＯＬ風の三人客のテーブルに挨拶に行った。

「ようこそ、いらっしゃいました」

三人は少し緊張している様子だった。何と言っていいのかわからないようで、互いに顔を見合わせていた。

三人のグラスワインがほとんど空だったので、「よろしければ、ワインをもう一杯ずつサービスさせてください」と言うと、三人は「わー、嬉しいです」と喜んだ。

私はその後、助役のいるテーブルに向かった。

「いらっしゃいませ」

「おお、美人ママさんの直々の挨拶とは嬉しいね」

土木部長が酔った赤い顔で言った。

「恐れ入ります」

私は助役の方を向き、「板井様ですね。オーナーの鈴原と申します」と言った。

板井は少し驚いた顔をした。

「私の名前を知ってるのですか」

「間違っていたらごめんなさい。たしか市の助役さんでいらっしゃいますね」

板井は相好を崩した。「ママさんに知られているとは感激だ」

「さすがは板井さんですね」

一人の男が追従を言った。

私はあらためてゆっくりとお辞儀した。

「いやあ、噂には聞いていましたが、すごい美人だ」

板井はそう言うと、三人の男はうなずいた。

「今夜はごゆっくりおくつろぎ下さい」

「ここは何が美味しいですか？」

「アラカルトもいいですが、一応、コース料理がお勧めです」

私はメニューを拡げて、いくつかのコース料理の説明をした。

板井が一番いいコースを注文すると、三人の男も倣った。板井はその上に私が勧めたアラカルトから二品を注文した。

「ママさん、よかったら、少し一緒に飲みませんか？」土木部長が言った。

「よろしいのですか」

「もちろん」

　このテーブルは四人がけだが、少し余裕を取っている。私は隣の空いたテーブルから椅子を移動させると、板井の隣に座った。

「いやあ、噂に聞いていましたが、すごい美人ですね」

　板井がさっきと同じことを言うと、三人は初めて聞いたような顔でうなずいた。

「ママさんは、どちらのご出身ですか？」

「東京です」

「なぜ、こんな町にやってきたのです？」

「私の古い友人がこの町の出身で、いつも素晴らしい町だと言ってたものですから」

「恋人ですか？」

「それだとロマンチックな話なのですが……、女友達です」

　板井はうなずいたが、たいして関心を持ってないのが明らかだった。

「ママさんはいくつですか？」

「三十二歳です」

　男たちは一斉に驚いた顔をした。

「全然見えないね」

　私は板井の言葉をやんわりかわして、今度はこちらが聞いた。

「助役さんはおいくつですか？」

「いくつに見える？」

板井は嬉しそうに聞いた。またこの手の会話かと思った。若い男の子も女の子も、そしてこんなオッサンまで、揃いも揃ってどうしてこんな下らない質問をするのか。この手の会話ほど何の実もなく、しかも厄介なものはない。実年齢より上に言えば不快にさせるし、あまりに若く言うのも見え透いている。

しかし私は、こんな時は思い切り若く言うことにしている。

「さあ、四十歳くらいでしょうか？　それともまだ三十代？」

板井の顔がぱっと明るくなった。

「本当かい。そう見える？」

「はい。最初は三十代かと思いましたが、三十代で助役というのも難しいかなと思って、じゃあ四十代の初めくらいかな、と」

「嬉しいこと言ってくれるねえ、ママさん」

「本当の年齢はおいくつなんですか？」

「いくつでもいいじゃないか」

板井は嬉しそうに笑って本当の年齢を言わなかったが、どうでもよかった。図書館で見た新聞の市の人事広報記事には五十六歳と書いてあった。頭も薄いこのオヤジが三十代に見えるはずがない。こんな見え透いた嘘さえも見抜けないほど、お世辞に囲まれて暮らしているのだろう。いい気なものだ。

「板井様の助役というお仕事は大変なのでしょう？」

「いやあ。それほどでもないですが」

そう言いながら板井は身を乗り出してきた。

そして最近自分が手がけたプロジェクトを語り出した。彼は、市のプロジェクトのほとんどは自分の決裁で決まると言った。板井の自慢話に土木部長はいちいち大袈裟にうなずいた。

板井に言わせると、本当の権限を握っているのは市長ではなく、自分だということだった。大きな目を開いて感心してみせると、板井は上機嫌になった。

その時、ドアが開いて、新しい客が入ってきた。

私は板井に、「また、後ほどお邪魔してよろしいですか？」と言った。

「仕方ないね」板井はにこにこして言った。「待ってるよ」

私は立ち上がって軽くお辞儀しながら、誰が行くかバーカ、と心の中で言った。お前なんか相手にしている暇はない。せいぜい部下相手に自慢してろ。

*

目を閉じると、暗い闇が浮かぶ。

夜の町だ。

見知らぬ町を、四歳の私が怯(おび)えながら歩いている。その横には、手をつないで歩いている男の子がいる。男の子もまた怯えている。

陽が落ちた通りは突然トンネルのようになった。家々はお化け屋敷のようだ。すれ違う人はみな得体のしれない怪物に見えた。

正面の闇が、おいでおいでをするように、私と男の子を誘(いざな)う。怖くて足がすくむ。でも後ろの闇はもっと怖い。暗闇の中から何かが追いかけてくるようだ。ぼんやりとかすむ街灯の灯(あか)りさえ鬼火のように見えた。

私は怖くて泣いた。男の子は私の手を握り、怖くないよ、大丈夫だよ、と言った。自分自身が泣きそうになるのを懸命にこらえながら、歯を食いしばって耐えている。

私は泣きながらその顔を見る。幼い男の子は私を勇気づけて守ろうとしていた。

――王子様だ、と私は思った。

二．みにくいあひるの子

初夏の風が心地よい。

息を吸い込むと、かすかに潮の香りがする。かつてこの町に住んでいる時は気付かなかった。

ランチタイムが終わると、いつも町を散歩する。あてのない散策で、足の向くままに歩く。

いや、まったくあてがないわけではない。私の中には、目的となる町並みがある。もう一度歩きたい町がある。しかしその町の記憶はない。ただ暗く恐ろしい町という漠然としたイメージがあるだけだ。脳裏に浮かぶのは、怖くて泣きながら町を歩く幼い女の子と、彼女の手を握りしめ、懸命に泣かずに歩いている小さな男の子の姿だ。

私はどの町を歩いていたのだろうか。

もしかしたら大きくなってから、何度も歩いた町かもしれない。あまりにもありきたりな町並みで、再び訪れても思い出すこともないのかもしれない。それがどこであるかを知ったところで、何ということもない。また知りたいと心から望んでいるわけでもない。

それなのにその町を求めて歩いている。

私は薄いピンクのパラソルを持ち、白いワンピースを着ている。髪は後ろで束ねて、サングラスを掛けている。

サングラスを通して、町の人たちが私を見ているのが見える。サングラスというのは奇妙なもので、たいていの人がサングラスをかけた人は正面を見ていると錯覚している。だから割に無遠慮に斜めから私の顔を覗き込む。私はサングラスの奥からその視線を受け止めている。二人連れの中年女は私を見ると同時に何かを言い合う。あれがオンディーヌのオーナーだよ、と囁く声まで聞こえるようだ。

時々、ガラス戸に映る自分の姿を見る。何と優雅で美しい。町の人たちが釘付けになるのも無理はない。

商店街に来た。ところどころの店のシャッターが降りている。老人の歯のようだと思った。まもなくすべて抜けおちる。

「東野青果店」と看板が掲げられている店の前で足を止めた。奥に座っていた中年男の店主が緊張した顔で、私を見る。それから慌てて立ち上がってやってきた。

「リンゴが欲しいのですけど……」

「こちらのが美味しいですよ」

店主は「ふじ」と書かれたザルのリンゴを指差す。私はサングラスを外して店主に微笑む。

「どれも美味しそう」

店主は嬉しそうに笑った。

「一つだけ、いただきたいんですけど、いいかしら？」

店主はザルの中から一番大きいのを紙袋に入れると、「どうぞ」と言って私に渡した。

「おいくら？」

「サービスしときます」

「それは困ります」

「いいんですよ。これから贔屓にしてください」

私は、三番目くらいの笑顔で、店主の目を見て、ありがとうと言った。店主は視線を外した。

「あらっ」と私は言った。「どこかでお会いしましたか？」

店主は「えっ」と言って私の顔を見た。「いや、初めてお目にかかります」

「そうですか」

「こんな別嬪さんに一度でも会ったら、忘れませんよ」

店主は初めて冗談を言った。私は笑った。そして心の中で言った。あんたとは何度も会った。あんたに「バケモン」と言われたことは忘れていない。

「でも、こんな美味しそうなリンゴ、ただでいただいて申し訳ないわ」

「いいですよ」

私は東野に近づいて甘えたような声で言った。

「私って優しい人に弱いの。だからこんなふうに優しくされると、駄目になっちゃいそう」

東野の顔がぱっと赤くなった。

「ありがとう。優しいおじさま」

私は踵(きびす)を返すと、店を後にした。東野が私の後ろ姿をいつまでも見ているのはわかっていた。

東野は、これから数日はつまらない妄想を楽しむことだろう。リンゴ一つで夢を見られるのだから安いものだ。

＊

夢の中で私は顔を洗っている。もう何度も見た夢だ。だからいつもの夢の世界だとわかる。だめだ、顔を上げたらいけない。もう一人の私がそう言うのに、私は、頬(ほお)の水を切って、顔を上げる。そして鏡に映った自分の顔を見る。そこには醜い女の顔があった——夢の中で私は悲鳴を上げる。

その瞬間目が覚めた。いや、本当は夢の中で目覚めていたに違いない。それなのに夢の中で鏡を見てしまう。鏡を見る前に目覚めてしまえばいいのだけれど、見るのを我慢できない。

動悸(どうき)がおさまらない。この夢を見た後はいつもそうだ。前にこの夢を見たのはいつ頃だったろう。明け方の暗がりで、自分の顔を手で触れる。美しい顔だ。美しい顔は手で触ってもわかる。

私は立ち上がって、部屋の電気のスイッチを入れる。鏡台を覗き込む。美しい顔がそこにあった。やがてその顔が微笑む。私に安心しなさいというように。

鏡の中の顔は微笑みながら、左の頬を見せた。次に右の頬を見せた。それから顎を引き、上目遣(づか)いに私を見た。少し意地悪そうな目で私を見て笑った。

動悸が鎮まっていくのがわかる。

部屋の明かりを消して、ベッドに潜り込む。

＊

店を開ける前に壁の鏡を見るのは、私の日課だ。

「ママさんは小さい時から綺麗だったんですか？」

いつのまにか後ろにいた美香が言った。

「そんなの決まってるじゃない」

梨沙が呆れたように言った。

「私は綺麗じゃなかったわ」

振り返ってそう言うと、美香が「本当ですか」と明るい声で言った。梨沙が「あのねえ」と言った。「ママさんが綺麗じゃなかったというのは、私たちとはレベルの違う話なのよ」

「いえ、本当なのよ。私はブスだったのよ」

私の言葉に二人は驚くほど反応した。梨沙までも急に関心を持った目になった。

「じゃあ、いつから美しくなったんですか？」

「大人になってからよ。奇跡が起こったの」

二人は怪訝そうな顔をした。

私は手を叩いて言った。

「さあ、もうすぐお客さんがいらっしゃるわ」

二人は弾かれたように持ち場に急いだ。

彼女たちを見送りながら、もし私の昔の顔を見たら、どう思うだろうかと思った。

私はブスだった。

いや、ブスという言葉は軽すぎる——そう、私の顔は畸形的とも言える醜さだった。

一重まぶたで腫れたように薄い目、しかも両目が馬鹿みたいに離れている上に左右の形が違っていた。

鼻は低く横に広がり、大きな穴は上に向いていた。

鼻の下はやたらと長く、口は出っ歯だった。歯並びは悪く、笑うと歯茎が剝き出しになった。頬骨が出てエラも張っていた。

その頃の写真はすべて処分したが、今も自分の顔が記憶の底にへばりついて離れない。時々、夢の中でそれを思い出す。かつての級友たちのアルバムには、今も残っているはずだ。そのすべてを世の中から消してしまいたい。私という人間の痕跡をすべて消してしまいたい。

子供は残酷だ、時には大人以上に。幼い私は、醜さをどれほどからかわれ嘲笑われたことか――。いや正確に言うと、彼らは笑わなかった。醜い顔を気味悪がり、嫌悪したのだ。

小学校に入学したその日に、同じクラスの果物屋の息子に「バケモン」と呼ばれ、それからクラスのみんなにずっとそう呼ばれた。誰も私に近づかなかった。

それでも学校には仲の良かった女の子が一人だけいた。隣のクラスのクミちゃんというおとなしい女の子で、私以外の友達がいなかった。幼稚園からずっと友達で、家が近くだったから、学校からはいつも一緒に帰った。

ある日、一緒に帰ろうとクミちゃんを隣のクラスに呼びに行くと、彼女が何人かの女の子に取り囲まれていた。私は遠くからその様子を見ていた。

「バケモンと遊んで嫌じゃないの？」

一人の女の子がクミちゃんに言った。

それから別の子が言った。

「バケモンの顔って、すごく気持ち悪いでしょう？」

クミちゃんは「気持ち悪くないよ」と言ってくれた。私は涙が出るくらい嬉しかった。

しかし次の日からクミちゃんは私を避け始めた。私とではなく、別の女の子たちと遊ぶことが多くなった。そしてある日の放課後、「今日から別の子と一緒に帰るね」と言われた。

高学年になった頃には孤独にも慣れた。しかし慣れることができなかったのが顔の悪口だ。六年間を通して、男の子たちから様々な悪口を浴びせかけられた。「バケモン」だけでなく、「怪物」「ブルドッグ」「半魚人」「ミイラ女」「砂かけババア」などだ。普段は私など存在しないように扱っているにもかかわらず、時折、嘲笑うためだけに、思いつくままにあだ名をつけて楽しんだ。そしてそれを見ている女の子たちも笑った。

男の子たちは顔だけでなく、私の太っている体形もバカにした。「デブ」「ブタ」「ボンレスハム」「ブヨブヨ」など次から次へとひどい言葉を投げつけた。彼らにとって私は、気持ち悪いという理由だけで遊び半分で殺される、毛虫やトカゲのようなものだった。

ある日、クラスの男子が透明の下敷きを自分の顔に押し当てて、「田淵の顔だ」と言った。

鼻の穴を押しつけるようにしてから、ほっぺた全体を下に押し下げると、私にそっくりな顔になると言うのだ。男の子は皆それを見て笑った。女の子も笑った。私は、今でも透明の下敷きを見ると気分が悪くなる。電車などで幼児がガラス窓に顔を押しつけているのを見ると心臓がひやりとして、胸が悪くなる。

男の子たちは下敷きでその顔をして互いに見せあった。そして「誰が一番田淵に似ているかコンテスト」が始まった。何人かが「見本が必要だ」と言って、私の席までやってきて顔を覗き込んだ。私は無視して、ずっと図書館で借りた本を読んでいた。

その日の帰り道、周囲に誰もいなくなってから、泣いた。私は十歳だった。

＊

最後の客を送り出して、椅子に腰かけた。

体がだるい。少し休憩してから部屋に戻ろう。

店の二階が私の居住スペースだった。シェフの村上は近くに借りたマンションに暮らしている。

店の喫煙スペースのテーブルの椅子に腰かけ、客の前では決して吸わないタバコに火を点けた。肺の中に気持ちのいい煙が入ってくる。タバコは医者から止められていたが、かまうことはない。

店をオープンさせてふた月になろうとしていた。今日も彼は来なかった。

なぜこんなことまでして待たなければならないのか。豪華なレストランを作り、一流シェフを雇い、こんな田舎町で私は一体何をしているのだろうか。

もう百万回もした自問だ。私のしていることは恐ろしく馬鹿げたことだ。しかしそれをやめることはできなかった。私はこの町で一番美しい女で——一番頭のおかしな女だ。

私がなぜこんな店を作ったのかを知れば、梨沙たちも恐れ慄（おのの）いて店を辞めていくだろう。私の狂気に戦慄するだろう。ただシェフの村上だけはシニカルな笑みを浮かべながら黙って料理を作ってくれるかもしれない。

私は母にも「ブス」と言われ続けた。

二歳年上の姉の智子が容姿のことで母にけなされたのを聞いたことがない。母に似た姉は可愛い顔をしていて、すらりと痩せていた。でも母はいつも姉を「馬鹿」とののしった。全然勉強ができなかったからだ。

私と姉は仲がよくなかった。互いに憎みあっていた。姉はことあるごとに私に「ブタ」「ブス」と言ったし、私も姉に「低脳」と言った。

母は二人の娘に愛情も関心も持っていなかった。彼女は夫も愛していなかった。自分にしか関心がない女だった。お茶やお花など様々なサークルに入り、毎日出かけていた。家にいる時は、いつも文章を書いていた。愛読している雑誌にエッセイを投稿していたのだ。何度か掲載された母のエッセイを読まされたが、ここに書かれているのは誰のことだろうと思った。そこには家族のために頑張る愛情に溢れた優しい母の姿が描かれていたり、愛のない不幸な結婚生活に耐えている薄幸の女が描かれていたりした。いずれも母の姿ではなかった。

父もまた母同様、娘にはたいして関心がなかった。趣味もなく友人もなく、祖父から継いだ薬局を後生大事に守るということが人生のすべてといった感じの人だった。それでも母のことだけは好きだったようだ。なぜなら母は器量がいい女だったからだ。だから母の我儘は何でも聞いた。父は太っていた上に不細工な顔をした男だった。親戚の口の悪い叔父などは酒が入ると「美女と野獣だ」とからかった。私は父に似ていた。

小学校時代の私の秘密のバイブルは「みにくいあひるの子」だった。一匹の醜いアヒルが成長して美しい白鳥になるというアンデルセンの童話だ。初めてこの物語を読んだのは小学校の図書館だ。これはアヒルの話ではないと思った——醜い女の子の話だ。

本を読み終えてから、誰にも見られないようにこっそりと本棚に戻した。私がこんな本を読んでいるということをクラスの子たちに知られたくなかった。

自分の机に戻ってもまだ興奮していた。あんな奇跡が私にも起こるかもしれないと思った。大人になる時に、顔が変わり、姉よりもずっと美しい女になるのだ。

虫だってそうだ。醜い芋虫はきれいな蝶になる。毛虫だって蛾になる。汚い虫ほど綺麗になる。でも最初から醜くもないバッタやコオロギはずっと変わらない。人間だってそうに違いない。そして美しくなった私は、あの夜の「小さな王子様」に巡り会うのだ——。

小学校高学年で「思春期」という言葉に出会った。教科書には、思春期には顔も体も大きく変化すると書いてあった。女性ホルモンが分泌され、体の内も外も変わるということだ。やっぱり、そうなんだ。人間の女も一緒だったのだ。きっと醜い女も美しくなるんだ。私は思春期を待ちこがれた。奇跡が舞い降りる日を、今か今かと待っていた。それは朝目覚めた時にやって来るのだろうか。

しかし私の思春期は遅かった。私はなかなか初潮を迎えなかった。十四歳になっても初潮を迎えなかった時、もしかしたら私には思春期が来ないかもしれないと恐れた。夜、布団の中で、自分は一生芋虫のままなのかもしれないと思うと恐怖で体が凍りついた。

初めて生理が来たのは十四歳の終わりだった。その時の感情ははっきり覚えている。遅すぎた！　と思ったのだ。

私は身長が百六十五センチにもなっていた。もう変化のしようもない。私の顔は醜いままに固まってしまったのだ。それに全然痩せなかった。

しかし体の中では変化が起こっていた。女性ホルモンが体中を駆けめぐり、体の一部分に大きな変化をもたらし、子供が産めるような体に作り替えられていた。思春期の女性ホルモンは私を美しくせずに、生殖機能だけを完成させたのだ。

後年、私は男たちの生殖活動を楽しませる仕事をするようになったが、皮肉なことに子供を産むことはなかった。

その時の客の一人が面白いことを言っていた。大阪の男だった。

「恋や愛や言うても、そんなもん全部綺麗ごとや。要するに男も女もおめこしたいだけのことや」

私はその露骨な言い方に笑った。その男に言わせれば、「恋」というものも、結局は生殖活動を促すためのホルモンの働きだということだ。古今東西、沢山の人を泣かせてきた恋の物語も、芝居も、映画も、詩も、とどのつまりは生殖して子作りしたいという動物的本能だというのは、お笑い種だ。

男はさらに面白いことを言った。

「知っとるか。鳥はメスがオスを選ぶんやで。せやから鳥はオスの方が綺麗なんや。クジャクもキジもオシドリも、みなオスの方が綺麗やろ。せやけど人間は男が女を選ぶ。女が男よりも綺麗なんは、そういうこっちゃ」

ああ、そうなのか、と思った。だからこそ美しい女は価値が高いのだ。

思春期時代は、いつも自分だけのファンタジーの世界にこもっていた。

そのファンタジーの中に出てくるのは、幼く凜々しい王子様だ。

あの日、私は公園で幼なじみの男の子と遊んでいた。名前はエイスケだ。

二人で冒険しようと知らない道を歩くことになった。二人とも、初めて歩く見知らぬ道と家々に魅了された。自分たちの住んでいるすぐ近くに、こんな別世界があったということが信じられなかった。私たちはまるで大海原に漕ぎ出すバイキングの気分を味わっていた。

しかしその喜びは長く続かなかった。もう帰ろうということになり、後戻りしたのだが、道に迷った。途中で何度も気の向くままに道を曲がったものだから、帰路がわからなくなったのだ。二人は焦って歩いた。つい先程まであれほど幻想的で魅惑的だった家々は、不気味なお化け屋敷に見えた。すれ違う大人たちは恐ろしい魔人に見えた。あたりは暗くなり、私は怖くなって泣いた。

しかし彼は泣かなかった。それどころか、泣きじゃくる私の肩を抱き、大丈夫、大丈夫と何度も励ました。二人で夜の町を長い時間歩いたが、見覚えのある町並みには辿り着けなかった。私はついに歩けなくなって、しゃがみこんでしまった。彼は泣く私の背中を何度も撫でてくれた。

見知らぬ男性が私たちを見つけて、声を掛けてくれた。エイスケは道に迷ったと言った。そして自分の名前と幼稚園の名前を言った。男性は近くの公衆電話に行き、どこかに電話を掛けた。しばらくして戻ってきて、「もうすぐお父さんとお母さんが迎えに来る」と言った。

しばらくしてエイスケの両親が車でやってきた。母の姿を見た時、エイスケは初めて大きな声で泣いた。

私はあの夜、エイスケに恋したのだ。大きくなったらエイスケと結婚するんだと心に決めた。私の人生はエイスケのためにある。彼も私のことを思ってくれていた。「和ちゃんが一番好きだ。大人になったら結婚しよう」と言った。

私が年長の男の子たちに砂場でいじめられた時、エイスケは「和ちゃんをいじめるな！」と叫んで、勇敢に年上の子たちに向かっていった。エイスケこそ私のヒーローであり、王子様だった。

人生でもし最高の時はいつかと問われたら、躊躇なく、あの時代だと言う。

しかし至福の時代は突然、終わりを告げた。

秋のある日、エイスケはうちにやってきた。彼は目に涙を一杯ためながら、私に手作りの絵本をくれた。夜の町を歩く二人と、結婚式を挙げている二枚の絵が鉛筆で描かれてあった。私は彼がなぜ泣いているのかわからなかった。彼は「さよなら」と言って去っていった。

翌日、エイスケの一家が引っ越したと聞いて目の前が真っ暗になった。もう彼に会うことができないのかと思うと、絶望的な気持ちになって一日中泣いた。

今も、目を閉じれば、あの時の夜の町の光景が瞼の裏に浮かぶ。泣きじゃくる私の肩を抱きながら、大丈夫だからと何度も優しく言ってくれた小さな王子様――それは孤独だった小学校時代の私を支えてくれたファンタジーだ。

辛(つら)い時にはいつも彼のことを思い出した。いつか、あの時の私の王子様が迎えに来てくれると思った。その日は必ず来る、と。


中学三年間を通して友人と呼べる子はできなかった。特に、器量のよくない女の子は、私に近寄ろうとしなかった。多分、周囲の者に同類が集まっていると思われるのが嫌だったのだろう。むしろ可愛い顔立ちをした女の子の方が、普通に話しかけてきた。

でも綺麗な子と話すのは苦手だった。友達になったりすれば、完全な引き立て役になってしまうのが見えているし、その子の美しさに嫉妬(しっと)する自分がわかっていたからだ。

一日、学校で誰とも会話をせずに過ごすことも珍しくなかった。他人には言いたいことも言えなかった。一年生の時、習字の時間に男の子が誤って私の鞄(かばん)に墨をつけたことがあった。私が思い切って「洗ってほしい」と言うと、彼は拒否した。私が強く言うと「ブスのくせに！」と吐き捨てるように言った。私はそれ以上抗議しなかった――いや、できなかった。その言葉で自分の全人格を否定されたような気持ちになったのだ。それ以来、男性に向かってものを言おうとすると、その言葉を吐かれるのではないかという恐怖が頭をもたげて言葉が出なくなった。

それでも中学時代は、必死で女性の美しさは顔だけで決まるものではないという考えにしがみつこうとしていた。しかしそれを打ち砕いた男がいた。二年生の時の国語教師だ。

清水谷というその教師は大学を出て二年目の若い男性だった。快活でユーモアのセンスがあった。授業中でもいつも冗談を言って皆を笑わせていた。

しかしその冗談はよく生徒たちを傷つけた。清水谷は「笑い」になれば何を言ってもいいと思っていた。しばしば生徒の身体的特徴をネタにして笑いにしたし、生徒の失敗も笑いにした。生徒たちは彼を恐れながら、彼の冗談に笑った。彼の冗談は面白かったのだ。自分がネタにされない限りは——。

ある日、清水谷は授業中に何を思ったか、急に「綺麗な子は性格がいい」と言い出したのだ。

「おとぎ話や童話には、よく綺麗な女の子は心が冷たいという話があるが、あれは間違いなんだ」

その途端、クラスの女の子が何人か、えーっ、と声を上げた。清水谷は嬉しそうに笑った。

「少女漫画にも、ブスだけれど心が美しいという女の子が出てくる物語が多い。でもね、あれも嘘だ」

少女たちの声はさらに大きくなった。

「実際は綺麗な女の子ほど心が綺麗なんだ。逆に、ブスほど心も汚い。外見と性格は一致するんだ」

クラスは静まりかえった。

国語教師はクラスを見回し、くっくっくと笑った。自分の話で得意になった時の癖だ。

私は恥ずかしさで顔を上げることができなかった。背中にひんやりした汗が滲むのがわかった。でも、心のどこかで先生の言ってることは本当のことだという気がした。

「先生」

という声が聞こえた。クラスで一番可愛いという評判の女の子だった。

「なぜ、童話の世界で美人が悪人になったのですか？」

清水谷はにやりと笑った。

「おそらく童話作家が不細工な人だったんだろう」

クラスの生徒たちが一斉に笑った。

「少女漫画家もきっとブスばかりなんだろう」

笑い声はさらに大きくなった。

「犬でも、小さい時から可愛い可愛いと大事に育てられたら、性格のいい犬になる。しかし、殴られたりいじめられたりした犬はめちゃくちゃ性格が悪くなる、それと同じだよ。可愛い女の子は小さい時からみんなに可愛がられるから、のびのびと健(すこ)やかに、素直ないい娘に育つが、ブスは小さい時から可愛がられないから、心が歪(ゆが)むんだ」

その通りだと思った。クラスの女の子でも、不細工な女の子ほど他人の悪口を言う。きっと私も性格が悪いに違いない。母にはいつもお前はひねくれていると言われ続けていた。智子はお前よりもずっと素直だ、と。小さい時から、周囲の大人たちが私を哀れみの目で見ているのがわかった。幼い時からそんな目で見られ続ければ、誰でも私のような醜い娘になる——。

「先生、それは偏見なんじゃないですか」

一人の男の子が言った。途端に清水谷の顔色が変わった。

「君も偽善者の一人だな」

その子は耳まで真っ赤になった。

「女性の美しさは外面でなく内面だと言いたいんだろう。よく偽善者が女性向けの人生訓の本で書いていることだ。君がブスを好きになったなら、ぼくは偽善者と言った言葉を取り消そう」

清水谷はそう言って、おかしそうに笑った。

思春期の変化は体だけではなかった。

生まれて初めて異性を強烈に意識し始めた。簡単に言ってしまえば「色気づいた」のだ。しかしこの心の動きは同時に、これまで知らなかった苦しみを与えた。自分はとうてい男の子たちに見向きもして貰えない、誰に恋しても無駄に終わるという思いだ。

私を含めた醜い女の子たちが思春期に自分の醜さに深く傷つくのは、周りに男の子がいるからだ。大きくなって、もし自分が女子校だったら、と考えた。おそらく苦しみのいくらかは少なくなっていたかもしれない。

周囲の女の子たちが好きな男の子の話をしているのを聞くのは辛かった。

美しい女にはすべてのチャンスが与えられる。それはドラマでも映画でも証明されている。美人は人生にあらゆる素晴らしいチャンスが待ちかまえているのだ。玉の輿もシンデレラもすべて美人の物語だ。古今の劇的な恋の物語のヒロインもすべて美しい女だ。美人がすべてシンデレラになれるとは限らない。しかしブスにはそのチャンスさえない。

「美女と野獣」という物語がある。美女が野獣のように醜い男の心の美しさに気が付き、恋するというお話だ。なぜ、その反対の物語を作ってくれなかったのだろう。恋の物語のヒロインはみんな美しい。汚いシンデレラも魔法の力で美しくなったから王子様に愛されたのだ。

醜い少女が愛された話はどこにもない。

美しくない女はヒロインになれないと、多くの物語は教えてくれる。映画のヒロインは皆美人で、少女漫画のヒロインはみんな可愛い。小説の中に登場するヒロインだって、その美しさはたっぷりと描かれている。

おそらく「美人」と「女」は違う生き物かもしれない。そして私のようなブタでブスは女でもないのだ。

私には恋なんて縁のないものだと思っていた。

ところが恋をしてしまった。相手は一学年上の先輩だった。足森修司——今でもフルネームで名前を覚えている。

彼は中学では有名人だった。生徒会長をやり、テニス部キャプテンで、三年生の春の県大会ではシングルスで準優勝していた。だから他の中学の女生徒の間でも人気があった。まさに絵に描いたようなアイドルだ。

なぜ彼のことが好きになったのかはわからない。一度も話したこともなく、目と目があったこともない。彼の性格など何一つ知らない。多分テレビタレントに恋するのと同じだったのだ。

足森は爽やかな男の子だった。いつも白い歯を見せて笑う笑顔が素敵だった。放課後の彼の練習にはいつも何人かのギャラリーがいた。彼は校内の有名人だったから、一年生や二年生の女生徒が日替わりで見学にくるのだ。彼もそれを意識して、練習の合間にギャラリーに近づいて声をかけた。話しかけられた女生徒は舞いあがっているのが遠くからでもわかった。

私も足森と話がしたかった。簡単な会話でもいい。でもギャラリーの中に混じる勇気は起きなかった。私がコートに近付いた途端、どよめきが起きるだろう。

足森を好きになって、自分の顔と体形が一層嫌になった。顔も体も変わらないのに、なぜ恋の感情なんか起こるのかと神様を恨んだ。自分のような美しくない娘が恋なんかしても報われるはずがない。恋は美しい娘だけがすればいい。

何度も鏡で自分の顔を見た。どこかにまだ自分の発見していない美点があるのではないかと思って、何度も鏡を睨(にら)んだ。すると時々ふと三面鏡の角度によって、あっと思う時があった。自分の顔じゃないと思えるくらい美しい顔に見える瞬間があったのだ。しかしそれはまさに一瞬のことで、まばたきするともう見えなかった。

そんなことを何度か続けた末、自分の顔には美のかけらもないということを悟った。

でも私は恋をした。それもまるで少女漫画に出てくるような恋だ。でも少女漫画と違うのはヒロインが美しくも可愛くもないところだ。

でも、私は恋をした。そして夢を見た。

――ある日、教室に足森修司がやってくる。テニス部のプリンスの突然の登場に、女の子たちの間に緊張と喜びが走る。彼は教室に入ってきて、驚きの眼差(まなざ)しで見つめる女の子たちの前を、いつものように自信満々に歩いて、私の机の前に立つ。クラスの女の子たちは何事が起こったのかという風に私たちを見る。私は顔を上げる。足森が緊張した顔で私を見つめている。私は初めて、何かとんでもないことが起きたのだと気付く。

そして彼が言う。

「和子、君が好きだ」

教室全体に衝撃が走る。何人かの女の子は小さな悲鳴を上げる。

「ぼくが好きなのは君だ。それを言いたくて来た」

彼はそれだけ言うと、スポーツマンらしくくるりと回れ右をして、男らしく教室から去っていく――。

何度も空想した情景だ。空想のたびに場所が校舎の廊下やグラウンドに変わった。彼の台詞(せりふ)もそのたびに変わった。だが変わらないものがある。それはいつもクラスの女の子たちが周囲にいることだ。そして男の子たちも。

彼らは彼の男らしい堂々とした愛の告白で圧倒される。みんなのいる前で、高らかに「好きだ」と告白する。こんな勇気のある男がいるだろうか。こんな告白を受ける女は誰もいない。本当に命懸けで好きにならないとできるものではない。

彼はそれをするのだ。他ならぬ私に。

女の子たちはこれほどまでに愛される私を見て、気も狂わんばかりの嫉妬心に苛まれる。そして男の子たちは、和子は本当は素晴らしい女の子だったのだ、と気付く。もう遅い。いまさら気付いてももう遅い。

この空想の後は、しばしば陶然となった。甘い気持ちが全身に回り、お酒を飲んだりするとこんな気分になるのだろうかと思った。

あまりにも頻繁に空想するものだから、朝、眠りから覚めやらない時など、もしかしたら本当にあったことなのかもしれないと思うことがあった。それほど記憶は鮮明だった。その時、私はまだ彼に返事をしていないことに気付く。彼は、一世一代の愛の告白をしたのに、返事が貰えず、傷心の思いでいるのではないだろうか。私は布団から跳ね起きる。早く彼に会わなくては!

しかしパジャマを脱いで服に着替えた時には、鮮明だった記憶は薄れ、すべては空想の世界だったことに気が付く。

さんざん悩んだ挙げ句、足森の卒業式にマフラーを渡す決意をした。年末からずっと編み続けていた手編みのマフラーだ。色は半分が赤でもう半分が黒だ。赤が私、黒が彼というイメージだった。

卒業式が終わって足森の元に行くと、制服のボタンがみんななくなっていた。袖のボタンまでもだ。学生服の前をだらしなく開けて着ている彼は不良っぽくて恰好が良かった。

足森の周りにはまだ数人の女の子がいたが、私は勇気を振り絞って、彼の前に立った。空想の世界で、彼は何度も大勢の前で私に愛の告白をしてくれた。私も勇気を出す時だ。

彼にマフラーを突きつけるように渡すと、何も言わずにその場を離れた。言おうと思っていることはあったのに、心の中で何度も繰り返して練習してきたのに、何も言えなかった。

マフラーを渡した時の周囲の女の子たちの反応は何も覚えていない。覚えているのは彼の驚いたような顔だけだ。でも、あの顔は、と私は思った。嫌がっている顔ではなかった。

マフラーには手紙の類(たぐい)は一切つけなかった。もし、彼が私のことを好きなら、私が誰だか調べてくれるはずだからだ。

しかしこの恋は滑稽で残酷な結末を迎えた。

翌日、三年生がいなくなった学校に登校した時、私は信じられないものを見た。中学校の近くに人なつっこい野良犬がいたのだが、その犬の首に赤と黒のマフラーが巻かれていた。

三．運命の恋

風が気持ちいい。

丘に登ると、海からの風が髪を撫でる。

丘からは瀬戸内海が一望できる。海の見えるところは他にいくらでもあるが、この丘はこの町で一番景色のいいところだ。環境風致地区の指定か何かで建物が建てられない地区になっている。だからこの丘の周辺は昔とほとんど変わっていない。

かつては地元の高校生のデートコースの一つだった。おそらく今でもそうだろう。高校生たちにとっては一種の聖域みたいな感じもあって、カップルでない高校生は来にくかった。私は高校時代は一度も来たことがなかった。だから昔とあまり変わってないという印象は本当はない。景色そのものに懐かしさとか感慨といったものもない。ただ、この丘に立つと遠い日の感情が甦(よみがえ)ってくる。

ここはずっと憧れの場所だった。いつかこの丘に恋人と並んで立ちたいと思っていた。あれから二十年が経った。

高校に入る頃には、自分はもう女の子らしい幸せを望んではいけないのだと思うようになっていた。これは苦しい諦めだった。

同じ年頃の女の子たちが男の子たちを見て騒ぐ姿を見るのは苦しかった。自分には縁のない世界なのだと認めるのは、切なくてたまらなかった。鏡を見ると、そこには女の子の顔とは思えない醜い顔があった。

私だって恋したい！　好きな男の子を見つけたい！　それが女の子として生まれた一番の喜びだ。そうじゃないと言える女は、恋なんて簡単に手に入れることのできる女たちだ。あまりにも普通に手に入るから、恋は空気のような存在として、それ以上の何かを人生に望むのだ。

私は違う。おそらく同年代の女の子以上に恋に憧れた。それは私が醜かったからだ。人は手に入らないものに憧れる。「お前には無理だ」と言われたらそれが一層欲しくなる。

私は人生で何も要らないと思った。ただ好きな男の子に振り向いてさえ貰えれば、あとのものは何も要らない。だってそうだろう。動物を見ればわかる。野生動物の一生は恋にある。昆虫さえそうだ。メスはオスと結ばれるために短い命を燃やし尽くす。

二匹の蝶がもつれ合うように飛ぶ姿を見て、悲しくてたまらなくなったことがある。虫でさえ恋を謳歌できるのに、人間である私は男の子には一生振り向いて貰えないのだ。ただ、美しく生まれなかったばかりに――。多分、虫の世界には美醜はないだろう。

こんな私でも、もしかしたら結婚できるかもしれない。高望みさえしなければ。どんな男でもいいと言えば、誰かが私に相応しい男性を見合わせてくれるかもしれない。でもその男性は絶対に私の好みではない。そしてその男性にとっても私は絶対に好みではない。「俺には所詮こんな女しか当たらないんだ」と諦めることのできる男が、私の夫になるのだ。

恋愛結婚なんかありえない。私のような醜い女は、最初から恋さえできないのだ。私はそれを十四歳の時、犬に巻かれたマフラーで知らされた。これは悲恋でさえない。

悲恋――何という甘い言葉。でも悲恋の悲劇が似合うのは美しい女だ。ブスには悲恋なんか似合わない。いやそもそもブスに悲恋はない。それは単なる喜劇でしかない。

もし私の顔に大きな黒い痣があったり、あるいは火傷の痕があったり、大きな傷があったりすれば、私の不幸は絵になったかもしれない。生まれついての、あるいは後天的な不幸によって、二目と見られない顔の女だったら、もしかしたら悲劇のヒロインになれたかもしれない。

しかし私の顔には痣も火傷も傷痕もなかった。私はただ、生まれついての不恰好な顔だったのだ。ブルドッグみたいな顔に、小さな目と丸い鼻、厚い唇がついている滑稽な顔が、どうして悲劇のヒロインになれるだろうか。

しかし人生はいつも皮肉なものを用意する。私は運命の人に邂(めぐ)り合ったのだ。長い間ファンタジーの中に存在した私だけの王子様——そう、かつて夜の町で私を守ってくれた少年だ。

高校に入って最初のクラスの自己紹介で彼が「高木英介」と名乗るのを聞いた時、はっとした。「エイスケ」という名前に聞き覚えがあったからだ。何度かその名前を呟いていると、突然、かつて夜の町を彷徨(ほうこう)した男の子の名前を思い出した。そうだ、彼の名前は「エイスケ」だった！

高木英介があの時の少年なのかどうかはわからない。しかし私はなぜかそんな気がした。英介は同じ市内の別の中学出身だった。もし彼がエイスケなら、彼ははるか遠い町へ去っていったのではなく、すぐ隣町に越していっただけだったのだ。

私は休み時間や登下校の時に、英介の顔をこっそりと何度も覗き見た。彼は細面(ほそおもて)の綺麗な顔だった。脳裏にかすかに残っているかもしれない彼の面影を捜した。しかし彼の顔を見ても何も思い出さなかった。もしかしたら全然違う男かもしれない。

　でも私は高木英介の顔を気に入った。というよりも彼の顔にときめいたのだ。彼は背が高く、ハンサムだった。クラスの女の子が「高木君てかっこいいわね」と噂していたから、彼の恰好よさは多くの女の子が認めるものだったのだろう。私はそれを聞くと、どこか誇らしい気持ちになった。しかし一方でなぜか悲しい気持ちにもなった。

　私には英介がエイスケであって欲しいという思いと、そうであって欲しくない思いの、両方の気持ちがあった。

　彼自身にそれを聞く勇気はとても出なかった。私はもう長い間、男子と面と向かって話をしたことがなかったのだ。

　でも幸運が舞い降りた。ある日、遅刻して下駄箱のところで靴を上履きに履き替えていると、同じく遅刻した英介がやってきた。英介は私のすぐ横の下駄箱から上履きを出した。

　私は自分の心臓の音が隣に立つ英介に聞こえないかと思って、怖かった。

「やあ」

　不意に英介が声を掛けた。心臓が止まるかと思った。私は英介の顔を見ないで黙ってうなずいたが、首に硬い棒でも入っているかのようだった。

「田淵さんが遅刻って珍しいよな」

　私はまた黙ってうなずいた。英介が私の名前を覚えてくれていることが信じられなかった。

「一緒に教室に入ろうか」英介は笑って言った。「一人より二人の方が気が楽だしね」

やっとの思いで、少し遅れて、はい、と返事をした。でもその声は小さすぎて、英介に聞こえたかどうかわからなかった。

私は英介の横を歩いたが、自分の足ではないようだった。

彼に話しかけようと思ったが、舌が強張(こわば)って声が出なかった。何度も深呼吸して、ついに声を出した。

「――高木君」

自分の声が裏返ったのがわかった。でも、もう引き返せない。

「何？」

「高木君は、ずっとN町にいたの？」

「子供の頃に引っ越したんだ。生まれたのはS町だよ」

それを聞いた時、私の心の中で、驚きと喜びが爆発した。

「じゃあ、S幼稚園？」

「うん」

「私もS幼稚園なの」

「そうなのか。じゃあ、大昔にも会っていたかもな」

英介はそう言って明るい顔で笑いながら、私の顔を見た。しかしすぐに視線を逸らせた。その瞬間、私は恥ずかしさで顔が赤くなった。彼が視線を逸らせた理由はわかっている――私の顔と体が醜かったからだ。

でも恥ずかしさよりも驚きの方が強かった。英介はエイスケだったのだ！　気が付けば教室だった。どうやってここまで来たのか何も覚えていない。席に着いてからも、動悸はしばらくおさまらなかった。

少し経ってから全身に喜びが溢れてきた。英介と話せたこと、優しかったこと、そして何より彼があの夜の素敵なナイトであったことが最高に嬉しかった。感動のあまり足が震えた。止めようとすると体が震えた。

しかし喜びの裏側には悲しみがあった。英介があんなにも素敵な男性になっているのに、私はまるでその対極にあるような醜い女になってしまったのだ。十年の歳月は二人を銀河の端と端くらいまで遠ざけてしまった。

私には英介の心を捕まえることはできないだろう。そんなことはわかっている。私の恋なんて実るはずはない。犬に巻かれた手編みのマフラー――あれこそが私の恋の行く末だ。

それに英介は多分あの夜のことは覚えていない。あの思い出の中のエイスケは私だけのものだ。

現実の英介を見て以来、常に脳裏にあった幼いエイスケの面影が消えてしまった。夜の町を思い浮かべようとしても、英介の顔しか出てこなくなった。

私はしかし英介への想いを諦めようと思っていた。

私の顔では英介に好かれることはない。せめて普通のブスなら、と思った。それなら彼の心を摑むことができたかもしれない。でも私は学校一の醜い女だった。

男子たちが女子を「ブス」と言ってからかうのは珍しくない。言われた方も笑いながら言い返す。しかし私に向かってブスと言う男子は誰もいなかった。私にその言葉は洒落にならないのだ。高校生ともなるとそれくらいの分別はある。だからせめて冗談でブスと言われるほどの顔なら、と何度も思った。

クラスの男子たちはしばしば「誰が美人か？」という話をするようになった。さすがに女子の前で面と向かってすることはなかったが、そんな話は知らぬ間に耳に入ってくるものだ。高校生になった男子たちの間で、「女の美しさ」の価値が一気に高まっていた。その価値観は女子にも伝染した。女子たちは自分の顔が男子たちの中でどんな風に見られているのかを、以前よりも一層意識するようになった。

いつのまにか女子の美しさのランク付けが始まっていた。もっともそれらはあくまで水面下でのことだった。

しかしある時、それが露骨な形で顔を出した。

九月の初めの、雨の午後だった。古典の教師が休んで自習になった時、松田という男子生徒がふざけて、「クラスのミスコンテストをやろう」と言い出した。男子は喜んだが、それを聞いた女子は反発した。それでも松田はノートをちぎって投票用紙のようなものを作りだした。女子の何人かは本気で怒ったが、男子たちは鼻で笑った。

「よしなさいよ。失礼だと思わないの」

吉田恵美子が松田に注意した。

「どうして失礼なんだよ。綺麗なものを正しく評価するだけだよ」

「品性が下劣よ」

仁木正子も吉田に加勢した。二人とも美しい女子ではなかった。

「女性を外見だけでしか見ないなんて、とことん軽蔑するわ」

「完全なる人権侵害よ」

二人は言った。多くの女子がそれに賛同した。

その時、男子の一人が「ブス！」と野次った。

二人の顔色がさっと変わった。

「自分が選ばれないからって、下らない理屈を言うな、ブス！」

「私はブスじゃないわ」仁木正子が懸命に言った。

「ブスだから、ムキになってるんじゃないか。綺麗な子はさっきから黙ってるよ」

二人は助けを求めるように女子の方を見た。

「仁木さんの言うことは正しいわ」

富田紀子が言った。彼女はクラスで一番美しい女の子だった。

「私はクラスでミスコンなんてやる人を軽蔑します」

男子たちは鼻白んだ顔をした。

富田の言葉に、女子たちは勢いづいた。

「男子って最低ね」

そう言ったのは岡田陽子だ。彼女もまたクラスでは美人と言われていた。

クラスの美少女二人に非難された松田は、しゅんとなったが、突然、「それじゃあ、ブスコンテストをやろうぜ！」と言い出した。

私はそれを聞いた途端、背筋に冷たいものが走った。やめてよ！　と心の中で言った。

松田の言葉に男子は一斉に笑った。女子たちは前以上に反発した。

「やめなさいよ！」

富田紀子は大きな声で言った。彼女は本気で怒っていた。私は心の中で彼女に感謝した。しかし松田はもうそれには応えず、投票用紙作りを再開した。周囲の男子が面白がってそれを手伝った。

お願い、やめて。誰か、止めて！　心の中で叫んだ。おそらくクラスの不細工な女の子が何人か同じことを叫んでいただろう。

でもワースト一位は私に決まっている。皆が恐れているのは二位になることだ。誰だって私の次に銀メダルは欲しくはないだろう。私と一緒に表彰台に上がらされる子は気の毒だと思った時、脳裏に恐怖がよぎった。二位なんて誰もいないのじゃないか！　なぜなら、男子の全員が私の名前を書くからだ――。

私は怖くて体が小さく震えだした。男子が全員一致で私の名前を書く――その発表を黙って聞いていられるだろうか。今この瞬間に消えてなくなりたいと思った。

男子の全員が私の名前を書くということは、英介も書くということだ。それだけは絶対に嫌だ。

なぜほっといてくれないの！　と心で叫んだ。私は黙って出しゃばらずにおとなしくしてるのに、こんなステージに引っ張り出さないで！　なぜ私を笑い物にするの。私があなたたちに何をしたというの。

お願いだから、美しい女の子を選んで。そうしたら私は選ばれた女の子たちに拍手を送る。だからお願い、そっとしておいて！

女子たちの猛反発にもかかわらず、松田たちは投票用紙を配った。

私は俯きながら英介の方を見た。

英介は松田たちが騒いでいる間、隣の席の秋山と話していた。そこへ松田が「投票用紙だ」と言って、折りたたんだ紙を投げた。紙は英介の頬に当たった。

英介は会話を中断されたことで少し不機嫌な顔になり、「投げるな、バカ」と言って、紙を丸めて松田に抛（ほう）り返した。

「何するんだよ！」松田が怒って言った。「投票に参加しろよ」

「馬鹿馬鹿しい」と英介は言った。「俺はやらないよ」

松田は、チェッと舌打ちした。「女の前でエエカッコしやがって」

松田の一言に英介は顔色を変えた。

「俺がいつエエカッコした。もう一度言ってみろ」

「何だよ。やるのかよ」

松田はやくざみたいな口調で言いながら、椅子から立ち上がった。

英介は松田に近付くと、いきなり顔面を殴った。

「何しやがる！」

松田は怒鳴ったが、殴り返しはしなかった。松田は背の低い痩せた男だったが、英介はクラスでも大きい方だった。しかもがっしりしている。自分を見下ろす英介を見て、松田は急に弱気になった。

殴られた顔を押さえて、引きつった笑みを浮かべながら、「何も殴らなくてもいいじゃないか」と言った。

「俺は喧嘩しようと言ったわけじゃないし――。ブスのために喧嘩するのは馬鹿らしいよ」

松田の言葉に男子の何人かが笑った。松田もそれに合わせてわざとらしく笑った。

英介はそれ以上、松田を追いつめることなく席に戻った。投票はついに行なわれなかった。

――私は感動していた。

英介は私を守ってくれた。私のために喧嘩をしてくれた。

実際は彼が私のために松田を殴ったのではないことはわかっていた。彼はただ自分のプライドを守るためにやったのだ。それでも私は嬉しかった。理由はどうであれ、英介の行動は私を救ってくれた。

英介に本当に恋したのは、この時だったのかもしれない。

私の心の中で英介はかけがえのない存在になった。

自分でも気持ちを整理することができないまま、何度か下校する英介を尾けた。

彼は数キロ離れた隣町から自転車で通っていたが、私も自転車通学だったから、何度か彼の自転車の後を遠くから追いかけた。彼の自宅を探るのが目的ではない。ただ英介が毎日見ている風景を自分も見たかっただけだ。それに自転車で走る彼の姿も見たかった。

英介の後を尾ける時はいつも百メートル以上離れていたから、気付かれることはなかった。両側に民家のある道を走る時はそうでもなかったが、周囲に何もない農道を走る時は緊張した。英介が後ろを振り向けば、確実に私の姿を目にするからだ。

同じ道を同じ風を受けて走るのは気持ちよかった。川の土手を走る時は、まるで英介と一緒に走っている気がした。

一度、英介が土手を走っている時に、急に止まったことがある。その時、私は五十メートルくらいに近付いていたから、慌ててブレーキを踏んだ。けたたましいブレーキ音で、心臓が止まりそうになった。

でも英介は振り返らなかった。彼は土手から下の河原を見ていた。私は万が一を考えて、自転車を倒してしゃがみこんだ。

英介はしばらくじっと河原を見つめていたが、やがて自転車を降りて、河原に降りて行った。そして河原で何かを拾って再び土手に上がってきた。両手に小さな猫を抱えていた。黒と白のブチだった。

英介は左手で猫を持ち、右手でハンドルを持って、自転車を押していった。片手運転をしなかったのは、転倒を心配してのことかもしれなかった。でも、ここから彼の家までは二キロ以上ある。私は英介の意外な一面を見て感動した。そしてクラスの誰も知らない彼の行動を目にしたことで、何とも言えない優越感を覚えた。いつまでも英介の後を歩いていたかった。

この日以来、寝ても覚めても英介のことが頭を去らなかった。しかし英介に惹かれていく自分が怖かった。

神様はどうして英介に邂り会わせたのかと思った。恋が実らないなら会わせてくれない方がいい。それとも、英介に邂り会えたということは、結ばれる運命だというのだろうか。それとも神様は私をからかっているのだろうか。

英介がもっとみっともない男になっていたらよかったのにと思った。背が低く、不細工な顔で、勉強もできず、スポーツも全然駄目な、学校中で一番ださい男の子だったらよかったのに——。私はそれでもかまわない。いやむしろそうであってほしかった。

それなら私は英介に想いを打ち明けただろう。英介もその想いを受け入れてくれたかもしれない。そうなれば、多分、学校中の笑い者になるだろう。まさにお似合いの「ブス・ブ男」カップルとして、みんなの好奇の目にさらされるだろう。それでもいい。たとえ世界の皆から笑われても、英介と私が幸せなら何も怖くない。

でも、英介が醜い男の子だったとしても、私のような醜い女の子なんて好きになってくれるとは限らない。やはり美しい女の子に恋するかもしれない。でも私はいくらでも待てる。英介が美しい女の子に何度も恋して、そして振られ続けて、やがて恋を諦めるその日が来るまで待つ。

——ああ、それならよかったのに。本当に英介がそんな醜い男の子だったら、どれほどよかったか。

しかし現実の英介は醜い男の子ではなかった。背が高くハンサムで、クラスの女の子の憧れの的のような素敵な青年になっていた。それに対して私は学校で一番の醜い女。こんなに残酷で滑稽な組み合わせはない。

私は本気でダイエットに取り組んだ。中学時代にも何度も試みたが、いずれも長続きさせることができず、体重を落とすことはほとんどできなかった。ダイエットは始めてもしばらくの間は効果は出ない。その期間に、痩せたいという動機と意志を持ち続けていられなかったのだ。心の底に、ブタでなくなったとしても醜い顔は直すことができないという思いがあったせいだ。

しかしこの時は、自分にやれるだけのことをやろうと決意した。たとえわずかでも英介に近づけるならば、やり抜こうと思った。朝も昼もパン一つ、夜も一膳だけという食生活を何日も続けた。そして夜にはジャージを着て、近所を一時間歩いた。部屋では脂肪の揉み出しマッサージと腹筋を繰り返した。最初の一ヶ月はまったく効果が出なかった。しかし私は死ぬ気で頑張った。二ヶ月目から夜歩く距離を二時間にした。

三ヶ月目から成果は現れた。一週間に一キロずつ落ちていった。五ヶ月目に十キロの減量に成功した時、周囲の女の子たちの見る目が変わった。しかしそれは賞賛の目ではなかった。彼女たちは私を奇異なものを見るような目で見た。

ある日、学校のトイレの個室に入っている時、女の子たちが私の話をしているのが聞こえた。同じクラスの亀田由美が「痩せて気色悪くなったと思わない?」と言った。すると小山めぐみが「なんか余計にマイナスオーラ発散て感じね」と言った。周囲の子たちが笑った。

私が個室に入っているのを知って話しているなと思った。私は個室に入ったまま、身動きできなかった。息をするのも怖かった。結局、休み時間の間ずっと個室から出られなかった。

亀田たちが私の悪口を言ったのは、私のような醜い女がダイエットに成功したのが腹立たしかったからだろう。でも「気色悪い」というのは当たっていた。体は痩せたが、顔は肉が落ちて前よりも怖い印象になっていたからだ。

私は今度こそ英介への想いを断ち切ろうと思った。あの幻想的な一夜は、永遠に私の心の中に閉じこめておくのだ。

でも英介への想いは断ち切ることができなかった。毎晩、鏡の前で祈った。この顔が美しくなりますように、と。奇跡が起こって欲しい、と。私は布団の中で夢を見た。朝目覚めると、家族が不思議そうに私の顔を見るのだ。鏡を覗くと、そこには美しくなった私の顔がある——。

そんな奇跡は起こらなかった。

時が解決するのだ、と思った。女が容貌で悩んだり苦しんだりするのは、所詮は十代二十代のこと、せいぜい三十代までだ。おばさんになれば、美しさは平均化されると本に書いてあった。美しい女は普通のおばさんになり、美しくない女もまた普通のおばさんになるのだ。その頃にはもう「恋」に悩むことなんてない。あと十五年生きれば、おばさんになれる。たったの十五年、それだけの年月、苦しみに耐えれば、もう恋の苦しみからは解放される。すでに私は十五年生きた。もう十五年生きることは難しいことではない。

多分、三十歳を過ぎても私は独身だろう。でも美人で独身でいるよりもきっと精神的に楽に違いない。美しい女は、年老いて独身の自分を呪いたくなる時があるに違いない。あの時結婚していれば、あの時あの人を選んでおけば、というターニングポイントの出来事がいくつもあるだろう。それを思い出すたびに、後悔に似た苦い思いを味わうかもしれない。でも、私にはそんな後悔はない。年老いても、恋の思い出なんか一つもないからだ。

だから私は早く年を取りたかった。青春なんか欲しくなかった。美しくないせいで悲しい思いをしたり、男の子にときめいて悩んだりしないようなおばさんに早くなりたかった。

*

私は海を見つめながら、ふと昔を思い出し、おかしくなって一人で笑った。

あれから十五年どころか二十年以上の歳月が流れた。

私は醜いおばさんにはならなかった。それどころかこの町の誰よりも美しい女になった。

私は英介への想いを断ち切ることができずに苦しんだ。

中学時代にテニス部のアイドル足森に憧れたことがあったが、それとは全然違う感情だった。これはあきらかに恋だった。そして報われぬ恋だった。

苦しくて、苦しくて、英介を思うと涙が出た。自分の一生がどれだけあるのかわからなかったが、英介を失って、五十年も六十年も生きるということは耐えられなかった。

それはまるで牢獄のような人生だろう。英介への想いを持ちながら、彼に会えない時間生きるのは、あまりにも残酷に思えた。そしてその苦しみは死ぬまで続くのだ。

英介に愛されるなら死んでもいいと思った。もし残りの寿命と引き換えに彼の愛を得られるなら、それでもいい。彼の両手に抱かれるなら、その瞬間死んでもいい。

私は余りの辛さに、英介に気持ちを打ち明けようと思った。

もしかしたら奇跡が起こるかもしれない。あの時、松田を殴ったのは、私をかばってくれたのかもしれない。万に一つの可能性だが、彼は本当は私のことを思ってくれているのかもしれないではないか。

どうせ手に入らない恋だ。一か八か賭けてみてもいいと思った。私に失うものは何もない。

しかし勇気が出なかった。中学時代の残酷な経験が私を怯ませた。あの時みたいに、ピエロにされて皆の笑い物にされたらどうしようと思うと、踏み出す勇気が出なかった。いや私がピエロになるのはかまわない。その時は学校を辞めればいいのだ。英介を失えば、もう学校なんかに未練はない。私が恐れたのは、英介の残酷な一面を見ることだ。それまで知らなかった恐ろしい性格が剝き出しになるのを見るのが怖かったのだ。

もし英介が足森のように、私を笑い物にしたら——その時は、私の心の中の小さなナイトは死ぬ。私の生涯で一番美しい記憶と共に。あの気高く勇気のある小さなナイトは恐ろしいゾンビになり、そして塵(ちり)のように消えていってしまう。私はそれが怖かったのだ。

私は毎夜、鏡を見た。少しでも顔が変わることを念じた。美人になることは望まない。ただ今よりも少しだけでもましになれば、と念じた。

しかし次の夜も、その次の夜も、そしてその次の夜も、私の顔はまったく変わらなかった。鏡を見るたびに心の中で泣きながら、毎日少しずつ英介への想いを胸の奥深くに沈めていった。

しかしそんな私にも一縷(いちる)の望みがないわけではなかった。それは英介があの夜のことを覚えていてくれているという希望だ。

私がずっと思っていたように、彼もまたいつかあの時の女の子に逢いたいと思ってくれていたなら……。私に憧れ、いつか現実の世界に現れて運命の女性となる、ということを夢見ていてくれたなら！

しかし英介に十年前の夜の思い出を聞くことはできなかった。一体どんな風に聞けばいいというのか。彼が覚えていなければ、私はピエロ以下だ。それにもしかしたらあの夜の「エイスケ」と英介は本当は別人かもしれない。

もし本当に運命の恋というものがあるなら、そして私の運命の男が英介なら、いつか彼はあの時の女の子が私だと知るだろう。そんな奇跡の日が訪れるのを待った。

そして奇跡が起こった。

一年生の終わりにクラスで文集が編まれることになった。その時、担任教師が戯れに「テーマを『初恋』にしてみないか」と言った。にわかに教室が騒然とした。

ホームルームでも大いに揉めた。「初恋なんて嫌だ」と言っていた女子たちも、本当はそのテーマに惹かれていた。男子たちは女子よりも拒否の度合いが少なかった。討論の末、文集のテーマは「初恋」に決まった。

私は、タレントの某(なにがし)に恋したのが初恋かもしれないという、当たり障りのない話を書いた。エイスケとの思い出は書く気はなかった。あれは誰にも言いたくない、私だけの物語だ。

文集ができて配られた時、私は英介の書いたものを見る勇気がなかった。その代わりに他の子の書いたものを読んだ。クラスの女子の多くが、初めて好きになったのはタレントやテレビドラマの主役だという話を書いていた。やはりみんな本当の初恋の話を書く勇気はなかったのだ。でも中には名前を特定されないように、リアルな初恋の思い出を書く子もいた。

男子たちはもっと無防備に小学校時代の初恋の思い出を書いていた。中には堂々と個人名を書いている子もいた。

　私は家に帰ってから、自分の部屋で英介の文章を読んだ。英介のページを開いた時、胸が妖しく高鳴った。「夜の町」という言葉が目に飛び込んだからだ。私は鼓動が早くなるのを感じながら、初めから読んだ——。

　読み終えた時、茫然自失となった。自分がどこにいるのかもわからない状態だった。胸が苦しくて、息ができなかった。英介の文集には、私と歩いたあの夜の出来事が記されてあったのだ。

　女の子の名前は書かれていなかった。英介は「それが誰だか思い出せない」と書いていた。そして最後は「顔も名前も思い出せないが、素敵な可愛い子だった。もう邂り会うこともないだろうが、ぼくの大切な思い出だ」と結ばれていた。

　気が付けば涙が流れていた。英介はあの夜のことを覚えていてくれたばかりか、美しい思い出として大切に持っていてくれたのだ。

　嬉しいはずなのに、なぜか悲しくてたまらなかった。こんなことなら英介には覚えておいてもらいたくなかった。英介が覚えていて、またこの文集で発表したことで、私だけの美しい思い出が壊れてしまうような気がしたからだ。

　私は決して名乗り出る気はなかった。この話は永久に誰にも言わずに、私の胸の中にしまっておくのだ。英介にも誰にも言わない。

＊

背後に人の気配がした。

振り返ると、丘を登ってきた高校生のカップルが歩いていた。おそらく学校が終わって、帰り道に海を見るために立ち寄ったのだろう。

私は女子高生を見つめた。ショートカットの整った顔立ちをした女の子だった。今はまだ幼い顔だが、大人になり、化粧をすれば、そこそこの美人になるかもしれない。男の子はどこにでもいる平凡な田舎の高校生だ。

二人は幸せそうだった。目の前にいる相手しか見えていない感じだった。私の存在さえ目に入っていなかったのだろう。特に女の子は恋に何もかも奪われているようだった。もしかしたら目の前にいる男の子こそが「運命の男」と思っているのかもしれない。

しかし「運命の男」なんか存在しない。命さえ失ってもいいと燃えあがった恋でも、別れた途端に急速に記憶から消えていく。少なくとも次の恋が訪れた時は跡形もなく姿を消している。それでこそ幼く健全な恋だ。何十年も想い続ける恋なんて異常というほかない。

あの時、担任教師があんな文集を作ろうと言い出さなければ、そして英介があの夜の思い出なんか書かなければ、私の人生は全然違ったものになっていただろう。

それなら私は今何をしていたのだろう。少なくともこの町に戻り、レストランなんか経営はしていなかっただろう。

多分、その方がよかったに違いない。

文集が配布された翌日、英介の文章がクラスの女子たちの間で話題をさらった。理由は、文集に書かれていた女の子が隣のクラスの三橋光代だということになっていたからだ。

英介の文集を読んだクラスの女生徒が、同じ話をしている友人の話を思い出したのだ。光代は親しい友人に以前から、素敵な男の子と道に迷い、彼は小さなナイトとして泣きじゃくる自分をずっと守ってくれたという話をしていたということだった。まるで私の話と同じだった。最後に大人たちに保護された時に、初めて男の子が泣いたという話も同じだった。

そんな偶然があるだろうか。

その時、私ははっとした。光代は幼稚園時代の私の数少ない友達の一人だった。私はあの夜の思い出を光代に何度も話したことを思い出した。光代は知らないうちにその話を自分が経験した話と思いこんだのかもしれない。

あんまりだ。

光代は私のたった一つの美しい思い出を盗んだのだ。

二人の噂は学年中を駆けめぐり、女の子たちの間でこの恋を盛り上げようという空気が生まれた。この運動には一部の男子たちも乗った。まるで文化祭か何かで盛り上がるように、彼らは互いに放課後に集まって策を練った。

十年の歳月を経て邂り合った恋という物語は、多くの女生徒を喜ばせていた。彼女たちはロマンチックな話にうっとりとしたのだ。もし英介がブ男で風采の上がらない男子だったら、こうは盛り上がらなかったかもしれない。光代がさえない子でも同じだったろう。しかし英介はハンサムだったし、光代もまた評判の美人だった。

クラスの女の子たちは嫉妬を忘れて、現在進行形の恋のドラマに夢中になった。

「素敵じゃない？」

私の前の席の子が隣の子に言うのが聞こえた。

「そうね」

「十年も昔に出会って恋した男女がこんな風に出会うなんて、ドラマみたいだわ。運命的だわ」

この時期、クラスの女子たちの話題の中心はそのことだった。そして男子たちもその話題に食い付いた。しばらくはどこにいてもその話ばかり聞かされた。

私は気が狂いそうだった。光代は私のたった一つの思い出を盗んだばかりか、それをもって英介を手に入れようとしている。

クラスの男女が英介と光代の話題で盛り上がるのを見るのが嫌でたまらなかった。英介はそのことを冷やかされると嫌な顔をしたが、本気で嫌がっているようには見えなかった。そんな英介を見るのも嫌だった。

三日後の放課後、周囲の男女がお膳立てをして、英介と光代が「再会」することになった。場所は学校の近くにある喫茶店だ。

私は二人とも死んで欲しいと思った。落雷か何かで喫茶店が燃えて二人が死ねばいいと思った。トラックが店に突っ込んでもかまわない。

英介と光代が会う時間、私は家の自室に閉じこもり、二人の様子を想像した。そしてかすかな期待をした。光代の話が食い違い、英介が怒り出す――。

「あの夜、ぼくと一緒に歩いたのは君じゃない！」

「君は嘘つきで最低の女だ！」

そして英介は突然、思い出す――「あの女の子は、和子だ」と。

そうなって欲しいと切に願った。神様、どうか英介に真実を知らせてください、と祈った。

しかしその願いは叶えられなかった。翌日、学校へ行くと、英介と光代は互いのクラス公認のカップルになっていた。

多くの女子が羨ましがった。彼女たちはその話で持ちきりだった。一人の女子が言った。

「本当にそんな素敵な話ってあるのねえ」何人かの女子が同意した。それを聞いて血が逆流する思いだった。

このドラマは男子たちをも感動させたようだ。

「俺も似た思い出があるんだけど……」と言い出す男子が何人も現れた。

光代は絶対に許せなかった。思い出を盗むなんて最低の行為だ。ものを盗むよりもひどい。いや彼女が盗んだのは思い出だけではない。私の人生の一部までも盗んだのだ。私だけの経験、私の生涯の大事なピースを奪ったのだ。こんなにひどいことってあるだろうか。

英介と光代は校内の伝説的な恋人同士となった。昼休みには中庭でデートした。学校中の誰もが二人を遠巻きに見て噂しあった。「ほら、あれが十年前の小さな恋を成就させた二人よ」

二人のそんな姿を見るのは死ぬほど辛かった。本当なら、英介の隣には私が座っているはずだったのだ。もし、ブルドッグのような顔をしていなければ、私は文集であの夜の思い出を書いていた。そうなれば、ヒロインは私だったのだ。いや、私は別にヒロインになんかなれなくてもいい。英介に愛されたかった。

神様はなぜ私を英介に邂り会わせたのか、と恨んだ。こんな風な結末を迎えるなら、再会なんかさせてほしくなかった。一生会えなくてもよかった。元々、会えないと思っていたのだ。それでいいと思っていたのに——。

何日も苦しい日を送った私は、ついに真相を英介に打ちあけようと決めた。

何日も掛けて英介に長い手紙を書いた。あの夜、あなたと夜の町をさまよったのは光代ではなく、私なのだと。私から繰り返しその話を聞いた光代は、この美しい思い出を自分の思い出として盗んだのだ、と。私の話を証明することはできる。私の両親は当時のことを覚えている、と。


丘の上から海を見つめながら、英介と光代はこの丘に来たことがあったのだろうかと思った。

多分、来たに違いない。あの頃、M高のカップルたちは皆この丘に来た。でもこの丘にはジンクスがあった。二人でこの丘に来るカップルは別れると言われていたのだ。そのジンクスを恐れて、恋人ができてもこの丘には二人で行きたくないと言う女の子もいた。でも恋人ができるとみんな行った。愛し合う二人には、そんなジンクスなど恐れることはなかったのだろう。

しかしこの丘に来ようが来まいが、どのみちほとんどのカップルが別れるのだ。高校時代の恋人同士が結婚までいくケースなんて、そっちの方が稀だ。

十代の恋心なんてお遊戯みたいなものだと誰かが言っていた。その通りだと思う。しかし——、と私は心の中で呟く。それならば、何歳の恋愛ならお遊戯じゃないのか。二十代？三十代？

私はおかしくなって声を出して笑った。所詮恋なんて、いくつになってもお遊戯に過ぎない。

四・モンスター

英介への手紙は出されることはなかった。

迷いすぎて考えすぎて、最後は吐き気を催したほどだったが、ついにポストに投函する勇気は出なかった。

毎日、学校に行くのが辛かった。英介と光代を見るのは死ぬほど苦しかった。

二人は学年で一番有名なカップルになった。幼い夢の約束を十年後に果たした奇跡のカップルとして、ほとんどの女子生徒の憧れと賞賛の的になった。

私はその話題に触れるのも嫌だった。光代に対する憎しみは深かった。顔を見ていると殺意を覚えた。一度、道路脇で立っていた光代を見た時、今、後ろから突き飛ばせば、車にはねられて死ぬかもしれないと思った。その瞬間、全身が熱くなった。本当にやるつもりはなくて、ただ思っただけなのに、心臓がばくばくして掌（てのひら）が汗でびっしょりになった。光代の背中以外何も見えなくなった。

その時、誰かが光代の名前を呼んだ。彼女が声のした方に振り返った時、私は心臓が止まるかと思った。でも、同時に我に返った。

もしあの時、誰かが光代に声を掛けなかったら――。かなり後まで、その時のことを思い出すと、胸の鼓動が早くなり、掌が汗で濡(ぬ)れた。

英介が死んでくれていたらよかったのにと思った。十年前、私の前から姿を消した後、事故か病気で亡くなっていれば、英介の思い出は私だけのもので、英介もまた私だけのものになったのに――。

英介と光代の恋の結末はあっけない幕切れを迎えた。

光代が夏休みにアルバイト先で知り合った大学生に恋し、英介をふってしまったのだ。所詮、「運命の恋」なんて呼ばれてもこんなものなのだ。

光代に振られた英介はさすがに落ち込みがひどかった。しかし女子たちの同情が集まり、以前以上にもてるようになった。

逆に光代は評判を落とした。英介を振ったことは女子からも非難の目で見られたが、それよりも男子生徒たちが彼女を露骨に嫌った。ロマンチックな恋が簡単に破局を迎えたことに加えて、自分たちより年上の大学生を選んだことが、怒りを増幅させていたようだ。

そして私もまた光代をより一層憎んだ。

二人の別れをあれほど望んだにもかかわらず、英介を振った光代を憎んだ。光代は私が十年の間大切に持っていた美しい「運命のファンタジー」を、単なる子供時代の他愛ないエピソードに墜としてしまった。


しかし英介の立ち直りは早かった。

彼は恋に代わるものを見つけた。それは株だった。英介は高校生の身でありながら、株式売買に手を出し、しかもそれを成功させた。

彼が父にバイクをねだった時、父はバイクの金の代わりに五十万円を渡した。そして、「この金を投資で増やしてみろ。増えた金でバイクを買え」と言った。その話を知らない者はない。なぜなら後々までもM高の伝説になった話なのだから。

英介の父は投資家ではない。彼の家は専業農家だったが、数年前に持っていた土地をK興産の新しい工場敷地として売ったことで、かなりのお金が入ったという噂だった。英介の父はそのお金で豪邸を建て、外車を買った。それでおそらくは面白半分に息子に小遣いを与えて、株でもやってみろと言ったのだろう。

英介はしかし見事な才能を見せた。瞬く間に父から貰った五十万円を倍にしてしまった。

彼に株の才能があったのかどうかはわからない。もしかしたらビギナーズラックかもしれない。世の中はバブル真っ只中で、多くの株が値上がっていた。

英介は倍にした資金でバイクは買わなかった。その金をさらに株に注ぎ込んだ。英介はハイリターンを狙って、次々に株を売買し、あっというまに巨額の金を手にした。噂では、二年生の夏には資産は一千万円以上に膨らんでいたということだ。学校の中で英介の名前を知らない者はなかった。もちろんその時には高価なバイクも手に入れていた。

多くの友人が彼のアドバイスを受けたが、実際に株を買った生徒はほとんどいなかった。彼のアドバイスで株を買ったのは教師だ。何人かの教師が英介に株の指南を受けていた。

それで一度大問題になったことがある。英介が推奨した株が下落して、それを買った国語教師の一人が二百万円もの大損をしたのだ。英介自身も百万以上の損をしたという話だったが、一千万円以上ある金からすれば大きな損ではなかった。しかし中年教師にとってみれば二百万円は大きかった。彼は英介に「何とかしてくれ」と泣きついた。

「あくまで自己責任ですよ」と言う英介に対して、教師は怒り狂って胸ぐらを摑んだ。そばにいた男子生徒が語っていたことだ。

英介は慌てもせずに財布から二十万円を出し、「もう株は止めることですね」と言ってその金を教師に渡したという。

英介は今や生きた伝説となった。

大学生と別れた光代が再び英介に近づいたが、今度は英介が相手にしなかった。光代が袖にされたというニュースは一日にして学校中を駆けめぐった。皆、面白がった。

英介が選んだのは学校一の美少女と言われていた西村佳織だった。西村佳織は一年生の時から付き合っていた男がいたが、英介が言い寄ると、あっさりと乗り換えた。

英介と佳織はまさにお似合いのカップルだった。光代も美しい女だったが、佳織はそれ以上の美人だった。

英介は自信に溢れた顔をしていた。笑顔は明るく、彼の周りはいつも笑いが絶えなかった。彼は「俺は二十代で会社を作る」と豪語した。それが彼の最終目的ではなかった。「いずれ政界に打って出て、いつかは首相になる」というのが彼の夢だった。「そのために東大に行って、コネクションを作る」

彼の夢を笑う者はいなかった。一部の男子は陰で冷笑していたが、実際に彼に面と向かって「夢物語だ」と言える者はいなかった。なぜなら彼は勉強もトップだったからだ。M高から東大は数年に一人行けるかどうかだったが、英介なら行けるのではないかと言われていた。三年生になった時には、英介の資産は時価総額で数千万円を超えているとも噂されていた。

私はそんな英介を遠くから眺めているだけだった。もう完全に自分の手が届かないところにいってしまったという気持ちだった。

三年生になって英介に新しい恋人ができた。新入生の女の子だった。その子は入学した時から、「すごい美少女が入ってきた」と評判の子だった。英介はすぐに彼女に接近し、付き合うようになった。佳織は捨てられた。

私はそんな英介を軽蔑しようとした。次から次へと美しい女を取っ替えひっ替えする英介の品性のなさを憎もうと思った。しかしできなかった。もし私が美しい女ならそうできたかもしれない。でも私は醜い女だった。彼の「面食い」を蔑むよりも、自分が美しくさえあれば英介の心を手に入れることができたのにと考えた。

英介のために美しくなりたかった。彼の好みの顔になりたかった。美しい顔なら、彼は私を見てくれたかもしれない。

でもそれは無理な話だった。かつては奇跡を夢見た頃もあったが、もうそんなことは絶対に起こらないことはわかっていた。私は永久に醜い女として、この不細工な顔で一生を送るのだ。

私は美貌というものを憎んだ。たかだか皮一枚にすぎない美しさを心から憎んだ。

「美」というものが美しさ以外の何を持っているというのか。なぜ男たちは目で見えるものに、そんなに振り回されるのか。英介もまたそんな表面の美しさだけに目を奪われる男なのか。

英介の目が見えなくなれば、と思った。そうなれば私の醜さも見えないのに。

盲人にとっては美人も不美人もない。盲人にとっては、女は言葉と心がすべてだ。

もしも不慮の事故か何かで、英介が視力を失ったら――。その想像は私をドキドキさせた。

私の中に狂気が芽生えてきたのはその時だったかもしれない。

英介がM高の伝説になったように、私もまた伝説になった。ただし、私の場合、世にも恐ろしい物語として語り継がれることとなった。

＊

中二階のプライベートルームのマジックミラーから店を眺める。今日もお客がいっぱいだ。

この店は人気の店だ。今では夜もすべて予約が詰まっている。私はタバコに火を点けた。

もう少ししたら、テーブルに挨拶に行こう。

私が挨拶に行くとお客が喜ぶ。特に男性客は皆、目を輝かす。聞いてもいないのに自己紹介を始めるし、名刺をくれようとする人もいる。夫婦連れの男でさえ、顔に喜びの色が浮かぶ。時には横にいる妻が不愉快そうにしているのさえ気付いていないこともある。

女性客も私に憧れている。美人という存在は女性の尊敬をも勝ち取るものなのだ。この町に住む数少ないキャリアウーマンの何人かが私に名刺をくれた。皆、私と友人になりたいのだ。かつては誰も私と友達になりたがらなかったのに——。

時々、思うことがある。私がかつてこの町で「モンスター」と呼ばれた噂の主だったと知ったら、皆どんな顔をするだろうか、と。

その噂は二十年近く経った今でも残っていた。ある日、ランチの時に梨沙がその話をした。たしか、町の怪談か何かの話題の時だった。

「昔、この町にモンスターがいたんですよ」

美香が「そうそう」と相槌を打った。

「何、その話？」

私は冷静を装いながら聞いた。

「私が子供の頃ですけど、そんな女がいたらしいです」

「そうなの」

「よく知らないんですけど、すごく恐ろしい顔をした女の子が、ハンサムな男の子にふられて、復讐で薬を飲ませて目を潰したって」

「この町では知らない人がない話です」と美香が言った。

私はにこにこと笑って聞いていた。内心の動揺を抑えることは平気だった。

「男の子は目が見えなくなって、薬を飲ませた女は無罪になったって。証拠がなかったらしいの」

梨沙の言葉に美香もうなずいた。

「小さい時は、悪いことをすると、お母さんにモンスター女のところに連れて行かれるよって、脅されました」

「まあ、怖い話ね。で、その女は今もこの町にいるの？」

「さあ、いつのまにかいなくなったという話です」

「この町の怪談？」

「本当の話なんですよ」と美香は言った。「見た人も何人もいて、ものすごく恐ろしい顔だったって」

私は肩をすくめて怖がって見せた。

「ママさん、口から血が出てる！」

美香が大きな声で言った。

私は自分の口に手をやった。指に赤い血がべっとりと付いていた。

「すごい血ですよ」

梨沙が心配そうに言った。コンパクトの鏡を見ると、唇が大きく裂けて、流れた血が顎まで垂れていた。無意識に、唇が裂けるほど噛んでいたのだ。うっかりした――私の唇はほとんど感覚がないのだ。

「大丈夫よ」

私はそう言いながらティッシュで唇を押さえた。そして二人の顔を見て、にっこりと笑った。


英介の目が見えなくなれば、私の醜い顔も見ることができない。

目が見えなくなれば、もう東大にも行けない。政界への夢も断たれる。いや、それどころか将来の夢もすべて断たれる。もう誰も英介には見向きもしなくなるだろう。英介に憧れる女性たちもみんな去っていく。

でも私は英介を見捨てない。ずっと英介の目となり杖となって一生を過ごす。英介のために生きる。献身的な愛を捧げることができる。

そうすればきっと英介は私を愛してくれるに違いない。誰もいなくなり、私しかいなくなって、その時初めて、私の愛に気が付くはずだ。

私は本気で英介の目が見えなくなることを願った。

妄想はほとんど日常を支配した。学校では英介の顔を何度も盗み見た。あの美しい顔が目の光を失うところを何度も想像した。きっと盲目になっても彼は美しい顔をしているに違いない。

英介を間近に見つめながら、彼の顔を撫でる。光を失った彼の目は私を捉えるが、私の醜い顔を見ることはできない。彼と目を合わせることを想像すると、胸が苦しくなって、思わずため息が出た。

ある日、家庭用医学書で「失明」の項目を見ていると、メチルアルコールが入ったお酒で失明することがあるということを知った。

酒で失明——この事実は私の心を捉えた。私は怖くなって何度もそれを頭から振り払った。しかしそれは去らなかった。

図書館へ行き、過去の新聞の縮刷版を調べた。戦後の闇市には「ばくだん」と呼ばれた粗悪酒が大量に出回ったという。それらは工業用のアルコールを原料にしたもので、時として失明することがあったという。アルコールだから飲んでもわからなかったのだろうか。

お酒はアルコールでできている。ウイスキーのアルコールは四〇パーセントだ。お酒によってはもっと強いアルコールのものがあるらしい。もしそこにメチルアルコールが入っていたら——。

私は家の倉庫に足を踏み入れた。いくら薬局でもメチルアルコールなんかないだろうと思っていた。仮にあっても探し出すことはできないだろうと。ところが倉庫の一番奥の棚の一隅に、ほこりをかぶった白いビニール製の容器を発見した。その容器には「メタノール」というラベルが貼られていたが、その文字の下には小さなカッコがあり、その中に「メチルアルコール」と書かれていた。

ほこりをかぶったその容器は私に見つけられるのを何年も待っていたかのようだった。容器の中に透明な液体が入っているのを確認した時、私の中の黒い何かがはっきりした形を持った。

英介の楽しみの一つは、月に一度仲間たちと一緒にカラオケボックスで騒ぐことだった。仲間と言っても実質取り巻き連中だった。カラオケ代も食べ物や飲み物もすべて英介の奢(おご)りだった。ただお酒だけは男子生徒たちがこっそり持ち込んでいた。

私はある日、英介に今度のカラオケパーティーに自分も連れて行って欲しいと頼んだ。

英介は一瞬きょとんとした顔をしていたが、いいよと言ってくれた。多分その時の私の顔には悲壮感が漂っていたと思う。

当日、私は鞄の中に家からこっそりと持ってきたメチルアルコールを忍ばせてカラオケパーティーに参加した。私が参加していることに気づいた女子たちは怪訝そうだった。男子たちも不思議そうな顔をしていた。

「なんで、あんたが来たのよ？」

一人の女子が小さな声で非難するように言った。

「知らないわ。高木君に誘われたの」

彼女は「ふーん」と言ったが、信用していないのは明らかだった。

カラオケパーティーが始まった。事前に買い込んだ様々なお菓子や食べ物がテーブルにひろげられた。みんな英介が金を出したものだ。英介はこの部屋では王様だった。それはそうだろう。全員の分のカラオケ代を出し、飲み物も食べ物も全部、彼の奢りなのだ。

皆、食べながら、次々に歌を歌った。英介は歌わなかった。みんなの歌を聞いているだけで満足しているようだった。

「英介も歌ってよ」

ビールで顔を赤くした一人の女子が言った。

英介は照れたように立ち上がると、マイクを持った。彼が選んだのは松任谷由実の歌だったい。

た。あまり上手（うま）いとは言えなかった。でも私はうっとりした。彼の歌なら毎日でも聞いてい

でも心からうっとりはしていられなかった。鞄の中のメチルアルコールを彼に飲ませなければいけない。

しかしその機会がないまま、二時間があっという間に過ぎた。何人かがそろそろ家に帰ると言った。後に残る者は彼らを非難した。しかし英介は笑ってサヨナラと言った。

私はこの機会だと思った。何人かが別れの挨拶をしている時に、鞄とグラスを持って部屋を出た。そしてトイレでグラスの中にメチルアルコールを入れた。

それから部屋に戻った。まだ何人かが残っていた。私はメチルアルコールが入ったグラスにコーラを入れた。四倍くらいに薄めて、かき混ぜた。

それから「高木君」と声を掛けた。

英介はうんと言ってこちらを見た。

「コーラで割ったの、飲む？」

私の言葉に、英介は自分のグラスを持ち上げた。

「まだ残っている」

私がどうしていいかわからずにグラスを持っていると、英介はにっこり笑って、自分のグ

ラスを飲み干した。それをテーブルに置き、空になった手を出した。私はグラスを渡した。

英介はありがとうと言って、グラスに口をつけた。私はその瞬間「飲んじゃいけない」と言おうとした。しかし喉の奥にものが詰まったみたいになって声が出なかった。英介がコーラで割ったメチルアルコールを飲むのが見えた。賽は投げられた——私は用もないのに立ち上がって、席を移動した。心臓の音が自分でも聞こえた。英介を見ないように壁の方を向いた。


「どうしたんだ？」

という誰かの声が背後で聞こえた。振り返ると、英介がグラスを覗いている。

「おかしな味だ」

英介が呟いた。一人の男子が英介のグラスを取って、口を近づけた。それから少し飲んだ。

「毒だ！」

その一言で皆騒然となった。私は呆然と立ちすくんでいた。

別の誰かも臭いを嗅ぎ、「たしかに変だ」と言った。

「これは誰が作った？」

その言葉に、英介はちらっと私を見た。私は引きつった顔で英介を見た。英介は目を逸らせた。

「田淵だ。俺は見てた」

誰かが言った。皆が一斉に私を見た。

「何を入れた？」

「何も入れてない。ウイスキーをコーラで割っただけ」

私は震える声で言った。

「嘘つけ。何か入っている」

「お酒よ。本当よ」

「警察に届けよう」

グラスを持っていた男子が言った。私は咄嗟に彼の持っていたグラスを取ろうと手を伸ばした。彼が慌てて私の手をよけたものだから、グラスから中身がこぼれた。

「こいつをおさえておいてくれ」

彼の言葉に周囲の女子が私の肩を摑んだ。すごい力だった。私は抵抗するのを諦めた。

「お願い。警察には通報しないで」

「何を入れた？」

「ただのアルコールよ。本当よ。鞄の中に入っている」

誰かが私の鞄を開けた。中からメチルアルコールの容器が出てきた。

「昔はアルコールを水で薄めて飲んでいたって、お祖父さんから聞いたから」

「そんな話聞いたことがない」

「いや、俺は聞いたことがある」

誰かが言った。「メチルアルコールはやばいって聞いたことがある」

「どうやばいんだ」

「たしか目が潰れるんじゃなかったかな」

何人かの女子たちは悲鳴を上げた。

「そんなこと知らないわ！」

と私は泣きながら言った。

「頭おかしいわ、この女」

「警察を呼べ！」

皆が口々に叫んだ。部屋は騒然となった。私はすがるような目で英介を見た。彼は何も言わず、私に哀れむようなまなざしを向けた。


メチルアルコールの事件は刑事事件にはならなかった。

私は警察で取り調べを受けたが、結局、起訴猶予になった。学校からは二週間の停学処分を受けたが、退学までには至らなかった。

母は半狂乱になった。父からは殴られ、姉は毎晩泣いた。

その事件以後、私は「モンスター」と呼ばれるようになった。小学校時代のあだ名「バケモン」が再び復活したわけだ、一層禍々（まがまが）しい響きを持って。停学がとけて再び学校に通うようになっても、英介は私を見ようとはしなかった。見てはいけないもののように、絶対に私に視線を向けようとはしなかった。私に話しかける人は誰もいなくなった。教師でさえも私に声をかけなかった。登校してから下校するまで、誰とも口をきくことはなかった。私は完全に孤独になった。しかし孤独には慣れていた。かつて光代と英介が並んで歩く姿を見せられている方が辛かった。人と話さないくらい、どうということはない。もともと友達など一人もいなかったのだから。

事件は町の人たちにも知られた。M高にはモンスターがいるという噂があっという間に町を駆けめぐった。噂は私の耳にも入ってきた。ただしその噂は少し形を変えていた。「ものすごく醜い女が学校で一番ハンサムな男にふられて、その復讐で彼の目を潰そうとした」という話になっていた。

私が町を歩くと、町の人たちは世にも恐ろしい獣を見るように私を見た。近所の子供が私の顔を見て走って逃げたこともある。

家の中からは会話も笑いも消えた。母と姉は毎晩のように泣いた。姉はスーパーで働いていたが、もう仕事を辞めたいと言った。父は何も言わなくなったが、心底軽蔑しているのがわかった。

店には客がぱったり来なくなった。それは深刻だった。父は店を畳んで別の町に店を出すことを真剣に考え始めた。

私はあらためて自分のしたことの大変さを噛みしめた。この小さな町で、自分たち一家の生活の糧を奪うようなことをしてしまったのだ。たかだか恋のために。それも一方的な片思いの恋のために――。


私は憑き物が落ちたようになった。英介への想いも消えた。卒業までの三ヶ月間、まるで抜け殻のように学校に通った。

私は短大に進むことになった。本当は地元で就職する予定だったのだが、父と母が東京の学校へ行けと言ったのだ。二年間の学費と生活費は出してやる、その代わり、もうこの町には戻ってくるな。学費と生活費は親子の縁切り代というわけだった。

東京の短大に行くことも町の人たちにはあっという間に知れ渡った。皆、私が怖かったのだ。

高校を卒業した翌日、朝早くに家を出た。大きなボストンバッグを持って歩く私を、町の人たちは露骨に見た。駅でも、駅員にじろじろと顔を見られた。誰も視線を隠そうとはしなかった。

「モンスターが町を出ていく」

彼らはほっとして見ていたのだろう。

「ほら、見てご覧。町一番の醜い女が出ていく」

皆そう言いながら、私を後ろから指さしていたのだろう。

私は電車の窓から生まれ育った町を見ながら、二度とこの町には戻らないだろうと思った。家族にも、町の人にも、誰にも二度と会わない。そう、英介にも——。

五．美女たちの街

「ママさんは東京生まれですか？」

梨沙が聞いた。いつものランチの会話だ。私はうなずいた。

「東京の大学ですか？」

「そうよ」

「いいなあ。私も東京で大学生活したかったなあ」

「私も」

美香も相槌を打った。

「でも、東京の大学なんて、家の経済事情では絶対無理だったわ」

「うちもよ。地元の国立なら行ってもいいと言われてたけど、そんな頭ないし」

美香の言葉に梨沙も笑いながら言った。

「東京の大学なんか行ったら、親が破産するわ」

たしかに今は東京の女子大に行けば、授業料だけで年間百万円以上かかる。その上に東京での生活費が必要だ。普通に考えて年間三百万円くらいの出費になる。こんな田舎の商売人の家には苦しい金だろう。十数年前の我が家にとっても、私を東京の短大にやるのは楽ではなかったはずだ。しかし無理をしてでも、両親と姉は私を追い払いたかったのだ。

「東京での大学生活って、楽しかったですか？」梨沙が聞いた。

「そうねえ。人生で一番楽しかった時かもしれないわね」

私の言葉に、梨沙と美香は羨ましそうな顔をした。

ランチが終わって、中二階のプライベートルームに戻って、梨沙たちとの会話を思い出した。人生で一番楽しかった時という自分の言葉を反芻して、ふとため息をついた。

何が一番楽しいものか！

ある意味、東京の短大時代は最も惨めな時だったかもしれない。

短大に入る際、両親が私を母方の祖母の養子にして苗字が変わった。田淵家から追い出された恰好だった。

名前が変わるのは嫌ではなかった。むしろ新しい名前を持って新しい人生を歩もうと思った。祖母は県外の老人ホームに入っていたから、養子縁組は形だけのものだった。養子になる際、下の名前も変えた。普通は認められないらしいが、養子という特別な事情から認められた。私の新しい戸籍名は鈴原未帆になった。

私は東京へ出ることによって、名前も含めて、辛い過去、惨めな思い出をすべて捨て、新しい生き方をしようと思った。新しい自分になって、東京で生きていくのだ。

しかしただ一つ捨てられないものがあった。生まれついての醜い顔だ。この顔がある限り、私の幸福もありえなかった。

高校時代にも醜い顔で苦しんだが、それはまだましだったと、東京へ来てわかった。

東京は「美しい」ということが田舎以上に価値がある街だった。まさに「美人のための街」だった。「美しくない女」は貶められる街でもあった。とくに「若い女」に関しては、価値観の幅を極大までに拡げられた街だ。

街を歩けば、至るところに美しい女の顔が溢れていた。駅、壁、ビルの大型モニター、看板、店のショーウィンドーなど――あらゆるところに「美女たち」が輝くような笑顔で笑っていた。美しい女が携帯電話を持ち、美しい女が車に乗り、美しい女がクレジットカードを指で挟み、美しい女がハンバーガーを食べていた。東京は「美女たち」の顔で一面コーティングされたような街だった。

街全体が叫んでいた。「美しさこそ善」であり、「美しさこそ力」であり、「美しさこそ勝利」だと。この街で「女」というのは「美人」のことだったのだ。

でもそのことを知るのはかなり経ってからのことだ。私の短大時代はそのことを学ぶ時代だったのかもしれない。

東京に出る時に、夢を見た。

今から考えると本当にお笑い種だが、私は「恋」を夢見たのだ。東京という大都会には、私を理解してくれる素晴らしい男性がどこかにいるかもしれないと期待したのだ。ドラマのような出会いが待っているかもしれないと思ったのだ。

たしかに東京は「恋の街」だった。この街では多くのものが恋人たちのために作られていた。無数にあるデートスポット、ショップ、レストラン、カフェ、クラブ、シアターなどの多くが若い恋人たちのために作られていた。街には「恋の歌」が流れ、映画館では「恋の映画」がかかり、若者たちが集まるお店には、恋人に贈るものが売られていた。

街を歩けば、いたるところカップルだらけだった。若い男と女が手をつなぎ、あるいは肩を寄せ合って歩いていた。だから私も夢を見た。

短大に入って何回かは合コンに参加した。

初めて同級生に合コンに誘われた時は、舞踏会にデビューするような気持ちだった。生活費のかなりを割いて可愛い赤いワンピースを買った。自分の何かが変わるような予感がした。

初めての合コンはとても緊張した。男子学生の誰とも話ができなかったが、それでも私は楽しかった。華やいだ大学生たちの世界の雰囲気に酔った。男子学生たちはA学院大学の三年生だったが、すごく大人に見えた。早口で飛び交うジョークやギャグについていくのに必死だった。

その後も何度か合コンに参加した。私に話しかける男子学生は滅多にいなかったが、私は会の雰囲気を壊さないように一所懸命に笑顔で振る舞った。頑張って明るく振る舞っていれば、いつかきっと素敵な男性が私を目に留めてくれる日が来るような気がした。

私はなぜか様々な女の子のグループからよく合コンに誘われた。地方出身の素朴な雰囲気が好まれているのかもしれないと思っていたが、それは勘違いもいいところだった。実は私は有名人だったのだ。「Y女子短大にすごいブスがいるらしい」と一部で評判になっていたのだ。私は何も知らなかった。

男子学生たちは皆「これが評判のブスか」と珍獣を見るように眺めていたのだ。さぞかし滑稽だったろう。私はいつも赤いワンピースを着て、髪の毛はパーマを掛け、できるだけ顔が見えないように前髪を垂らし、顔の輪郭が見えないくらいに頰を髪で隠していた。

首にはまがいものの真珠のネックレスをつけ、付け爪までしていた。ネックレスと付け爪は女友達に勧められたのだ。彼女たちはブルドッグを着飾って喜んでいたのだ。しかし私は気が付かなかった。

見せ物にされていることを教えてくれたのは、あまり親しくないクラスメートだった。その子は美しい子だった。

ある日、彼女は授業が終わった時、遠慮がちに話しかけてきた。

「ちょっといいかしら」

こっそり話したい様子がわかったので、私はうなずいて、彼女と二人で廊下の端に行った。

「こんなこと言って気を悪くされたら辛いんだけど――」

「どうぞ」

彼女は、「見ていられなくて」と小さな声で前置きして言った。

「あなたを合コンに誘っている人たちのことだけど、必ずしもあなたに好意を持って誘っているわけじゃないよ」

「どういう意味？」

「こんなこと言っていいのかどうか」

「いいよ」

「噂を聞いたの。あなたはその——ギャグにされているって」

顔が強張った。平静を装おうとしたが、表情が自分で操れなかった。

「それ聞いた時、ひどい話だと思った。それで、迷ったんだけど、思い切ってあなたに言おうと」

私は小さな声で、ありがとうと言った。彼女の勇気が嬉しかった。彼女はうっすらと目に涙を浮かべていた。私はその心根に胸がつまって思わず涙をこぼした。

その時、私の涙を見た彼女の目に喜びの色が浮かぶのを見た。彼女は自分の優しさと勇気に感動していたのだ。私の涙は止まった。

「全部、知ってたよ」と私は言った。「そんなことわかってたよ」

彼女はびっくりしたような顔で私を見た。

「余計なお節介だったね。ごめんね」

彼女は少しうろたえ気味に謝った。私はいいえと言った。そしてすぐ「あなたはどうしてそれを知ったの？」と聞いた。

「友達の男性が教えてくれたの。その——」

「ブルドッグみたいな顔した女がいるらしいねって？」

「そんな言い方じゃないけど」

「話はそれだけ？」

「あ、はい」

それじゃあ、と私は彼女から離れた。

実はその日も別のグループから合コンに誘われていた。私は絶対に行こうと決めた。しかし待ち合わせの渋谷駅に降りたところで、足が動かなくなった。

行かなければ、と自らを叱咤した。ここで行かなければ、今後すべてのことに対して引いてしまう。私はこの顔で一生生きていくのだ。だからこそ、ここで逃げてはいけない。

しかしついに勇気は出なかった。珍獣扱いされるのがわかっている中に飛び込むことはできなかった。

その日以来、合コンには一度も参加しなかった。

夏頃には、学校とアパートを往復するだけの日々になっていた。暇な時間を見つけては、いくつかのアルバイトをしたが、客商売のアルバイトは面接ではねられた。ファストフード店のアルバイトに応募して連続して落ちた時、初めて私の顔はこの街では人間として扱われない顔だということに気が付いた。

今にして思えば、顔だけではなかったのだろう。多分、持って生まれた醜い顔に加えて、暗く恐ろしい表情をしていたのだと思う。私は顔を見られるのが嫌で、いつも髪の毛で顔を隠し、下を向いていた。他人と目を合わせるのが怖くて、極力、人と目を合わせなかった。そんな女を雇う者がいるはずがない。

やっと見つけたアルバイトは工場の配送係だった。そこで働く人は皆おばさんばかりで、若い女は私だけだった。

いくつかアルバイトの仕事の応募をして気が付いたことがあった。それは東京の若い女性がするアルバイトの仕事は、どれも若い女ならではの仕事だということだ。可愛い娘がにこやかに微笑むことが輝くような仕事だ。ファストフード店をはじめ各種の売店の売り子は、みなその顔と笑みが看板になっている。さらにその上位に受付嬢、コンパニオン、ホテルのカウンター嬢などがある。キャビンアテンダント、女子アナ、モデルなどは、そのヒエラルキーの頂点だ。

おばさんや私のような醜い女は、裏方で仕事をする。

短大時代は真面目に授業に出た。しっかりとノートも取ったし、試験前には勉強もした。私には勉強とアルバイト以外はすることがなかったし、それに卒業したら、働かなくてはならないから就職に備えて勉強していたのだ。

しかし短大で学んだことは何も覚えていない。惰性で授業を受けていたせいだろう。ただ今でも覚えていることがいくつかある。それは心理学の授業だ。

心理学の講師は若い助教授だった。玉井雄一朗という名前だった。彼はよく学食の喫茶ルームに女子学生をお茶に誘った。お茶代は割り勘だったが、彼の話は面白く、いつも何人かの女子学生がついていった。彼はそこで第二の講義というか雑談をして楽しんだ。女子学生たちにとっては、そっちの方が正規の授業より面白かった。堅い心理学の話ではなく、人間心理にまつわる面白おかしい話が非常に興味深かった。しかし多くの女子学生がお茶の会に出席したのは、玉井が若く、ハンサムだったからだ。

彼の雑談で強烈に覚えていることがある。それは美人か不美人かという審美眼は四歳から七歳までの間に作られるという話だった。

玉井がある時、私たちに女性の顔のイラストを見せた。それは子供の知能検査の一つで、美醜の判断力を問うテストに使われるものだった。子供に美人と不美人の二種類のイラストを見せ、どちらが美人か答えさせるテストだという。二枚一組のものが三種類、全部で六枚のイラストだったが、美人か不美人かは一目瞭然だった。

玉井によると、四歳児の正解率は六割半ばという。それを聞いて女子大生たちは笑った。しかし目の前の不細工な顔のイラストの方を美人と選ぶ四歳児児童を想像して笑ったのだ。しかし同じテストを五歳児が受けると正解率はぐっと上がり、七歳児が受けると、ほぼ正解率一〇〇パーセントになるという。

「どうやら、四歳から七歳の間に美人か不美人かの審美眼が完成するようだね」

玉井の言葉に女子学生たちは驚きの声を上げた。私も内心で衝撃を受けていた。と同時に、幼い英介のことを思い出した。あの時、たしか英介は四歳だった。彼は私が醜い少女だということに気が付いていなかったのだ。

「でも先生、なぜその年に審美眼が完成するのですか？」

一人の女子学生が聞いた。

「多分、テレビや雑誌、広告や絵本で、学んでいくのではないかと思うんだが……」

と彼は言った。

「ドラマのヒロインはみな美人だし、CMや広告に登場する女の子たちも皆、現代流行の美人ばかりだ。絵本のヒロインもみな美しい顔に描かれている。反対に、悪い魔女や怖い継母は、醜く恐ろしい顔に描かれている。そういうのを見続けていると、自然にどういう顔が美しいのか、学んでいくということだよ」

「じゃあ、美人とか不美人とかいうのは、単に時代の流行で作られているんですか？」

「そういう面が多分にあるんじゃないかな。江戸時代とか平安時代は、今の美人の感覚とはかなり違っていたというからね」

女子学生たちは微妙な表情をした。

「ただ、美人の顔というのは時代でそれほど変化しないという意見もある。これは有名な実験だけど、多くの女性の写真を合成して平均的な顔を作ると、美人の顔ができるというんだ」

女子学生たちの間で、エーという声が起こった。

「美人というのはすべてのパーツが平均的な顔という見方もある。これはかなり正しい意見で、誰もが認める典型的な美人というのは、個性が乏しい顔とも言えるんだ。逆に、ブスな顔というのは、どこかのパーツが平均から大きくはみ出しているケースが多い」

私は思わず両手で顔を押さえた。

そうだったのか。美人というのは平均化された顔だったのか。そこから大きくずれた顔がブスなのか。

「男はなぜ美人に惹かれるのか、というのは心理学の魅力的なテーマの一つなんだけど、多くの人を納得させる答えはまだ出ていない。ただ、この命題に最近、遺伝学の見地から説明しようという試みもある。遺伝学から言うと、平均を外れるということは多かれ少なかれ突然変異なんだ。で、突然変異というのは実は生物学的には弱いとされている」

「ブスは弱いんですか？」

一人の女子学生が聞いた。玉井は苦笑しながら首を振った。

「いやいや、ブスが弱いとか美人が強いということは決してないと思う。あくまで生物学的に見ると、その生物の平均的な数値に近いということは、安定した遺伝子を持っているという見方は正しいいんだよ。だから生物学的に美人に惹かれるというのは不思議ではないという説だ」

「何かこじつけくさい」

一人の女子学生の言葉に、皆が笑った。

「そうかもしれない」玉井もそう言って笑った。

「でも先生、個性的な美人というのもあると思いますよ」

一人の女子学生が反論した。何人かが、そうそうと言った。

「うん、昔は女優も典型的な美人が多かったけど、近年になって、いろんなパーツの平均をはみ出した個性派美人が増えてきているのもたしかだね。ただ、こうした個性派美人というのは、一部で熱狂的な支持を得ても、もう一方でブスと言われる可能性もある。美人コンテストでは多くの票を集めないだろうね」

「わかるわかる」と一人の女子学生が言った。「女性週刊誌の芸能人美人アンケートで、美人と不美人の両方に名前が出ている人がいる」

何人かが、そうした女性タレントの名前を挙げた。

それをきっかけに場はひとしきり個性派女性タレントの話になった。一段落したところで玉井は言った。

「さっきの、現代の女優やアイドルは個性派が増えているというか普通の顔をした子が増えているというのは、説明できそうな気がする」

皆、黙って玉井の言葉を待った。

「戦前やそれ以前の時代では、『これが美人』という典型的なフォームがあったような気がする。当然それに当てはまる女性は限られた少数だ。ところが現代においては、それでは多くの女性たちの不満を抑えきれない。彼女たちも美人レースに参加させないと、ファッション、化粧品、ヘアーメイクおよびエステ関係などの産業が成り立たない。これらが巨大市場になるためには、すべての女性が美人になりうるという前提をこしらえる必要がある。そこで本来、理論的には欠点であるはずの『平均値から外れたパーツ』を、『個性』と呼んで尊重するようになったんだ。これによって、すべての女性が『自分は正統派美人ではないかもしれないが、個性派美人なんだ』と、自らを納得させることができるからだ。その結果、すべての女性が美人レースに参加するようになった」

女子学生たちの何人かはもじもじしたが、玉井はかまわず続けた。

「そうした多くの女性の願望が、映画女優やアイドルの顔も変えたんじゃないかな。かつて女優は典型的な美人たちだったが、今はそんな美人はむしろ少数派で、一見どこにもいそうな普通の女性が女優やアイドルになっている。言ってみれば美人の多様化だな。強引にたとえるなら、オリンピックで種目が増えていくようなものかな。昔は、水泳でも自由型しかなかったのに、平泳ぎができて、背泳ぎができて、さらにバタフライができたみたいに」

女子学生たちは笑った。

「まあ、今のは冗談だけど、美人の枠が広がったのは、実は男性の希望が反映されたからでもあると思うんだ」

「どうしてですか？」誰かが聞いた。

「美人という存在が選ばれたごく少数のものなら、ほとんどの男性には美人はあたらない。美人を妻にできる男は、選ばれた少数の男のみということになる。これは男にとっても辛いことだ。ところが美人の枠を広げれば、多くの男性たちも美人を手に入れることができる。だから美人の枠が広がったのは、時代の要求とも言えるんじゃないかな。社会が豊かになって、庶民というか中産階級の地位が上がってくると、美人のバリエーションが増えてくるんだ」

「なんかわかるような気もする」

「その証拠に、一昔前のアメリカやヨーロッパ映画の女優たちは、たいていお人形さんのような典型的な美人だ」

「言えてる。私、イングリッド・バーグマンとグレース・ケリーの顔の区別がつかないもの」

玉井はうなずいた。

「でも、今はアメリカ映画の女優に典型的な美人はむしろ少ない。たいていが、これってもしかしたらブス？　と言いたくなるような美人が多い。これは、それだけ社会が豊かになって女性の地位が上がったということじゃないかな」

皆がうなずいた。

「逆に、発展途上国の女優は、今でも典型的な美人女優が主流を占めている。たとえばインド映画を見たら、出てくる若い女優が皆美しいので呆れるよ。ヒロインもそうでない女も、役の中でインテリもそうでない女も金持ちも貧乏人も皆同じ顔の美人だから、変な感じがする」

周囲の女子学生は、おかしそうに笑ったが、私は笑えなかった。私もそんな貧しい時代に生まれたかったと思った。

玉井の話の中にあった、もう一つ印象的な言葉がある。それは「ぼくは女性を顔で判断しない」という台詞だ。

「美人とか不美人という判断も、結局、本人が持って生まれた感性ではなくて、その時代の流行に作られた審美眼に踊らされているだけなんだ。そんなのに振り回されるのはむなしいことだよ」

この言葉を聞いた時は感動した。こんなことを言う男性に会ったのは初めてだった。たしかに彼は女性を分け隔てしなかった。彼のお茶の会に多くの女性が出席したのは、多分にそれもあった。

「じゃあ、先生は美人には惹かれないんですか？」誰かが聞いた。

「たしかにぼくも時代の子だからね。この時代の審美眼からはまったく影響を受けていないということはないと思う。しかしね——」玉井はにっこりと笑って言った。

「ぼくは女性の本当の美しさというものは、内面にあると思っている。だからぼくは外面の美しさよりも内面を見る」

女子学生のほとんどは玉井の言葉に感銘を受けていた。私も感動した。

「世の中の多くの男性がそういう目を持てばいいと思うんだがね」

玉井はそう言って、はにかんだような笑顔を見せた。

私は彼の言葉に希望を見出した。いつか私の前にもそんな男性が現れるかもしれないと思った。

しかし、その希望はついに一度も叶えられることはなかった。

世の中の男性が皆、女性を顔でしか見ていないということはないと思う。私の周りにも不器量なのに恋人ができた女性はいくらでもいた。でも、それは言ってみれば普通のブスだ。というか、世の中の半分以上の女が普通のブスだ。もし美人しか相手にしたくないとすべての男が思ったなら、大半の男が女を手にすることはできない。だからほとんどの男が適当なところで妥協するしかない。とはいえブスがステイタスの高い男性を恋人にするのは大変だった。

私の通っている短大は有名校でもなく偏差値も高くなかったが、それでも美人の子は有名ブランドの大学の恋人が簡単にできた。慶應や早稲田といった私たちから見れば夢のような男子学生を、いとも簡単に恋人にすることができた。そんなことは不器量な女にはまず無理だった。いくら美人が多様化されていようと、女性の美には階級ができていたのだ。美人はそうして「玉の輿」に乗ることができるのだ。

そう言えば、玉井はこんなことを言っていた。

「かつて江戸時代は、美人に生まれても玉の輿はなかった」

それは意外な言葉だった。

「いくら美人に生まれても、家柄の低い娘は妾や側室にはなれても正妻にはなれない。玉の輿が現実のものとなるのは明治になってからだ。四民平等の世の中になって、美しい女の価値が一気に高まったんだ。前に言ったのと矛盾するように聞こえるが、美人の価値というのは、実は豊かさの産物でもあるんだ」

豊かな時代になって美人の価値が上がったというのは、何となくわかる気持ちがした。

「現代では、それがまた少し変貌している。美しい女は、一流企業のサラリーマンや医者の妻になれる可能性が美人でない子に比べてはるかに高い」

そして冗談でこうも言った。

「美人の奥さんとブスの奥さんの旦那の平均年収を比べると、絶対に差があるだろうね」

それを聞いた女子学生たちは笑ったが、皆心の中で嫌な気持ちになったはずだ。

「ほら、医者の娘で美人というのがよくあるだろう。あれは医者が美人の奥さんを貰っているからだ。金があって社会的地位が高い医者は、美人を妻にできるんだ。それで、顔が美しくて頭の空っぽな女を貰うから、出来の悪い息子が生まれる可能性も高い」

女子学生たちは一斉に笑った。

「でも先生、ヤンキーなんかで美人もいますよ。ああいうのはどういう人生なんですか」

「ああ、いるね。暴走族なんかのマドンナになるような美人だね。まあ、彼女たちもそういう世界において、他の女の子よりもずっと得をする青春を送るだろうね。たとえば暴走族のリーダー格の恋人になれたりね」

「先生の話を聞いていると、美人は圧倒的に得だなって思えてきて、辛くなります」

一人の女子学生がそう言ったが、彼女は綺麗な顔立ちをしていた。

「たしかに美人はいろいろ得な面があるけど、だからといって幸せになれるとは限らない。美人ゆえの不幸せというものもきっとあるんじゃないかな」

「たとえば、どんな？」と、誰かが聞いた。

「それは個人の問題だから、簡単には言えないけど、たとえば、美人に言い寄ってくる男性は、ただその顔だけに惹かれるというケースが多いんじゃないかな。美人でない子に惚(ほ)れるのは、その女性の人格に惚れている場合が多いと言えるんじゃないかな」

「でも先生、ブスはせっかくいい人格を持っているのに、最初から相手にされないから、それすら知られないということがあるんじゃないですか。逆に美人は人格もよく見られることが多いような気がするんですが」

「たしかにそういう面もあるかもしれないね。ただね、幸せというのは、これは本当に個人的な感覚だから、表面的なものを見て判断はできないんだ。金を持っていても不幸だと思っている人もいれば、金はなくても幸せを感じて生きている人もいる。早い話、早稲田とか慶應の学生でも、それを第一志望にして入った学生はすごく誇りだろうけど、東大を落ちてやってきた学生にとっては逆に屈辱的かもしれない。同じ境遇でも考え方一つで幸せは変わるんだ」

女子学生たちはわかったようなわからないような顔をした。

「だから、美人はたしかに得だが、それだけで幸せを摑めるかというのは違うと思う」

その言葉は女子学生たちに勇気を与えたようだった。彼女たちはその言葉に一縷(いちる)の光明を見出した。

しかし私はその意見に心の中で反発した。私は幸せになんかなれなくてもいいと思った。女として生まれて、女ならではの喜びを与えられない人生なら、無意味ではないか。

女ならではの喜びとは何か——それは多くの男たちに愛されることだ。美しいと褒(ほ)め称(たた)えられ、憧れられ、夢見られることだ。激しく恋をされ、強く求められることだ。それでたとえ悲劇の女になってもいい。

しかしそれは私には絶対無縁な人生だった。

東京に来て感じたのは、若い女性が全員、美人コンテストに参加していることだった。いや、みんな喜んで参加しているわけではない。無理矢理に参加させられているのだ。

若い男たちが若い女に出会った時、彼らはいつも心の中で点数を付ける。そして女たちに順位を付け、ランクに分ける。私は合コンでそれを痛いほど感じた。この街では、すべての女の子がランキングされるのだと思った。

この感覚を上手い言葉で説明してくれたのも玉井だった。

彼はある時のお茶の会でこう言った。

「かつては美人はごく一握りの存在だったと思う。何とか小町と呼ばれる類の、村に一人か二人、それが村の人たちの評判になる存在だ。その他大勢の女性は、普通の存在だったと思う。中には少々器量がよいと言われるような女性もいただろうが、大半は『美人』と呼ばれる存在とは無縁だったのではないかと思う」

女性たちは皆うなずきながら聞いていた。

「しかし現代は違う。前に言ったように、世の中が豊かになり、多くの女性が皆、美人を目指し始めた。本来、世の中に一握りしかいないはずの『美人』を誰もが目指し始めたんだ。また個性の時代ということで、美人の範囲が拡大されたことも大きい。その結果、ほとんどの女性がランキングされることになったと思う。そしてすべての女性が自分はどの位置にランクされるのかを強く意識するようになった」

周囲の女性たちはその時も少しもじもじした様子を見せた。玉井はそんな彼女たちを見て、少し意地悪そうな笑顔を浮かべた。

「君たちの中でも、新しい女友達に出会った瞬間、自分がこの人に勝ってるか負けてるかを、考えるだろう」

女性たちは、いやーっと悲鳴を上げながら笑った。「そんなことないですぅ！」と口々に言ったが、その過剰な反応が玉井の言葉を肯定していた。

私は私で、彼女たちの反応にショックを受けていた。周囲の女性たちがいつも自分の顔を同性と比較してどちらが上か判定していたとは知らなかった。私のように最初から最下位に位置する者には気付かないことだったのだ。

その瞬間、すべてがわかったような気がした。万人参加の美人コンテストでは、美人の参加意識は低かったのだ。その意識が強かったのはむしろ中途半端なブスだ。彼女たちこそ予選通過して美人の仲間入りをさせて貰えるかもしれないと苦しんでいたのだ。彼女たちは心の底でいつも怯えていたのだ。もしかしたら自分はブスなのではないか、いつか皆それに気が付くのではないか、いや本当は皆心の中で笑っているのではないか——と。

しかし、彼女たちも私ほどの惨めさは味わっていない。私は最初からランク外だったからだ。

大学でも私と積極的に友人になろうとする女はいなかった。とくに不細工な女は絶対に近付かなかった。同類と思われるのが怖かったからだ。

私に対してこだわりがないのはむしろ美しい女たちだった。私には美しい女の気持ちがわからない。ただ言えるのは彼女たちはいつも自信に満ちていたことだ。表情は明るく、すぐに友人ができた。そして美人には美人が近づいた。しかし美人と美人が惹かれ合うということではない。美人はブスも美人も引きつけるのだ。

私に恋するような男は当然ながら二年間で一人も現れなかった。

私はセックスに憧れた。理由は純粋にセックスに対する憧れだけではなかった。セックスをすると美しくなるかもしれないという期待があったからだ。女性は愛する男性とセックスすると綺麗になるとどの週刊誌にも書かれていた。セックスという行為は、それによって女性ホルモンの分泌を活発にし、女性を美しくするという。それは本当だと思った。恋人ができた同級生たちは例外なく美しくなっていったからだ。セックスを経験しない同級生たちは不細工な顔をした女が多かった。「やらずに二十歳(はたち)」を略して「やらはた」という言葉が自嘲気味に語られていた。私は「やらはた」どころか「ずっとやらない」可能性があった。

それでも月に一度は生理が来た。私の体は子供を作る準備と用意を欠かさずに繰り返していたのだ。しかし私は醜い顔のせいで、体にその機会を与えてやることができなかった。

六・整形

私は珍しく客と同席して、ワインを飲んでいた。

テーブルに座っているのは、教育委員会のメンバー三人と中学校の教師だった。食事の時間は過ぎていて、皆、酒を飲んでいた。挨拶に行った折、教育委員長から「よかったら一緒にどうですか」とすすめられるままにテーブルに着いたのだ。

彼らは一人ずつ自己紹介をした。一番若い男性が中学校教師だった。

「清水谷君は来年には教頭になるんです」

教育委員長の長崎が年若の中学校教師を指さして言った。

「教頭先生ですか。そんなにお若いのになれるのですか？」

「彼は非常に優秀でね。多分、この市で一番若い教頭になるんじゃないかな」

私の右隣に座っている清水谷は、いえいえ、とんでもないです、と言った。

「私ごときでは正直まだ早すぎると思っています」

清水谷はそう言って深く頭を下げた。

「若いのにすごいですね」

私が囁くように言うと、彼は嬉しそうに笑った。

話題はすぐに変わり、教育委員長の長崎の趣味の釣りの話になった。彼は先日、瀬戸内海で釣り上げた六十センチを超える真鯛の話をした。

長崎はよほど嬉しかったのか、身振り手振りを交えて、その時の状況を話した。

私は時折、右隣に座る清水谷を見た。私の覚えている青年の面影はどこにもなかった。痩せた若者は肉付きのいい中年男になっていた。その顔は自信に溢れていた。かつて「醜い女は性格も醜い」と笑った国語教師は、市内の中学で誰よりも早く教頭になるほど優秀な男だったのだ。

長崎はちょうど、大物を釣り上げた瞬間の話をしていた。釣り船の船長が慌てて網を持って走ってきて船の上で滑ったというところで、私は突然、「あっ――」と小さな声を上げた。

一同は怪訝な顔で私を見た。私は少し眉をひそめた。それから隣にいた清水谷の顔を睨むように見た。清水谷は少し驚いたような顔をした。

「すみません――。話の途中で」私は無理に作ったような笑いで一同に言った。「漁師の人が、転んだんですね」

私は長崎の話を促すように言った。

「釣りの話だったね」

と長崎は話の続きを始めた。

私は少し間を置いてから、いきなり立ち上がって、隣に座っている清水谷の頬を平手で打った。そして言った。

「あまりにも失礼じゃありませんか！」

「何をするんだ」

清水谷は打たれた頬を押さえて言った。

「私に言わせるんですか？　あなたが今テーブルの下で行なった行為を」

「何を言うんだ――。私は何もしていない」

「恥を知りなさい！」

私は鋭く言うと、席を離れ、そのまま厨房に引っ込んだ。

「清水谷君、何かあったのかね」

長崎の声が聞こえた。

「いや、私は何も――。彼女の誤解です」

懸命に弁明する清水谷の声が聞こえた。「彼女に誤解を解いて貰わなければ」

席を立つような音がしたが、すぐに長崎の「やめなさい。見苦しい真似は」という声が聞こえた。「これは何かの間違いです」という泣きそうな清水谷の声が聞こえた。

私はシェフの村上に彼らに帰って貰うように頼んだ。村上は厨房から出て、彼らのテーブルに行った。

「恐れ入りますが、今夜は皆さん、お帰り下さいませんか。もちろん今夜のお代は頂きません」

「帰れと言うのかね」

清水谷が気色ばんで言った。

「当店のオーナーの気分がすぐれないので、今夜はこれで店を閉めたいのです。まことに申し訳ありませんが、ご了承下さい」

「このままでは帰れない」

「もういい」

長崎は言った。「今夜は帰ることにしよう。ママさんには失礼したと伝えておいてくれたまえ」

「帰る前にママに会わせてくれ」

清水谷が言ったが、長崎は「やめたまえ」と言った。

「そんなことは後日にしたまえ」

教育委員長の言葉に清水谷は黙った。


数日後、梨沙が言った。

「前にママさんに変なことをした先生、教頭の内定がなくなったそうよ」

梨沙の言うところでは、彼女の親戚が清水谷と同じ中学校に勤めていて、そういう噂を聞いたということだった。

「先生の間では結構広まっているらしいわ」

梨沙も美香も清水谷の行為に怒っていた。

「教育委員長の前であんなことするなんて、頭がどうかしてるわよね」

「そんな変態が教頭なんてなれるわけがないじゃない」

二人は愉快そうに言った。二人によると、もうその噂は町中に広まっているということだ。

本当に狭い町だと思った。

「もう、その話はやめにしましょう」

二人は幾分物足りなさそうな顔をしたが、それ以上はその話題はしなかった。

ランチを終えて、二人が休憩に店を出た時、村上がぽつりと言った。

「あの先生とはどこかで会ったことがあるのですか？」

「ないわ」

「あの時、あの先生は何もしていなかったのでしょう」

私はそれには答えずに黙ってタバコをくわえた。

「末帆さんがこの町にやって来たのは、それが目的だったのですか？」

「違うわ」

「では、なぜあんなことをしたのですか」

私は梨沙と美香が近くにいないのを確かめて言った。

「ただの退屈しのぎよ」

それから大きな声で笑った。

村上はそんな私をじっと見つめていたが、何も言わなかった。


私の短大時代はあっという間に過ぎ去った。

二年生になってすぐに就職活動を始めた。これは切実な問題だった。実家の薬局にまったく客が来なくなって、仕送りの額を減らされていたからだ。すぐ近くに大型スーパーができたのが一番大きな理由だったが、その前から私のスキャンダラスな事件で客が相当減っていた。

　親からは「短大を卒業したら、もう仕送りは一切できない」と言われていた。手紙には、自分たちの生活も苦しいと書かれていた。

　故郷に帰ることはできなかったので、東京で生きていかなければならなかった。就職に備えていくつかの資格も取っていた。図書館司書、秘書検定、英検一級。マスコミ関係に就職したかったが、ほとんどのマスコミ関係の会社は四年制の大学卒業者しか募集していなかったので諦めた。それでもいくつかの企業は短大卒も募集していたので、一所懸命に勉強した。

　でも名のある会社の就職試験には軒並み不合格だった。

　試験の成績ではなかった。すべて面接で落とされた。多くの会社が一度に複数の女の子を面接会場に呼んで面接を行なった。面接官の男たちは、私には一顧だにくれなかった。いや、私の顔を意識して見ようとしなかった。

　彼らの目には不快なものを見る嫌悪ではなく、むしろ哀れみがあった。じっと見ては可哀想という色が見て取れた。それが紳士の態度というものかもしれなかったが、私は深く傷ついた。むしろ珍獣か何かを見るように好奇の目で見られる方がましだった。哀れみを持たれて目を避けられるというのは、これまで味わったことがない不愉快さだった。

面接官の男たちは皆、その部屋にいた一番美人の女の子に視線と質問を集中させていた。どういうわけか企業の面接官のほとんどは男だった。会社というところは、男が女を選ぶのだということを知った。

一度、ある会社でモデル並みに美しい女性と一緒に面接を受けたことがあった。面接官たちの目は一人の例外もなく彼女に釘付けになった。美人を前にした時、男性はどこか怯むところがある。この時もどちらが面接を受けているのかわからないくらいだった。彼女が内定を勝ち取ったことは賭けてもいい。ただ、その会社が彼女に入って貰えるかどうかはわからない。彼女ならいくらでも内定を取れただろうからだ。

何度も面接を受けていると、面接会場に入った瞬間に、結果がわかるようになった。

美人は就職試験で圧倒的に有利だった。私の通っている短大でも、可愛い顔をした女の子たちは簡単に一流企業に受かった。中には超一流企業もあった。彼女たちの多くは努力家でも何でもなかった。ちゃらちゃら遊んでばかりいる女の子が沢山いた。私の方がずっと真面目に勉強をしてきたし、学力もあった。しかし学力なんか全然関係なかったのだ。

私を含めて美しくない女の子たちはなかなか内定が貰えなかった。

美しくない女の子が内定を貰える会社は、美人の子が内定を貰える会社よりも小さな会社だった。美人を採用できるのは一流企業だけなのだ。ブスが一流会社に入るのはよほどのコネがなければまず無理だ。

もちろん東大とか早稲田、慶應といった一流大学卒となると事情も違っただろう。彼女たちは総合職として採用されるから、顔がすべてではない。しかし短大卒の一般職は、学力よりも顔で選ばれるのは歴然としていた。

「仕方がないよ。会社は男性社員のお嫁さん用に採るんだもん」

なかなか内定が貰えない女の子はそう言った。

「それに、こんなことを言うのは自分でも嫌なんだけど、綺麗な女の子は結婚して辞めていくけど、ブスはいつまでも会社に残られるから、採らないんだって」

何人かの女の子は、ひどいっ、と怒った。

なるほど、そういうことかと思った。ウエイトレスを採るなら美人がいいに決まっている。でもすべての仕事がそうではないはずだ。事務員として、また庶務として優秀な女子社員が欲しいはずだ。それなのに、なぜ顔が重要視されるのか。受付や秘書なら顔が重要なのも理解できる。しかしパソコンを操作したり、伝票を切ったりする仕事になぜ顔が重要なのか。

同じ女に生まれて、顔の違いがこれほど人生を変えるのかと思うと、暗い怒りが生まれた。美人は大学時代は男性にもてて楽しい青春時代を送り、就職試験では優遇されていい会社に入り、おそらく年収の高い男性と結婚できる可能性も高いのだろう。美しく生まれただけで、恵まれた人生が約束されているのだ。

秋までにはほとんどの女の子の内定が決まった。しかし私を採用しようという会社はどこにもなかった。理由ははっきりしている。私があまりにも醜かったからだ。

私がようやく就職したのはある製本会社だった。庶務や事務職ではない。製本工場のラインで働く女子工員として雇われたのだ。短大時代に頑張って取得した資格などはまったく役に立たない仕事だった。

給料は安かった。手取りで十二万円ちょっと。ボーナスもほとんどないに等しかった。卒業と同時に、約束通り仕送りは完全にストップされていたので、給料だけでやっていくしかなかった。

七万円のアパートの家賃と水道および光熱費を払うと、給料の大半がなくなった。ぎりぎり生活していくのが精一杯だった。食事はすべて自炊、外食なんて想像もできなかった。缶ジュース一つ買うのにも決断が要った。

化粧やファッションにお金をかける余裕なんて全然なかった。もし、ちゃんとした会社に正社員で入っていたなら、私の人生は変わっていたかもしれない。適当にお金があって、そこそこに暮らしていけたなら、今こんな風にはなっていなかっただろう。

仕事は単純な作業だった。ラインごとに作業の内容は違ったが、二週間もたてばすべての工程を覚えてしまえるほど簡単だった。ただ仕事はきつかった。一日働けば、くたくたになった。

一日の大半を薄暗い倉庫のような工場で過ごした。雨の日は小さな天窓から入る明かりもほとんどなく、まるで地の底で働いているような気がした。

工員の八割は女性で、大半が若い女性だった。多分、年がいくと体が持たなくなるのだろうと思った。同僚たちのほとんどが高卒で、私みたいな短大卒はいなかった。中には高校中退や中卒の子もいた。彼女たちは私を仲間と認めなかった。もしかしたら私が短大卒だったせいかもしれない。それに人と交わらない性格が「お高くとまっている」と思われたせいかもしれない。私もまた彼女たちとは違う人種だと思っていた。彼女たちは私を露骨に嫌った。そしてそれは単なる無視にとどまらず、機会があれば、私の顔を嘲笑った。

学歴と品性は多くの場合、比例するものだということをここで学んだ。これまでも私はいろんな場所で顔のことを嗤われてきた。しかしこの職場くらい露骨に嘲られたことはない。同僚の女の子たちから何度もはっきりと「ブスね」と言われた。彼女たちの中には極端なブスはいなかった。だから、そういうことを言いやすかったのだろう。仲のよい子に一人でもブスがいれば、さすがに堂々とブスの悪口は言えなかっただろうからだ。

私はこの職場で、ブスを嗤うのは男だけではないと知った。時には女の方がずっと残酷にブスを嗤う。

彼女たちは仕事をしながらも平気で、男の話をした。きわどい話もしたし、セックスの話もした。私が一度、職場でそんな話はやめてもらえる、と言った時、彼女たちの一人は、「処女には刺激が強すぎるからね」と言って笑った。

私が睨むと、「悔しかったら恋人の一人でも作ったら」と言った。

「多分、そんな物好きはいないと思うけど」

私は何も言い返せなかった。

彼女たちの仕打ちで忘れられないことがある。

同僚の一人である奥井直子が、どこで仕入れてきた知識か知らないが、「醜い」という言葉がもともとは「見にくい」から来た言葉だということをわざと私のいるところで、みんなに披露したことだ。

この報告は多くの女の子を面白がらせた。

「言われてみれば、まさにそのものずばりじゃない」

皆がおかしそうに笑った。

「でも『醜い』が『見にくい』から来てるなんて、全然ひねりがないじゃない？」

誰かがそう言うと、奥井直子は私の顔をちらっと見た。それから得意そうに、

「見るに耐えないとか、見るのが辛いとかいう意味の『見にくし』が醜いになったのよ」

と言った。

「今でも東北地方では『醜い』ことを『見たくなさ』というらしいのよ」

皆は笑った。

「嘘でしょう」

「嘘じゃないのよ。ちゃんと本に書いてあったのよ」

「あんた、本なんか読まないじゃない」

「私に教えてくれた人が、本に書いてあったって――」

「あんたの彼氏の読んでる本なんて、信用できないわ」

彼女たちが馬鹿話をしている間に、私はこっそり持ち場を離れた。それからトイレに入って、わずかに滲んだ悔し涙を拭（ぬぐ）った。

彼女が仕入れてきた話は本当だ。私も何かで読んだ記憶がある。それにしても「見るのが辛い」なんて――。私がどんな悪いことをしたというのだろう。

私はしかし会社を辞めなかった。ようやく見つけた仕事だった。顔でからかわれるくらいで辞めるわけにはいかなかった。

職場とアパートを往復するだけの生活が続いた。仕事のない日は終日テレビを見て過ごした。テレビだけが私の友人だった。

同僚たちは皆、家から通っている子だったので、安い給料でもやっていけた。というか、給料のほとんどが小遣いだったので、いつも余裕があった。彼女たちは季節ごとに長い休みを取り、北海道や沖縄に旅行に行った。時には海外のバカンスも楽しんだ。私には無縁の話だった。

ただ生きているだけの毎日が続いた。

二年働いても貯金は全然できなかった。

短大を卒業してから、実家からの連絡はまったくなかった。ある日、一年ぶりに手紙を書いたら、宛先不明で戻ってきた。電話をしてみると「お客様がおかけになった電話番号は現在使われておりません」というアナウンスが返ってきた。薬局の方の番号にかけても同じだった。両親は私に内緒でどこかへ引っ越していた。私は家族にも見放されたのだ。

二十三歳の誕生日の夜、小さなケーキを一人で食べている時、突然、涙がこぼれた。

私はこうして一人で年をとっていくんだと思うと、絶望的な気持ちになった。こんな薄暗い工場で黙々と働きながら年老いていくのだと思うと、涙が止まらなかった。誰にも愛されることなく、一人貧しく老いていくのだ。そしていずれ働く場所がなくなった時、私はどうすればいいのだ。蓄えもなく、食べるものにも苦労する未来が見えてきた。

二十三歳の若さで、老後を思って死にたくなった。こんな滑稽な話があるだろうか。

かつて短大の助教授、玉井は言った。「美しく生まれなくても幸せにはなれる」と。その言葉はやはり嘘だった。私は醜く生まれたばかりに決して幸せにはなれないのだ。

その日、週刊誌でテレビ局員の給料が載っているのを見た。新入社員の年収が私の三倍もあった。五年後には五倍になり、二十年後には十倍以上になると書いてあった。また銀行や生保の女子の一般職は、男性社員のお嫁さん用に採用しているとも書いてあった。社員の妻用に採るのだったら、綺麗な娘を選ぶのに決まっている。もし私が美しく生まれていたなら、そういう人生も可能だったかもしれないのだ。

自分の人生は最悪だと思った。人生というものが二回も三回もあるなら、一度目はこれでも我慢する。でも人生は一度きりなのだ。たった一回きりの人生がこれでは、あんまりだ。

美人なんてたかが皮一枚と言う人がいる。たかが皮一枚！　でもそれを言った人は美人を見る立場の人間だ。つまり男だ。皮一枚がどれほどすごいものか。それを本当に知っているのはとびきりの美人か、私のようにとびきりのブスだ。ほとんどの女性はそのすごさを知らない。

その夜、布団の中で、また涙が流れてきた。

その時、突然、英介を思い出した。高校卒業以来、一度も思い出すことがなかった英介の顔を思い出したのだ。

英介——、と心の中で呟いた。その瞬間、胸の奥が締め付けられるように痛んだ。

英介が恋しいと思った。彼が欲しい。でも私には絶対に手に入らない。彼さえ手に入れることができたら、その瞬間に死んでもいい。七十年も八十年も生きていたいと思わない。彼のたくましい腕で強く抱かれ、唇を強く吸われたなら、もう死んだってかまわない。

英介に会いたい。しかしそれは叶わぬ夢だ。英介は私を憎んでいるに違いない。いや、憎んではいない。英介は私を怖がっている。私を狂人だと思っている。気のふれた女。自分の目を潰そうとした女だ。

あの時、たしかに私は狂っていた。英介に恋するあまり、頭がおかしくなっていたのだ。

英介が今どこで何をしているのかは知らない。おそらく東京大学に合格しているだろう。もしかしたら同じ東京の空の下で暮らしているかもしれない。多分、彼らしく栄光に包まれて暮らしていることだろう。そしてその横には洗練された美しい女が寄り添っているに違いない。

「英介」と心の中で叫んだ。

なぜ、あの時、砂場で私を助けてくれたの？　私のようなブスをどうしてかばってくれたの？　あなたもみんなと同じように私をいじめてくれたらよかったのに。「ブス！」とののしってくれたらよかったのに——。

＊

けだるい午後だった。

私は店のプライベートルームのソファーに横になったまま、まどろんでいたようだ。夢を見ていたような気がするが、目覚めた瞬間、忘れてしまった。しばらくの間、自分がどこにいるのかわからなかった。今がいつなのかもすぐにわからなかった。

部屋の鏡を見て、やっと自分がどこにいるのか思い出した。私は鏡の中の自分に向かってにっこりと笑った。

この町に戻ってきてまもなく三ヶ月近くが経とうとしていた。窓から差し込む日差しはすでに夏のものだった。

私は今夜の予約客の名簿を見た。その中に東野の名前があるのを見つけた。

たしか彼はこのひと月で三回も来ている。彼が来ると、とびきりとまではいかないが三番目くらいの笑顔で迎えてやる。彼はそのたびに少年のように顔を輝かせた。

いつも私が勧めるワインを注文する。この前は五万円のワインを勧めてやると、少し顔をひきつらせて「じゃあ、それを貰おうかな」と言った。

馬鹿な奴、と私は心の中で呟いた。ここはクラブじゃないんだから、いくら通い詰めても無駄だ。それに私ももう飽きていた。かつて「バケモン」と言われた分は、たっぷり支払って貰った。それ以上小さな青果店から巻き上げる気はなかった。そろそろ笑顔も打ち止めにしておこう。

もし東野が、自分が夢中になっている女が、かつての同級生で学校一のブスだと知ったらどう思うだろうかと考えると、おかしくてたまらなくなった。

この町ではもう見覚えのある人に何人も出会った。店にやって来た人もいれば、町ですれ違った人もいる。しかし、誰一人、私とわかる人はいなかった。それは当然だ。母親でさえ、私とわからないだろう。

私が初めて目を整形したのは二十四歳の時だ。

狭いアパートの部屋で女性週刊誌をめくっている時に、整形外科の宣伝ページに一重瞼を二重瞼にした女性の写真が載っているのを目にしたのがきっかけだ。ふだんはこんなページは見ないようにして飛ばしてしまうのだが、この時はなぜか手が止まった。なぜなら、写真の女の一重の目が私に似ていたからだ。

その女は二重になって、同じ人かと思うくらい印象が変わっていた。多分、もともとの顔立ちがよかったのだ。でも、私は目さえ変えれば美しくなると思いこんだ。

整形手術を決意するのに、ひと月以上逡巡した。当時、普通の人は整形なんかしなかった。それに体にメスを入れるのは怖かった。

でも、私はしようと決めた。今にして思えば、これが私の長い旅の最初の一歩だったのかもしれない。

週刊誌で見た、恵比寿にある美容整形の横山クリニックというところに行った。

病院は閑静な住宅街にあった。洒落たマンション風の建物で、初めて訪れた時は、とても病院には見えなかった。クリニックの看板も小さくて、よく見ないとわからないほどだった。

驚いたことに、最初に相談料を取られた。カウンセリング料という名目で、二十分五千円だった。私が一日工場で働く日当がわずか二十分で消えていく。もちろん五分でも超過すれば一万円になる。

カウンセリングルームは小さな応接室みたいな感じだった。壁には油絵が架けられ、天井のスピーカーからはクラシック音楽が流れていた。私は木製のテーブルを挟んで先生と向かい合って座った。テーブルの上にはパソコンと花があった。

「初めまして、横山と言います」

医者のにこやかな笑顔を見て、私は少し緊張がほぐれた。

「今日はどんなご相談ですか？」

「目を――二重にしようかと思って」

横山先生は微笑んだままうなずいた。

「でも、二重の手術のことも何も知らないので、その――どうしたらいいのかわからないので、教えてください」

「二重にすることは医者の立場から賛成します」

「そうなんですか」

「一重瞼と二重瞼のどちらが美しいかは見る側の主観によります。しかし美容の見地から言うと、二重の方がいいのです」

「それはどうしてですか？」

「一重瞼は目が細くなります。なぜかというと二重瞼の人に比べて開きにくいからです。それで一重の人は無意識に目をしっかり開けようと瞼や周辺の筋肉に力を入れます。若い時はどうということはありませんが、年がいくとその部分に余計な皺(しわ)ができます。それにいつも目の周りに力が入っているから、顔がきつくなります」

「知りませんでした」

「だから、私は二重瞼の手術は子供からでもした方がよいという考えです」

彼はそう言って笑った。

「二重瞼と一重瞼って、どうして違いができるのですか？」

「簡単に言ってしまうと二重瞼は、瞼の皺ですよ」

「皺——ですか」

「そうです。二重瞼の人は、瞼を開閉する筋肉と皮膚が生まれつきつながっているため、瞼を開く時、皮膚が筋肉と一緒に持ち上げられて、そこに折れこみができるので、二重瞼になります」

「すると一重の人は、それがつながっていないということですか」

先生はうなずいた。

何と言うことだ。たったそれだけのことで、生まれつき綺麗な目とそうでない目になるのだ。

私は時計を見た。もう診察室に入って十五分が過ぎている。

「先生、二重にしてください」

気付いた時、私はそう言っていた。

でも横山先生は慌てなかった。

「二重の手術は二通りあります。埋没法と切開法です」

「違いを教えてください」

「埋没法は、先程言ったような瞼を開閉する筋肉と皮膚を糸でくっつけてしまう方法です。生まれつきの二重瞼の人と同じ体にしてしまうのですね。糸が瞼の中に埋没するから、そう呼ばれています」

「切開法というのは？」

「瞼にメスを入れて、物理的に皺を作ります」

「どちらがいいのでしょう？」

「一概には言えません。埋没法はメスを入れずに手術ができますし、料金も安い。それに糸を抜けばいつでも元通りになります。切開法は一度手術をしてしまうと、ほぼ永久にそのままです」

おそるおそる聞いた。

「埋没法ですと、料金はおいくらなんでしょうか？」

「当院では、税込みで八万四千円になります。この手術には保険はききません」

一瞬耳を疑った――たったの八万四千円。生まれつきの二重瞼の人と同じになる手術が、そんな値段でできるのか。

「そんなに安いのですか」

思わずそう口走っていた。医者は笑った。

「埋没法でお願いいたします」

「わかりました。では、後ほど手術日を決めてください」

カウンセリングはきっちり二十分で終わった。私はほっとして診察室を出た。

それから受付で五千円を支払い、事務の人と日程を打ち合わせて、手術日を三日後に決めた。

クリニックから帰る時、こんなに早く決断してしまっていいのだろうかと不安になった。でも一方で早くしてしまいたいと思った。

三日後、私は仕事を早退して、夕方にクリニックに行った。

手術の前に、瞼の大きさをどれくらいにするかという確認をした。私は写真を撮られ、それがパソコンのモニター上に映し出された。横山先生がパソコンを操作すると、画像の私の目が二重瞼になった。その二重は、先生の動かすマウスによって広くなったり狭くなったりした。

先生に「どれくらいの大きさの瞼にしますか」と聞かれたが、判断がつかなかった。思い切って広い瞼にしようかと思ったが、逆に目立たないくらいのほうがいいような気もした。迷った挙げ句、中くらいの大きさを選んだ。先生はそれをプリントアウトして、あらためて確認した。

それから手術室に入り、瞼に局部麻酔を打って手術台に寝た。手術中は目を開けることはできなかったが、医者と看護師の会話は耳に入った。麻酔のために瞼の感覚はなかったが、手術しているところを想像すると気持ちが悪くなって、腰の両側にあてている指を閉じたり開いたりして気をまぎらせた。途中「痛くないですか？」と聞かれたので、「大丈夫です」と答えた。すると気分が楽になった。

手術は十五分くらいで済んだ。あっけないくらい簡単な手術だった。メイクするよりも早い時間だった。

私は横山先生に渡された鏡の中の目を見た。鏡の中の美しい二重瞼の目が私を見返していた。これが私の目？——私は声も出なかった。少し腫れてはいたが、まったく気にならなかった。

「気に入りましたか？」横山先生はにこやかな顔で言った。

気に入るなんてもんじゃない！　こんな素晴らしい目が私の目になったなんて、信じられない思いだった。一瞬、鏡ではない違うものを見ているかのような錯覚を起こした。

「目も大きくなってるでしょう」

「はい！」

たしかに目も大きくなっている。瞼が前よりも開きやすくなっている。ナイフで切ったような目が、ふっくらと開いて、美しい二重の皺ができていた。

「綺麗になりましたよ」

看護師に声をかけられて、思わず涙がこぼれた。ティッシュをバッグから取り出すよりも早く、看護師が脱脂綿で目を軽く押さえた。

「二、三日は腫れるかもしれません。一週間経っても腫れが引かないようでしたら、また来てください」

私は横山先生と看護師に何度もお礼を言って手術室を出た。

家に帰るまで、私は街にあるショーウィンドーのガラスに映る自分の顔を何度も見た。こんな経験は一度もない。ガラスに映る目は、女優の目のように美しい二重だった。本当はじっくりと見たかったけど、人目があるからちらっと覗くしかできなかった。

新しいショーウィンドーを見るたびに覗いた。もしかしたら魔法か何かをかけられていて、知らない間に解けているのかもしれないと思ったのだ。でもショーウィンドーに映る私の目は変わらず二重のままだった。

家に帰って、鏡を穴のあくほど見つめた。いくら見ても見飽きなかった。

これが私の目？　と心の中で呟いた。それから、「これが私の欲しかった目だ」と思った。私が幼い頃から欲しかったのは、この目だ。

かつて母の鏡台の前で何度も瞼を引っ張ったことを思い出した。姉のような目になりたくて、何度も何度も指で瞼を押さえて上に引っ張った。指で押さえている間、私の目は姉そっくりになった。このまま元に戻らないで。そう念じてゆっくりと指を離すのだが、その願いはむなしく、目はすぐに元の細い形に戻った。

何度も何度も繰り返せば、やがては大きな目になるかも。そう信じて、毎晩寝る前に瞼を押さえた。

「和ちゃん、何してるの？」

ある日、姉の智子に聞かれた。

「何も」

私は慌てて言った。「目が痛くて……。テレビの見過ぎかな」

「大丈夫？」

姉は心配そうに私を見た。その顔を見た時、私は嘘をついたことを後悔した。ごめんね、姉ちゃん、ウソついちゃったの、でも、本当のことは姉ちゃんにも言えなかったの。

その夜、晩ご飯の食卓で、母は私に言った。

「瞼なんかいくら引っ張っても、智子みたいな目にはならないよ」

それを聞いて姉が声を上げて笑った。母もおかしそうに笑った。父はその横でいつものように無関心に箸を動かしていた。私は泣きそうになるのをこらえながら、黙ってご飯を食べた。

――あの日、私が欲しかったのはこの目だ。

ついに手に入れた。たったの八万四千円で。ずっと欲しくて永久に手に入らないと諦めていたものは、こんなわずかな金で手に入るものだったのだ。なぜ誰も教えてくれなかったのだ。

なぜ母はあの時、笑うよりも、「大きくなったら、手術で綺麗な目になるのよ」と教えてくれなかったのか。自分の化粧品には何万円も使うくせに、娘の目のためには一円も使ってくれなかった。

あの時、黙ってご飯を食べていた父は、どうしてその金を出してくれなかったのだ。二百五十万円もの新車を買う金があるなら、なぜその何十分の一のお金を出してくれなかったのか。

父は私の顔を母以上に嫌っていた。自分の顔に似ていたからだ。父は不細工な自分の顔に強いコンプレックスを抱いていた。私の顔を見るとそのことを思い出すのだろう。彼のお気に入りは姉の智子だった。

「畜生!」

と私は叫んでいた。

たったこれだけのことで長い間悩んでいたのが、悔しくてならなかった。この目さえあれば、私の青春は輝いていた。もっともっと素晴らしい時間が過ごせたはずだ。素敵な思い出、美しい思い出が沢山残っていたはずだった――。何よりも英介との思い出が。

いや、私の忌まわしい行為はなかったかもしれない。私の人生は全然違ったものになっていたかもしれなかったのだ。

それを奪ったのは父と母だ。わずかなお金を惜しんで、娘にこれほどの苦しみを与えたのだ。父と母は、私が味わった苦しみがどれほどのものかわかるだろうか。父と母が憎くてたまらなかった。

しかし、と私は思った、まだ遅くはない。不当に奪われた私の青春は奪い返せるはずだ。

翌日になると、腫れはほとんどひいた。その分、二重瞼は昨日よりも美しくなっていた。朝早くに目覚めた私は出掛けるぎりぎりまで鏡を見ていた。いつまで見ても見飽きることはない。行きの電車の中で皆が私の目を見ているような気になった。もちろん錯覚ということはわかっている。でも、皆に見てもらいたかった。

出社した時、同僚たちは私の目を見て驚いたような顔をした。私はあらためて美しくなった目の威力を見た。同僚たちの顔から目を逸らさずに、賞賛の言葉を待った。

しかし同僚たちは誰も賞賛の言葉を口にせず、むしろ私の顔から目を逸らした。もしかして、これが嫉妬というもの？　初めて味わう甘いトゲのような感情に快感を覚えた。私は顔を上げて持ち場に着いた。

上司が私の顔を見て、不思議そうな顔をした。それから少し恥ずかしそうな顔をして目を逸らした。その行動は見覚えがあるような気がした。そうだ――男たちが美人を見た時にしばしば見せる行動だった。私は有頂天になった。仕事中もずっとうきうきしていた。

工場での昼休みにトイレに入った時、洗面所で、誰かが自分の噂をしているのが聞こえた。

私は耳をすました。

「ねえ、見た？」

「見たわよ」

私の胸が高鳴った。この光景には記憶がある——デジャヴのようだ。

「笑っちゃうわよね」

「ほんと、おかしくって笑いをこらえるのに苦労したわ」

「今日一番のニュースね」

「私、廊下に出て、思い切り笑っちゃった」

私は心臓が凍りつく思いがした。

「ブルドッグに目だけお人形さんの目くっついてるんだもん、おかしくって——」

大きな笑い声が聞こえた。

「おっと、具体的な話はNGよ」

全身がぶるぶる震えてくるのを我慢できなかった。

「個室にいらしたらどうするの？」

一瞬、皆が静かになった。

「かまわないわよ」奥井直子が言った。「思ったこと言ってるだけだもん。中に入っていたら、腹が立てば出てくればいいんだわ」

直子は自分が中に入っていることを知って言っているんだと思った。動悸が耳の奥で鳴り響き、頭の中の血管が破裂するかのようだった。

「ドア開けたら、ブルドッグが泣いてたりしてね」

皆が一斉に笑った。その時、私の心の中で何かが爆発した。同時に頭の中が真っ白になった。

「いい加減にしろよ！」

私はドアを乱暴に開けると大声で言った。三人の女性社員は私を見て固まった。

私は走るように直子の前に立って怒鳴った。

「もう一回言ってみろ！」

「私、何か言ったかしら？」

直子は顔を引きつらせながらも、口元に笑みを浮かべて言った。

「てめえ、顔を刻んでやろうか！」

私が直子のブラウスの襟元を掴んで言うと、彼女は悲鳴を上げた。

「謝れよ！」

直子は泣きながら「ごめんなさい」と謝った。

「土下座しろ！」

「そこまでしなくてもいいでしょう」

私は直子の髪を掴み、洗面所の鏡に顔を叩きつけた。直子は泣き叫んだ。二人の女性社員も悲鳴を上げた。

「土下座するから許して！」

直子は泣きながらトイレの床にしゃがんだ。私は土下座する直子の肩を蹴った。

その時、誰かが外からトイレのドアを叩いた。

「どうしたんだ。何かあったのか？」

二人の女の子が泣きながら救いを求めるようにドアを開けた。男性社員は土下座している直子を目にして、すぐに異常な事態に気付いたようだった。

「何をしてるんだ！」

男性社員は声を荒らげて私に言った。しかし私はそれ以上の大声で怒鳴り返した。

「やかましいっ、何でもないわ！」

私の剣幕に男性社員は目を丸くした。

「女子トイレを覗くな、この変態野郎！」

男性社員は慌ててドアを閉めた。

私はそのドアに向かって持っていたバッグを投げた。ドアはもう開かなかった。

七．ＳＭクラブ

「ママさん、ちょっと——」

夕方の店のオープンの前に、シェフの村上がこっそりと厨房に私を呼んだ。

私が行くと、村上は一枚の皿を見せた。皿にはソースがうっすらと残っていた。

「これだけじゃありません」

見ると、何枚かの皿に油が残っていた。

私はフロアを掃除していた宇治原陽子を呼んだ。

「これ、見てちょうだい」

私は厨房にやってきた宇治原陽子の前に皿を突き出した。「どういうつもりなの？　お客様にお出しするお皿よ」

「すみません。よく洗ったつもりだったんですけど——」

「言い訳は聞きたくありません！」

「今度からもっと丁寧に洗います」

「あなた、前にもそうおっしゃったわね」

宇治原は黙っていた。

「ここはプロのお店よ。あなたの自宅ではありません」

「すみません。気を付けます」

「今度、手を抜いた仕事をしたら、辞めていただきます」

宇治原は泣きそうな顔で頭を下げた。

彼女は、店をオープンしてから二ヶ月近く経った頃、掃除と洗濯、それに店のフロアと厨房の清掃のために雇った女だ。地元のタウン誌に求人広告を出すと、何と三十人以上の応募があった。とてもじゃないが全員には会う余裕はない。私は履歴書を見ながら、面接に呼ぶ何人かをピックアップした。驚いたことに、そこに高校時代のクラスメートの岡田陽子がいた。結婚して宇治原と苗字は変わっていたが、履歴書を見て間違いないとわかった。

面接の席で宇治原は緊張していた。かつてクラスで一、二位を争うほどの美少女と言われていた面影はほとんど失せ、くたびれた中年のおばさんに足を踏み入れていた。

たいした暮らしはしていないのだろう。短い髪の毛はパーマがとれかけで、おそらく若い時に買ったスーツは明らかに体形に合っていなかった。肌は衰え、目尻には無数の小皺があった。

高校時代、彼女は私に対して随分高圧的に接した。私は美しい彼女の前に出ると、それだけで臆したものだ。でも、今はこの店で働かせてもらおうと、私を懇願するような目で見つめていた。

そんな彼女を見ながら、忘れていたことをまざまざと思い出していた。

私は高校生の頃、あるアイドル歌手Ａに憧れたことがあった。その歌手は比較的マイナーな歌手だった。人気のある歌手は競争率が高いような気がして、最初から手を出さなかったのだ。部屋にポスターを貼り、雑誌の写真を切り抜いて生徒手帳に挟んだりした。

高校に入学してしばらくしたある日、クラスの岡田陽子がＡの写真をノートに貼っているのを見た。私は思い切って声をかけた。岡田は、あなたもそうなの、と言って喜んでくれた。二人は二人だけのファンクラブを作った。ある日、二人同時にファンレターを出した。私にだけ返事が来た。岡田はしばらくして、Ａのファンをやめるから、ファンクラブも解散しようねと言った。

それから少し経った頃、放課後、忘れ物をして教室に戻った時、彼女が数人の友人たちに話している現場を見た。彼女たちはこっそりと教室の後ろから入った私に気付かなかった。

「田淵さんがＡのファンだなんて、身の程知らずもいいとこだわ」

岡田のその声を聞いた時、私は体が固まった。

「あの顔でファンと言われたら、Aもがっかりするわよね」

誰かが言った。

「好きなタレントが田淵さんと同じというだけで、いやになっちゃった」

岡田の言葉に彼女たちは笑った。その時、誰かが私に気付いたらしく、笑いは急に止まった。私は彼女たちの方を見なかった。彼女たちも私が教室を出るまで、一言も喋らなかった。

その日以来、私はAのファンを辞めた。それどころかタレントに憧れることも一切なくなった。私のような醜い女がタレントに憧れるのはたしかにお笑い種だ。向こうだって嬉しくもなんともないだろう。

岡田とは卒業するまで一言も話をしなかった。まさか二十年後、自分の店に、働かせてほしいと言ってくるとは夢にも思わなかった。

宇治原を雇ったのはまったくの気まぐれだ。私は彼女を顎で使った。掃除から皿洗いまで、雑用を何でもさせた。でも、フロアスタッフにはしなかった。美香と梨沙との間には厳然とヒエラルキーの差をつけた。

宇治原は鈍い女だった。仕事は真面目にやるが、仕上がりはいつもどこか抜けていた。私はその都度厳しく叱(しか)った。シェフの村上は、辞めてもらったらと言ったが、クビにする気はなかった。

トイレで怒鳴った時から私の中で何かが変わった。それまでこそこそと隠れるように生きてきたのが、堂々と自己主張をするようになった。言いたいことがあったら大きな声で言えるようになった。どんな時にも怯むことはなくなった。

嫌われたってかまわない。どうせ私のことを友人と思ってくれる人なんて誰もいないのだ。

トイレの一件があった翌朝、先輩の山岸敦子から、翌週の休日のシフトを代わってくれと頼まれた。これまで、私は誰に頼まれてもシフトを代わってあげていた。誰だって日曜や祝日に仕事はしたくない。女子社員は互いに貸し借りみたいな形でシフトを交代し合っていた。ただ私は誰にも頼んだことはない。いつも一方的に頼まれるだけだった。シフトを交代してもらった者は、たいてい礼としてご飯を御馳走したり、ちょっとしたプレゼントをあげたりしていたが、私には誰もそんなことはしてくれなかった。要するに、私は舐められていたのだ。でも、皆に嫌われるのが嫌で、断れなかったのだ。

その時、私にシフトを代わってくれと頼んだ山岸は女子社員のリーダー格の人で、皆に恐れられている存在でもあった。彼女は前日のトイレの一件を誰かに聞いていて、私に職場での序列を教えておこうと思ったのかもしれない。

「鈴原さん、来週の日曜のシフト代わってね」

山岸は更衣室で私とすれ違いざま、天候の話でもするように気軽に言った。

返事をしない私を見て、彼女は声を低くして言った。

「ちょっと——聞こえてるの？」

私は振り返った。

「どうしてお前のシフトを代わらないといけないんだよ」

更衣室にいた何人かが話を止めた。山岸は顔を引きつらせたが、私を睨みつけて言った。

「その言葉遣いは何よ」

私は彼女の前に近付いて言った。

「ぶっ殺してやろうか」

山岸は唇を震わせたまま、一言も言い返せなかった。その顔はみるみる青くなった。

その日以降、私に話しかける女子社員は誰もいなくなった。

仕事のことで男性社員や上司と話す時も、言いたいことは我慢しなかった。これまでは嫌な残業や仕事の無理を言われても、いつも黙って言うことを聞いていたが、できないことはできないとはっきり言ってやった。

数日後、工場長に呼ばれた。

「鈴原さん、職場の仲間とは協調性を持ってやっていきましょう」

工場長は笑顔を浮かべながら言った。

「どういうことですか」

「どういうことって言われても、深い意味はないけど、皆で仲良くやっていこうということです」

「ここは幼稚園じゃないですよね。私は働いてお金を貰っています。なあなあで仕事をする気はないし、やれないことはやれないと言いますよ」

工場長は笑みを消した。

「そういうことを言ってるとね、辞めて貰わないといけなくなるよ」

「クビですか」

「最悪の場合はね」

「私をクビにしたら、その足で労働基準局に行きますよ。そしてあなたを職権乱用で個人的に訴えます。新聞に投書して、大問題にしてやります。あなたも会社にいられなくしてやります」

「待ってくれ。私は何もクビにするとは言ってない。あくまで最悪のケースの一つとして言ったまでで――」

「何でも言ったらいいというもんじゃないぞ」

と私は怒鳴った。「あんたが女子社員と不倫してるのを会社に言ってやろうか」

工場長は顔色を変えた。

「何も知らないと思ってるのか、ああん？　あんたが稲森とできてることくらい知ってるのよ」

「大きな声を出さないでくれ」

工場長は懇願するように言った。私は足元の屑籠(くずかご)を蹴った。屑籠は壁の方に転がり、中の紙屑が部屋に散らばったが、工場長は何も言わなかった。

「すみませんでしたって言えよ！」

と私は言った。工場長は俯いたまま小さな声で、すみませんでした、と言った。

私は声を上げて笑いながら部屋を出た。


私は工場でアンタッチャブルな存在になった。男性社員も女子社員も私を腫れものに触るように扱った。

職場では、仕事以外の会話をほとんどしなくなった。苦痛でもなんでもなかった。むしろ気持ちがよかった。

孤独になって初めて、私がずっと何を恐れていたのかがわかった。他人に「これほど醜い顔をした女は、内面も醜いんじゃないだろうか」と思われるのが怖かったのだ。思えば長い間、顔は醜くても心の中はそうじゃないということを周囲の人にわかってもらいたくて生きてきた。

でも、そんな生き方は間違っていた。私がいい人になろうとすればするほど、周囲の人は私を馬鹿にし、見下していたのだ。醜い女が謙虚な姿勢を示したり優しさを出したりしても、他人は「醜い女だから当然」と思うのだ。むしろ普通の人と同じことをすれば、「何を思い上がっているのか」と思うのだ。

もう誰に何と思われようとかまわない。どうせ私は醜い女なんだ。

職場の人間関係などどうでもよかった。そんなものより、私は二重瞼に夢中になっていた。部屋で暇さえあれば鏡を見た。たしかに同僚の一人が言ったように、ブルドッグにかわいい目を付けただけの顔だったかもしれないが、それでも私は自分の目が気に入った。二十四年の人生で、自分の顔の一部分でも満足したのは初めてのことだった。

目が少し大きくなっただけで、こんなにも顔の印象が変わるものかと思った。他人にはどう見えているのかは知らないし、知りたいとも思わない。そんなことはどうでもいい。

　私は鏡を見ながら顔をいろんな角度に変え、自分の目を様々な角度から眺めた。三面鏡を持っていなかったので、手鏡を使って、自分の目を横から見た。ぱっちりと開いてまつ毛がピンと上を向いていた。いくら見ていても全然飽きなかった。ようやく鏡から離れてベッドに横になっても、五分もしないうちにまた鏡を見たくなった。

　美しい女もこうなのだろうかと思った。多分そうなのだろう。美人にナルシストが多いわけが初めてわかった。自分の美しい顔をいつも眺めていればナルシストにならないわけがない。

　でも、長く見ているうちに、もっと美しくなるのではないかという気がしてきた。わずか八万四千円でここまで綺麗になれるのだから、よりお金をかければさらに美しくなるのは間違いない。

　二重瞼は十分気に入っていたが、もう少し二重の皺を大きくすれば、より魅力的になるのではないかと思った。それに目をもっと大きく見せる手術もあるのではないだろうか。

　私はひと月後、同じクリニックを訪れた。

　前回と同じくカウンセリングで、横山先生に瞼を大きくする手術をしたいと言うと、彼は「再手術になりますが、可能です」と言った。

そして前と同じようにパソコンで、どれくらいの大きさにするかということを相談した。私は前回よりも一気に一ミリも大きくすることに決めた。

横山先生は少しばかり難色を示した。

「さすがにそれは少し不自然になるかもしれません」

「そうなんですか」

「そこまでの二重は日本人には珍しいくらいの大きさだから、目立ちすぎますよ」

「いいんです。目立っても」と私は言った。「それに先生は前に、埋没法はいつでも修正がきくとおっしゃっていました。あまりに不自然なら、また修正します」

横山先生は苦笑した。

「なるほど、埋没法のメリットを利用しようという考え方ですね。私の方が一本取られた感じですね」

手術は前回に付けた糸を抜き、あらたに糸を埋没させるというものだった。考えれば、前回の手術はまったく無駄になるということだ。でも惜しいとは思わなかった。ひと月の間、素晴らしい気持ちを味わえた。それだけでも八万四千円の価値は十分にあった。

「ところで先生」と私は尋ねた。「二重瞼で目を縦に大きくすることはできましたが、横に大きくすることはできないんですか？」

「簡単なところでは、目頭切開をやると、大きくなりますよ」

「目頭切開って何ですか？」

横山先生はパソコンに目の画像を映し出した。

「日本人は目頭のところに、こんな風に縦に襞ができる。これを蒙古襞というのですが、アジア人特有の目です。欧米人には蒙古襞がないから、目頭にあるピンク色の結膜が見えています」

横山先生はパソコンに過去の術例写真を出した。そこには術前と術後の二枚の画像があった。

「これ、同じ目ですか？」

「そうです。全然、印象が違うでしょう」

「別の人の目みたいです」

横山先生はうなずいた。

「この手術もしたいです」

「目頭切開法では、蒙古襞の皮の部分を切除します。目頭切開法をやると、目頭が鋭角的になって、ぱっちり感が増します」

横山先生はそう言いながら、パソコン上の目の画像の部分に、線を書き込んだ。

「このようにWの字を横にしたような形にレーザーメスを入れます。すると三角形の形に皮膚が二ヶ所切除できます。切除した部分を縫い合わせれば、蒙古襞は消えます」

私はもう一度、術前と術後の写真を見た。

「料金はどれくらいですか？」

「両目で十二万六千円になります」

私は素早く頭の中で計算した。新たな二重埋没法と合わせて二十一万円——私が一年間で貯めることができる額に近い。ええい、かまうものか。

「お願いします」

私は言いながら、この手術にはそれだけの価値があると信じた。

その日は、あらたな埋没法で二重瞼を大きくした。横山先生が言ったように、明らかにバランスがおかしいくらいの瞼の大きさになった。看護師も褒め言葉に迷ったのか、「すごく個性が出て魅力的な目になりました」と言った。

でも私は満足していた。バランスが悪いくらいは何でもない。元の目だってバランスの悪さならひけをとらない。

会社の同僚も上司も何も言わなかった。

一週間後、目頭切開法の手術を受けた。二重瞼の手術よりもずっと複雑な手術で、一時間くらいはかかった。レーザーメスで皮膚を切っているが、局部麻酔をしているから感覚はまったくない。手術中、先生がいちいち今何をやっているかを説明してくれたから緊張感がほぐれたが、「皮膚を切除しました」と聞いた時は、それを想像して少し気持ちが悪くなった。

手術が終わって、鏡を見せられた瞬間、思わず「えっ！」と声が出た。自分の目とは思えないほど大きな目が私を睨んでいたからだ。

それに無様に開いていた両目の間が狭くなっている。

「目の間が狭くなったでしょう」

「はい」私は答えた。「すごく」

「目頭切開をすると、目が大きくなるし、目の隙間が小さくなるし、いいことずくめです。私もしています」

看護師にそう言われて彼女の目を見ると、蒙古襞のない美しい目頭だった。この手術をするまでまったく気付かなかった。

「うちの看護師はみんなしていますよ」

「そうだったんですか」

こんな簡単な手術で、こんな美しい目が手に入るのだから、しない方がおかしい。

一年かかって貯めたお金のかなりを、このひと月余りで使ってしまったが、後悔はなかった。

数日の間、手術の痕が腫れた。それに縫い合わせたところが引っ張られる感じがした。もともとあった皮を切除して縫い合わせたのだから当然だった。腫れている間、手術したところにガーゼを当てて工場に行ったが、誰も何も言わなかった。「それは何？」と聞く者さえいなかった。

一週間後、抜糸する頃には、腫れもひいていた。初期の皮が引っ張られる感じも消えていた。

鏡の中の目は自分の目ではないようだった。二十四年間、見慣れていた目はどこかに消えた。寂しい気持ちは微塵（みじん）もなかった。ずっと嫌いだった自分の目にさよならできて嬉しかった。

蒙古襞を取る手術をしてから、他の女性を見ても目頭に目がいくようになった。すると医者が言っていたように、ほとんどの女性に蒙古襞があった。もちろんはっきりとわかる女性もいれば、ほとんど目立たない女性もいる。けれど、たいていの女性が多かれ少なかれ蒙古襞を持っていた。

例外は女優やモデルだった。彼女たちに蒙古襞を持っている女性はほとんどいなかった。つまり彼女たちはほぼ全員、目頭切開法を行っているのだ。抜糸した時に、それを横山先生に言うと、彼は否定しなかった。

「本来、混血でもない限り、日本女性の目頭には蒙古襞があるのは普通ですからね。その証拠に、小学校の卒業アルバムを見れば、ほぼ全員蒙古襞がありますよ」

私は部屋で女優やモデルの写真を見ながら、声を上げて笑った。ずっと雲の上の人と思っていたタレントたちもみんな整形していたのだ。もちろん彼女たちは元からある程度は美しかったのだろう。でも彼女たちの多くも蒙古襞を持って生まれてきたのだ。そしてそれを切り捨てて美しい目を手に入れたのだ。私と同じじゃないか！

生まれながらにして絶世の美女なんて滅多にいるものじゃない。モデルたちがさらに美しくなるのを目指すように、私もまた私なりに美しくなるように頑張っているのだ。

鏡を眺める時間がますます多くなった。

こんなことは生まれて初めてだった。これまでブランド品も含めて物に執着したことはなかったが、でもすごく気に入った品物を持つ喜びというのは、もしかしたらこういう気持ちかもしれないと思った。

自分の目がたまらなく好きになった。さんざん鏡を眺めていて、もう十分と思って、鏡から離れると、少し時間が経つだけで、再び鏡を覗きたくなってくるのだ。しかもこの「目」

は品物じゃない。正真正銘、私のものなのだ。

私は左右の目の大きさを変えたいと思った。右目が大きくて左目が小さい――このバランスを整えたら、もっと美しくなるはずだ。

私はひと月後、再びクリニックを訪れて、横山先生に相談した。

「左右の瞼の上にある脂肪の量が原因ですね」

横山先生は言った。「それで、瞼の形も変わっているし、長年にわたって使っている瞼の筋肉の力も変わっています。私の見たところ、左目の瞼の皮の方が大きいですね」

「これは直らないのですか」

「そういうことはありません。まず瞼の上の脂肪を取って、左右のバランスを同じにします。それから左目の瞼の皮を少し切除すれば、左右の目の大きさはほぼ同じになるでしょう」

私は聞いているだけで、うっとりとしてきた。

まるで夢を叶える魔法使いのおじさんと話しているようだ。

「あなたの場合は、涙袋も左右で大きさが違うのが、見た目の印象に大きく影響しています。これも左右同じに揃えると、非常に整ったバランスのいい目になります」

「それをお願いしたいと思います」

「脂肪を取る手術と、瞼の皮を切除する手術の二つをする必要がありますね」

「高いのでしょうか」

「正式にはきっちりと見積もりを出す必要がありますが――」

医者は言った。「全部で五十万円くらいはかかるでしょうか」

さすがに即答はできず、しばらく考えさせてほしいと言ってクリニックを後にした。

アパートへの帰り道、頭の中はそのことばかりだった。五十万円といえば、私の預金のほぼ全額だ。三年間、何の贅沢(ぜいたく)もせずに貯めたお金をこんなことに使っていいのだろうかと思った。すでに一年間で貯めた分くらいは使っている。

私にとって、貯金は老後のための蓄えだ。二十四歳でそんなことを考えるなんて傍(はた)から見れば滑稽だろうが、結婚できないことが確実な私にとって、収入は他にないのだ。

今いる工場もいつまで働けるかわからない。中年になったら、さらに条件の良くない職場で働かなくてはならないだろう。ほんの十年ほどで中年女になる。工場が潰れたり、リストラされて手元に金がなかった時の不安と言ったらない。

そんなことをぼんやり考えていると、ちょうどショーウィンドーに自分の顔が映った。綺麗な目が私を見た。その目は「私をもっと綺麗にしてくれないの？」と訴えているように見えた。私は貯金を全額下ろしてもいいと思った。

ATMで預金残高が二万円を切るのを見た時、一瞬、大きな不安に襲われた。光熱費や水道料金の引き落としもあるし、突発的に必要な出費があるかもしれない。かまうものかと思った。むしろそうなった時の方が面白いような気さえした。何か自分に復讐するような気持ちがした。

その一方で、腹立たしい気持ちもあった。もし、私の目が生まれつき美しかったら、こんな出費はなかったのだ。美人はこんな金を使うことなく、他人にちやほやされ、人生でもいい目にばかり遇っている。私は美しくないばかりにろくな会社に就職することもできず給料も安いのに、こうしてなけなしの金を使わされる——そう考えると悔しくてたまらなかった。

しかも総額で八十万円近くもの金を使って、美人になれるわけでもない。ようやく「普通の目」になるだけなのだ。でも私にとって「普通の目」がどれほどの価値を持っているか。

家に帰ってバッグを開けようとした時、口が開いているのを見て、背筋に冷たいものが走った。中を覗いて、顔が青ざめた——五十万円が入った封筒がないのだ。バッグの中身を全部、テーブルの上にぶちまけたが、封筒は出てこなかった。

掏られたと気付いた時は、泣く気力もなかった。逆に笑い声が出た。私はアパートの狭い部屋でおかしくもないのに笑った。

神様は醜い女をとことんいじめるのだなと思った。ただ醜いというだけで、弄び、からかうのだ。神様にとって、醜いことは「悪」なのだ。いや、それとも神様は私が美しくなるのを止めようとしているのか。そうかもしれないと思った。神様が生まれながらにして与えた容貌を持って生きろと言っているのだ。

　私は負けてたまるかと思った。


　次の日から、ただ金を貯めることだけを考えた。すべての贅沢をやめ、食料品以外の一切の買い物は極力控えた。新聞購読はやめ、保険も解約した。お菓子や缶ジュースなんかまったく買わなかった。風呂さえ水道代とガス代を節約するために滅多に入らなかった。季節は夏だったから、わずかの湯を沸かし、それで体を拭いた。

　次の月には、それまで住んでいた家賃七万円のアパートを引き払い、風呂なし、トイレも共同という格安のアパートに越した。これで月々、四万円は浮く。

　私のなりふり構わない生活ぶりに職場の同僚たちが呆れていたのは言うまでもない。髪の毛を振り乱し、服は着たきり、食べるものも惜しんで痩せていたから、明らかに普通じゃない。でもどう思われようと全然平気だった。長い間「醜い女」と笑われて生きてきたのだ。「頭のおかしい女」と思われるくらいは何でもない。

　こうして一年後に再び五十万円を貯め、クリニックを訪ねた。

　そこで両目の上瞼の脂肪を取って、左目の瞼の皮を切除し、バランスを整える手術をした。

手術は一時間ほどで終わった。術後は両目とも腫れあがっていて、傷口が痛々しかった。手術がうまくいったのかどうかはわからなかった。

「まだ傷口を縫っている糸が残っています。一週間ほどして腫れがひいたら、抜糸しましょう。それでも腫れはしばらく続くでしょう」

「どれくらいですか」

「短い方で一ヶ月、長い方で三ヶ月くらいです。ただ完全に落ち着くまでに、半年はかかります」

しかし横山先生が言うよりも早く腫れがひいた。

二ヶ月もすると、腫れはすっかりひき、目は自然な感じになった。左右の目は以前と比べてかなり同じ大きさと形に近づいた。もちろんまだバランスはおかしかったが、私は十分満足だった。鏡に映る目だけを見ると、もう醜い女の目ではなかった。

でも、目のラインよりも下に視線を向けると、思わず目を逸らしたくなる。あぐらをかいた団子鼻、しかもブルドッグのように上をむいた鼻の穴、無様に伸びた鼻の下、そして大きく突き出た口――笑うと歯茎が剝き出しになり、しかも歯並びも悪かった。

私はこれらも全部直してやろうと決めた。

目がこんなに美しくなるのだから、他のパーツもきっと美しく変えることができるはずだ。

私はまず鼻を直したいと思った。

目の手術をした半年後、再びクリニックを訪れた。

私は横山先生に鼻に対する不満を述べ、美しい鼻にしてくださいと訴えた。

私の話を聞いた横山先生は、「一口に鼻の手術と言っても、何種類もあります」と言った。

「全部、違う手術になるということですね」

「個々の手術の前に、鼻というものについてお話ししましょう」先生は言った。「鼻の印象で一番の重要なのは高さです。実はこれは顎の高さと口の高さに関係しています」

「どういうことですか」

「人間の顔は一つ一つのパーツも重要ですが、それよりも重要なのは全体のバランスです。たとえばあなたは鼻を直したいと言いますが、実は鼻と口は非常に密接な関係があるのです」

私はうなずいた。

「たとえば、人間の横顔に、鼻の先端から顎の先端に直線を引きます。このライン上に唇が接しているのが最も美しいとされています。鼻と唇と顎が綺麗に一直線に並ぶのを、エステティックライン――Eラインと呼びます」

エステティックライン！――なんて美しい響き。この世の中にはそんな美しい名前を持つラインの女性がいるのだ。

「でも、ハリウッドの美人女優、たとえばエリザベス・テイラーなどはエステティックラインよりも唇が内側にあります。これはハリウッドラインと言って、理想の上を行く最上級ラインです」

私はその響きを聞いているだけでうっとりしてきた。私は思い切って言った。

「先生、私の鼻をハリウッドラインにしていただけますか？」

横山先生は私の目を見つめて言った。

「それは難しいです」

「どうしてですか？」

「あなたの場合、鼻が低いこともありますが、口が前に出過ぎています」

私は手で口元を押さえたい衝動をかろうじてとどめた。

「Ｅラインは鼻、唇、顎の先端が一直線で結ばれるラインですが、ほとんどの日本人はあなたのように、そのラインから口が出ています。これはモンキーラインと呼ばれています」

私は顔が赤くなるのがわかった。何というひどいネーミング。頭の中に教科書で見た類人猿の横顔が浮かんだ。私の顔は簡単に言うと、原始人の顔なのだ。

でも、先生の言った「ほとんどの日本人は皆モンキーライン」という言葉は、私を少し安心させた。私のことをブスと笑ったほとんどの女の子も皆モンキーラインなのだ。ざまあみろ。

「ハリウッドラインやエステティックラインを作るには、単に鼻を高くするだけでは駄目なのです。先程も言ったように口がへこんでいることも大事ですが、もう一つ顎が高く突き出ていなければいけません」

「顎が重要なのですか？」

「有名なハプスブルク家の女性たちは皆受け口だったと言われています」

「ハプスブルク家って何ですか？」

「オーストリアの王家で、マリー・アントワネットを出した家です。代々、美女を輩出することで知られています。受け口というのは必ずしも美女の条件ではないのですが、ハプスブルク家の女性たちが皆美しかったのは、おそらくエステティックラインを持っていたのではないかと、私は思っています」

私の脳裏に断頭台に消えた絶世の美女の姿が浮かんだ。もし私が絶世の美女として生まれたなら、若くして断頭台で死んでもかまわないと思った。

「あなたの場合、顎が極端に小さいために、余計に口が飛び出ている印象が強くなります。

そういう顔はバードフェイスと呼びます」

猿の次は鳥か。美容業界は、醜い女に対して何とひどいネーミングを考えるものだろう。

「あなたを完全なエステティックラインにしようと思えば、鼻と顎を高くすると理論的にはそうなります。しかしそれではあまりにも不自然な顔になります」

「じゃあ、口を引っ込めればいいのですね」

「理論的にはそうなります。しかし簡単な手術ではありません。骨を削らなければなりませんし、歯も全部抜いて差し歯にする必要があるでしょう。これは大手術です」

「私はかまいません」

「手術代が非常に高くつきます」

「いくらくらいかかりますか？」

「今ここではっきりした金額は言えませんが、そうですね……今言った手術を全部するとしたら、数百万円は必要でしょう」

あまりにも無理な金額に失望感もなかった。年収二百万円にも届かない私には初めから手が届かない金額だ。この三年間で必死で貯めたお金が百万円ちょっとだ。数百万円を貯めようとすれば、十五年はかかる。その時にはもう四十歳を超えている。

私はため息をついた。

「わかりました。じゃあ、鼻を高くするだけでいいです。それだけでも随分変わるでしょう」

「もちろん印象はがらりと変わります」

「いくらくらいかかりますか？」

「手術の方法によって違います。また高くすると言っても、鼻の根本と先でも違います。根本の場合はヒアルロン酸を注射すれば、すぐにでも効果はあります」

「ヒアルロン酸って何ですか？」

「グリコサミノグリカンというムコ多糖の一種で、ゼリー状の物質です」

「毒じゃないんですか？」

「もともと人体の中にある物質ですから、毒ではありません。ただし、隆鼻術に使うヒアルロン酸にはアクリルの人工物が入っています。これは体内に入ると硬くなりますから、鼻根部に入って固まるとちょうどいい具合になります」

「それはいくらですか？」

「五万円です」

つい微笑んでしまった。それなら何とかなる。

「それを鼻全体には入れられないのですか？」

「鼻先には余った皮膚がないので、ヒアルロン酸を入れても、鼻先が伸びないのです。逆に鼻の皮膚に圧迫されて、ヒアルロン酸が押しつぶされて鼻先全体に広がってしまい、団子鼻になってしまう可能性があります」

思わず身震いした。今以上の団子鼻になるなんて死んでもいやだ。

「鼻先を高くする場合は、プロテーゼを入れる手術になります」

「プロテーゼと言いますと？」

「人工軟骨です」

「それは何でできているのですか？」

「シリコン樹脂です」

「鼻を切って入れるのですか？」

「鼻の穴から入れます。ですから、手術痕は外からは見えません。プロテーゼはエックス線写真を撮ってから、鼻骨に合わせて作ります。それを嵌め込むわけですから。どんな形の鼻でも可能です」

「でも先生、先程、鼻の皮は余っていないとおっしゃっていました」

「そうですね。最初は鼻の皮が突っ張って、不自然には見えます」

「それって作り物の鼻みたいに見えるってことでしょうか」

横山先生はうなずいた。

「でも、人間の体は適応性があります。鼻の皮はそのうちに伸びてきて、自然な鼻になります」

「そのプロテーゼ手術を受けてみたいと思います。おいくらくらいかかりますか？」

横山先生は口を開きかけて、つぐんだ。

「気にせずにおっしゃってください。高ければ、諦めますから」

「いや」と横山先生は言った。「プロテーゼ手術は三十万円なんですが、あなたの場合、それをやると鼻の穴が横に広がっていますから、鼻の穴の上に何もない不自然な部分がくっついた感じになります。それに鼻全体がより上を向いてしまうことになります」

横山先生はそう言って、画像の写真を操作した。パソコン上の私の鼻が高くなったが、たしかに先生の言うように、横に広がった鼻の穴の上に、いかにも作り物をくっつけた感じになった。私は泣きそうになった。醜い鼻の持ち主は手術もできないのか——。

「プロテーゼ手術は無理ということですか」

「いえ、鼻の穴を縦にする手術を行なって、同時に上を向いている角度を変える手術をすれば、自然に見えます」

横山先生はそう言ってパソコンを操作した。

画面の中の私の鼻の穴が縦になり、上向いた角度も修正され、その上で鼻が高くなった。

私は思わず息を呑んだ――それは美しい鼻だった。

「先生――この手術をお願いします」

「これを全部やるとなると、百、いや百二十万円くらいはかかります」

先程の数百万円よりもショックだった。初めから手の出ない金額よりもなまじ手が届きそうで届かない金額の方がショックが大きかった。

横山先生も私の顔を見て、私がその金額を払えないとわかったようだ。それ以上の手術の詳しい話はしなかった。

テーブルの時計が、ピコピコと鳴った。カウンセリングの時間が間もなく終わる合図だった。

「先生、モニターというのはあるんでしょうか」

横山先生は、うん？　といった感じで首をかしげた。

「私の手術前と手術後の写真を宣伝に使っていただいてもかまいませんから、いくらか料金が安くならないでしょうか」

「うちではそういうことはしておりません」

それは嘘だった。なぜなら私がこの病院に来たのは、週刊誌の宣伝でこの病院の手術前と手術後の患者の写真を見たからだ。ただ、その女性の術後の写真は美しかった。私の顔では手術後の見本にもならないのだ。

私は横山先生に礼を言って、診察室を出た。

病院を出てから、頭の中で「百二十万円」という金額がぐるぐると渦を巻いた。

百二十万円があれば、鼻が高くなるのだ。この可愛い目にふさわしい鼻になるのだ。五十万円を貯めるのに、必死の思いで一年かかった。百二十万円を貯めるには、二年以上はかかる。しかもすべての生活を犠牲にしてだ。

一切の楽しみもなく、美味しいお菓子も食べることができず、新しい服も靴も買えず、風呂も入れず、寒い冬でも部屋の中でセーターを何枚も着るような生活を、さらに二年間も続けなくてはならないのだ。それはもう拷問のような毎日だ。自由のある監獄のような暮らしだ。いや、本当は自由さえない。

私は短大を出てからの五年間の生活を振り返った。この間、何か楽しいことがあっただろうか。職場とアパートを往復しているだけの、ただ生きているだけの日々だった。部屋には家具の類もほとんどない。恋などは一生縁もなく、ときめきが起こるような出来事は今後も絶対に起こらない——私はこうして朽ちていくのだ。気が付けば三十歳になっているだろう。

そしてあっという間に四十だ。中年になって、一度自分の半生を振り返った時に、一体何を思うだろう。あまりにも寂寥（せきりょう）とした半生に絶望してしまうかもしれない。

私は身震いした。そんな人生は絶対に嫌だ！

恋をしたいと思った。燃えるような恋をしたい！

たとえ四十歳まで生きられなくてもかまわない。いやむしろ年老いて孤独と後悔の中に朽ち果てて長らえるよりも、一瞬であっても華々しく燃えるような人生を送りたい。でも今の私にはそんなことは永久に起こらない。

私は風俗店でアルバイトすることを決意した。この決断は自分でも呆れるくらい早かった。頭の中に「風俗」の文字が浮かんだ瞬間、決めていた。

これまで風俗のことは一度も考えたことはなかった。というか、興味があるとかないとかという以前に、自分には縁のない世界だと思っていた。

しかし「お金が欲しい」と思った途端、風俗のことが頭に浮かんだ。これまでもずっとお金が欲しかったはずなのに、なぜ一度もそのことを思いつかなかったのかわからない。

とにかく今ほど切実にお金が欲しいと思った時はない。死ぬほどお金が欲しかった。今、顔を直さなければ、私の一生は馬鹿みたいなものになる。二十年後や三十年後に信じられない幸運が舞い込んで大金を手に入れても、駄目なのだ。

私は十八歳から二十五歳までの七年間を、若さをヤスリで削るようにすり減らしてきた。削られた時間はゴミのように捨てられた。女として最も輝く時間をドブに捨ててきたのだ。もうこれ以上は捨てられない。一秒だって嫌だ！

美しくなる金を手に入れるためなら、犯罪に手を染めてもいいくらいの気持ちだった。そうしなかったのは、捕まらずに金を手に入れる方法を知らなかったからだ。

女が風俗に行くなんて簡単なことなのだと思った。ハードルなんて全然高くない。どうしても欲しいものがあれば、どんな女だって風俗に行く。そうしない女は、自分の持っているものに満足しているからだ。

最初に行ったのはファッションヘルスと呼ばれる店だった。

ヘルスというところがどんなことをする場所かは、雑誌などで知っていた。男性の欲望を手と口で処理する店だと聞いていた。そんな経験はなかったが、できないとは思わなかった。精神的なハードルは自分でも驚くほどなかった。それよりもむしろ心配は、技術的な方だ。男性のあの部分など見たこともない。でも、やり方を教えてもらえばできるような気がした。

新宿の歌舞伎町に行き、最初に目に入った店に飛び込んだ。

入口に立っていた金髪の若い男に、働きたいのですが、と言うと、男は私の顔をまじまじと見ていたが、奥の事務所みたいなところに案内してくれた。そこにはオーナーのような、まだ二十代に見えるパンチパーマの男が椅子に座って携帯電話をかけていた。男は私と若い男に気付くと、携帯を手で押さえて、「何だ?」と言った。

「この女が働きたいらしいです」若い男が言った。

パンチパーマの男は私を睨むように見た。その目つきの悪さにぎょっとした。

「お前みたいなブスがやれる商売じゃないんだ」

男は犬でも追い払うように手を振ると、再び受話器を耳にあてた。金髪の男は、私の手を取って、事務所から出た。

「そういうわけだから、帰ってくれ」

私は、失礼しましたと言うと、早足で店を出た。

情けなくて涙がこぼれそうになった。死ぬほどの恥ずかしさをこらえてやってきたのに、こんなひどい言葉を浴びせられるとは思ってもいなかった。

しばらく歩いた後、目に入ったもう一軒の店に飛び込んだ。ここで、最初の店はまだ愛情があったのだとわかった。二軒目の店では、店長は私の顔を見るなり、「お前、この業界を舐めてんのか」と怒鳴ったのだ。

「自分のツラ、鏡で見たことあるのか！」

部屋にいた何人かの男が笑った。私は逃げるように店を出た。

こんな滑稽なことがあるだろうか。身を落とすつもりで来たのに、ここは私ごときが来るところではないと上から言われたのだ。

喫茶店で心を落ち着けてから、次の店に行った。しかしそこでも同じだった。最初の店の男ほど露骨な言葉は言われなかったが、「すまないけど、今のところ、間に合ってるんで」と言われた。それは嘘だった。私は喫茶店で、その日のスポーツ新聞の求人欄を見てやって来たのだから。

さすがに三軒目ともなると、落ちても妙な余裕があって、帰り際に壁に貼られた女の子の写真を眺めた。客はこの写真を見て指名をするのだと思った。写真の娘たちは皆可愛い顔をしていた。中にはこんな美人が、という子もいた。「あんたみたいな可愛い子がどうしてこんな店に来るのよ」と言いたくなった。綺麗な子は綺麗な世界で遊んでいてよ、と私は心の中で毒づいた。私があんたみたいな顔で生まれてきたら、こんなところには絶対に来やしない！

四軒目の店で断られた時、私は言った。

「何でもしますから。どんなことでもしますから」

マネージャーと名乗った男は「なら、ソープへ行った方がいいんじゃないか」と言った。

ソープランドは私の選択肢にはなかった。ソープがどんなところかはもちろん知っている。

「私、処女なんです」

マネージャーは驚いた顔をした。

その時、奥で新聞を読んでいた髪の毛の短い男が「帰りな」と言った。三十過ぎくらいだったが、凄みと貫禄のある男だった。

「処女がこんな店に来るもんじゃない」

「あなたは店長さんですか？」

「店長ではないが、一応、この店を任されてる」

「私、お金が欲しいんです」

男は私の顔をじっと見た。

「悪いけど、無理だな」

「私が——ブスだからですか？」

思いきって聞いた。男は少し笑った。嫌な笑いではなかった。女の顔を嘲笑うのではなく、商品として見ていることにむしろ清々しさを覚えた。

「ヘルスの仕事は基本的に本番はやらない。まあ言ってみれば、オナニーの延長みたいなもんだ。オナニーなら頭の中で好みの女を描けばいいが、ヘルスの場合は目の前に女がいる。その女がブスだと、男は勃たないんだ。勃ってもイケない。男は目でセックスしてるんだよ」

男は目でセックスする――これは私にとって衝撃的な言葉だった。

そうだったのか、そうだったのだ！　だから男は女の顔にこだわるのだ。

「どうした？　ポカンと口あけて」

「すごく納得したから――」

男は笑った。

「なら、自分がヘルス向きじゃないことがわかるか」

私はうなずいた。

「ソープなら、雇ってもらえるでしょうか？」

「ソープは本番だからな。手でやるのと本番ではかなり違う。でもな――」男は言った。「今日び、ソープもレベルが高くなってる。田舎の温泉街ならともかく、東京では無理だな」

それから男はタバコを口にくわえてライターで火を点けた。

「昔はソープランドに美人は滅多にいなかった。そういうのは本当に高級ソープにしかいなかった。ちょっと前のビニ本でも、可愛い子はおまんこを見せないのが普通だった。ストリップでもソープでも、言ってみればブスの世界だった。それが最近は綺麗な子がどんどん風俗に入ってくるようになった」

「どうしてなんでしょうね？」

と、横からマネージャーが質問した。

「多分、美しさが商品になるということを知ったからだろう。昔から綺麗な女には高い商品価値があった。しかし最近になって、その価値が一層高まってきた。というか、これまで自分の美しさの商品価値に気付かなかった女たち自身が、それに気が付いてきたんだろうな。気が付いたら、それを利用しない手はない」

男の言葉を聞き、昔、短大で玉井先生が言っていた「豊かな時代になって美人の価値が上がった」という話を思い出した。

男はゆっくりと煙を吐き出した。

「俺はこの業界は長いが、バブルの頃から風俗の女の子がどんどん美人になってきているのを実感しているよ。ストリップ劇場でもブスはどんどん引退させられるか、場末に落ちていく」

マネージャーはうなずいた。

「じゃあ、私はソープへ行っても駄目かもしれませんね」

男は何も言わなかった。

私は「ありがとうございました」と言って頭を下げた。本心から言った言葉だった。今日初めて、人間同士の会話をかわしたような気がした。いや、もしかしたら、こんなに心を割って人と話したことなんか、長い間なかったのではないか。私は部屋を出ていく時に、もう一度頭を下げた。

「あんた、いくつだ？」と男が聞いた。

「二十五です」

「そのツラで、相当苦労してきたんだな」

きつい言葉の裏に優しさのようなものを感じて、私は思わず涙をこぼした。

「あんた——俺のおふくろに似てるんだよ」

私は、えっと思った。

「おふくろも器量が悪くてな。でも、ちゃんと見合いして結婚した。宮崎の田舎で地味な人生だが、それなりにささやかな幸せを摑んで生きている。まあ、息子がこんなんだから幸せとは言えんかもしれんが……」

彼はそう言って苦笑した。

「昔は、ブスでもそれなりに幸せに生きられたんだが、今は難しいよな。特に都会では。俺みたいな商売してる男にとっちゃあ、女の器量は商品だが、最近は堅気の男も女の器量を商品として扱いだしたからな。女もそれに気が付いて、多くの女が『きれいな商品』になっちまった」

私は黙って聞いていた。男は最後に言った。

「もし、あんたに田舎があるんなら、悪いことは言わない。田舎に帰りな」

翌週、私はスポーツ新聞の求人欄をいくつも切り取って、ソープランドに行った。

セックスなんてどうってことはない。所詮、皮一枚を接した行為だ。

それに、普通に生きていれば、私にセックスのチャンスなんて一生ないかもしれない。それなら商売でセックスしてもかまわない。セックスに対する憧れや、夢のような初体験への気持ちなんか、とっくにどこかへいっていた。

しかし私はソープ嬢にもなれなかった。軒並み断られたのだ。

ヘルスの店長格の男が言っていたことは正しかった。あらゆる世界に美しい女の子が進出してきたのだ。昔なら美人が滅多にやらないこともどんどんやるようになっていた。私のようなブスはソープでも雇ってもらえなかったのだ。

私は絶望的な気持ちで夜の街を歩いた。

体を売ろうとしたのに、どこにも買ってもらえなかったのだ。自分が女ではないとはっきり告げられたような気持ちだった。これまではどんなにブスとか醜いとか言われても、女としての部分が残されていた。逆に女だからこそ、ブスと罵(ののし)られてきたのだ。

しかし今、自分は「女ではない」という宣告を受けてしまった。

私は健康な体を持っていた。胸の形もよく、身長は百六十五センチあり、スリーサイズも悪くなかった。しかし首から上の造作が悪いだけで、この肉体ごと否定されたのだ。

ごめんね、と私は自分の体に謝った。本当なら、男性に愛されて、男性を喜ばせることのできる体なのに、そうしてあげられない。挙げ句の果ては、あなたを売ろうとした。でも、それすらできなかった。私は情けなくて涙が出た。

*

私は鏡の中の自分の顔を見た。

美しいと思った。完璧な美しさだ。二重瞼は理想的な厚さで、実に魅力的なラインを描いている。初めて二重瞼の手術を受けたときの痕跡はどこにもない。あれから数え切れないほど手術を受けた。鼻も唇も昔の面影を残すものは何一つない。

この顔はもって生まれたものではない。すべて自分の力で手に入れたものだ。それだけに、より価値がある。何の努力もなしに手に入れたものなんかじゃない。死ぬほどの苦しみの末に手に入れたものだ。

私は十分にメイクをすると、プライベートルームから出た。店のテーブルには、地方紙の女性記者が座っている。

オンディーヌと私の取材に来たのだ。取材の申し込みがあったのは、三日前だ。週に一度の、「町の話題の店」のコーナーに載せたいということだった。私は了承した。この店が話題になることは大歓迎だった。

やってきた記者は二十代の女性だった。カメラマンは連れておらず、自分でデジタルカメラを持ってきた。取材はランチタイムから始まった。もっともその時間は記者は店と料理の写真を撮り、お客にインタビューしていた。もちろん記者もコースを食べた。

私へのインタビューはランチタイムが終わって、後片付けも全部済んだ後に始まった。

「鈴原さんはなぜこの町でフランス料理店を始めようとされたのですか？」

「私の友人がこの町の出身で、いつも素晴らしい町だと言っていて、それでここにレストランを建てたのです」

「そのご友人は？」

「亡くなりました」

記者は少し驚いたようだった。

この後、質問は私の経歴に移った。私はいつも梨沙たちに話しているように、東京でスタイリストをしていたと言った。

「東京で十年以上働いてきて、都会の空気に疲れたのかな……。それで親友が以前に言っていた町でゆっくり暮らしてみようと思ったことがきっかけです。想像していたよりもずっと素晴らしい町でした」

記者の女性はこの言葉に喜んだ。

「レストランを始めようと思ったのは、大好きだったお店があって、そこが閉店することになったのがきっかけです。それでこの町に来る時に、そこのシェフを口説き落として来て貰ったのです。彼もたまたま、余生を都会ではなく自然に囲まれた町で暮らしたいと言っていたので、うまくいきました」

インタビューの後、記者は何枚か私の写真を撮った。私は美しい笑顔を作った。自分の顔がどんな風にすれば美しく見えるかは知っていた。少し左から見る顔は気品がある。逆に右から見る顔は少し幼く見える。本当に微妙だが、左右の顔のバランスを変えてあるのだ。私が謎めいて見えるのはそのためだ。

記事は二日後に出た。写真は二枚使われていて、一枚は店の外観、もう一枚は私のアップだった。左からの写真が使われていた。自分でも十分満足する美しい顔だった。

この記事は大きな宣伝になるだろう。まだ店を知らない人の目にも触れることになる。彼も読むかもしれないと思うと、胸が妖しく高鳴った。

私の風俗のデビューはSMクラブだった。それもいじめられる専門の女だ。普通の風俗嬢がやらないような仕事だ。でも私のようなブスにはそんな仕事しかなかったのだ。

SMクラブにはS嬢とM嬢の仕事があったが、S嬢は美人でないと駄目ということだった。私は当然、M嬢だった。M嬢はたいていブスだったが、私ほど醜い女はいなかった。

工場が休みの日は必ず、それと早番の日は仕事を終えると、五反田の風俗雑居ビルの地下にあるSMクラブに行った。

広めのフロアをいくつかのパーティションで仕切った暗い部屋で、私は鞭で打たれたり、焼けたロウを垂らされたり、浣腸されたりした。もちろんセックスもした。私はここで処女を失った。相手はどんな男だったか覚えていない。さんざん鞭で打たれた痛みで、初めてのセックスの緊張感も恐怖もなかった。

ロウは見た目は派手だが、たいしたことはない。ここで使うロウソクは普通のロウソクではなく、低い温度で溶けるロウだ。だから全然熱くはなかったが、体に垂らされるたびに悲鳴を上げてやると、客は喜んだ。縄で拘束されるのは動かないですむから楽だった。鞭も派手な音がしたが、痛みはそれほどでもなかった。舞台のコントで使うハリセンのようなものだ。よく知らないが、ＳＭプレイ用に作られた鞭なのだろう。一番嫌だったのは浣腸だ。一緒に働いている女の子の中には、平気よという子もいたが、私はどうしても慣れることができなかった。

客は私の体をさんざんいじめると、最後はセックスした。おそらく女の体をいじめないと興奮しないのだろう。変態的な前戯だ。セックスの時はほっとした。しかし客の中には私の顔を見て急に萎えてしまう男もたまにいた。目だけのマスクを付けてくれという人もいた。私とセックスする多くの男はバックの体位を好んだ。後ろを向いてくれと言われるのは屈辱だった。

他にも口では言えないようなことをいっぱいされた。男の欲望はこれほどまでに歪んでいるのかと思った。ＳＭクラブでは、一つ一つの行為が全部オプションになっていて、客は一つやるたびに金がかかる。不思議だったのは、排尿を見たがる男が少なくなかったことだ。そんなことはおやすい御用だ。おしっこなんかビールを飲めばいくらでも出た。

薄い壁の向こうから、女の子の悲鳴がよく聞こえた。多くの客はその声を聞いて一層興奮した。でも女の子の悲鳴は全部演技だ。中には明らかに演技過剰と思える声もあった。そんな時は笑いをこらえるのに苦労した。だから、地下の暗い部屋にいても惨めな気分にはならなかった。

様々なプレイをやったが、殴るプレイだけはやらせなかった。顔を殴られるのは平手でも耐えられなかった。店には平気で客に顔を殴らせる子がいた。いつも顔に青あざができていた。

「私は多分人助けをしているのよ。だってそうでしょう。一発殴るのに三万円も払うなんて、本当に異常よ。でも私みたいな人がいなければ、きっと日常生活で誰かを殴るか、犯罪に走ってしまう人かもしれない。私は犯罪を未然に防いでいるのよ」

私はなるほどと思ったが、彼女自身が多分に変態だった。彼女はＭ嬢には珍しく美人だった。

でも、犯罪を未然に防ぐという言い方は穿（うが）った見方かもしれなかった。客の中には、店に来る時にすでに異様な興奮状態にある人が少なくない。そんな男が一通りのプレイを終わって店を出るときは、何か憑き物が落ちたような顔をしているからだ。時々、さっきまでプレイしていた人と同じ人なのか、と思う時もあるくらいだ。

こうして私の二重生活が始まった。昼間は製本会社の工場で働く工員、夜はSM売春だ。しかし私自身は二重生活という意識はなかった。単に仕事を二つしているだけだ。

SMの仕事は嫌な仕事だったが、金になった。お金はその日その日で貰えた。家に帰ると、整形金庫と名付けた箱にその日稼いだお金を入れた。毎日、貯まっていくのが嬉しかった。たったの二ヶ月で鼻を直せるだけのお金が貯まった。

短大を卒業してからの五年間は何だったのか。あらためて女にとって最高の五年間を棒に振ったという気持ちになった。早く始めていれば、もっとお金を稼げた。

私は再びクリニックを訪ねた。

鼻の手術への意思が本気だとわかったのか、横山先生はパソコン上の画像を操作しながら、手術の一つ一つを丁寧に説明してくれた。

今回の手術で行なうのは、鼻根部へのヒアルロン酸注射、鼻先へのプロテーゼ挿入、鼻の穴を小さくして縦にする手術だ。それで一応は鼻が高くなる。

もちろん鼻を高くするだけではエステティックラインにはならない。そのラインにするには、突き出た口元を直さなくてはならないし、顎もいじらなくてはならない。でも一度にできないのなら、一つずつやるしかない。

それだけの金を貯めてからまとめてやるという考え方もあったが、それでは私の気持ちが続かないだろう。吐き気がするほど嫌なＳＭクラブでの仕事も、この喜びがあるからやっていけるのだ。

その日は鼻の部分のエックス線写真を撮った。鼻の骨に合わせてシリコンでプロテーゼを作るのだという。これをいい加減に作ってしまうと、鼻の形が歪んだりずれたりしてしまうらしい。高い手術代にはこれらの料金も含まれているのだ。

一週間後、手術をした。

麻酔の準備をする間、手術台の上に横になったまま、看護師と話した。看護師たちはみんな綺麗な顔をしていた。よく見ると彼女たちは似ていた。多分この病院で整形手術を受けたのだ。彼女たち自身が病院の看板の役目を果たしていた。

私は彼女たちに聞いた。

「整形手術はずるいと思いますか？」

一人の看護師が「とんでもないわ」と言った。

「世間では今もそんな偏見があるようだけど、それは間違いよ。整形はインチキだという意見もあるけど、私はそうは思わないわ。だってそれを言うなら化粧だってインチキじゃない？　世の中には化粧で全然別の顔になってしまう女性は珍しくないし、中にはメイクを落とせば誰だかわからない女性もいる」

彼女の同僚たちもうなずいた。

「女はみんな美しくなりたい。そのために化粧があるのでしょう。たとえば目を大きく見せるためにアイラインを引いたり、アイシャドウを塗ったり、つけまつげをしたり——。それって全部本当の形と違うものを見せるインチキでしょう。そんな無駄なことを毎日繰り返すよりも、目を大きくする手術をしてしまう方が手っ取り早いんじゃない？」

彼女の言葉に私もうなずいた。

「化粧と整形は同じようなものと言えるかもしれないけど、ある意味、整形の方がインチキではないわ。だって化粧はメイクを落とせば素の顔がばれるけど、整形はそれが素の顔なんだもの」

「一生落ちない化粧という言い方もできるかもしれないよ」

別の看護師が言った。

彼女たちの言葉は私に勇気を与えた。鼻に局部麻酔されながら、わくわくした。

手術中は目を開けることができたので、妙な感じだった。目の前でメスを持った先生の手が動いているのが見えた。時々、先生と目が合った。看護師が顔を頻繁にガーゼで拭った。おそらく血が流れているのだろう。手術は三十分ほどで終わった。

手術直後は鼻全体がテーピングされていて、自分でもどんな鼻になったのか見えなかった。

横山先生の言うには、鼻を保護するためにアルミの板で覆って、その上にテーピングをしているということだ。腫れはしばらく続くらしい。その日は仕事を休んだが、翌日からはそのまま仕事に出た。

顔の中心の大きなテーピングを見て、さすがに工場長は嫌な顔をしたが、鼻を怪我したと言えば、それ以上は何も言わなかった。ＳＭクラブには、正直に鼻を手術したと言った。マネージャーは「綺麗になったら、お客も喜ぶよ」と言ってくれた。

一週間後、腫れが引いて抜糸した。鏡を見せられた瞬間、私は絶句した。そして次に「うそ」と呟いていた。

「嘘じゃないよ」

横山先生の言葉に、はっと我に返った。

「私じゃないみたい」

そこにはかつてのブルドッグのような上向いた鼻の穴はなく、普通の鼻があった。

「これから、その顔があなたになるんだ。慣れないとね」

私は鼻を触った。ひんやりした感触だった。シリコンのせいかなと思った。

「でも、ちょっと大きくないですか？」

「もともとあなたの鼻は横が広いから、高くすると、それだけで巨大になるのは仕方がありません。それを直すには、小鼻を小さくする必要があります」

私はお金ができたら、次にその手術をしようと思った。


初めてテーピングを取って出社した私を見て、同僚たちの目が丸くなるのがわかった。目って本当に丸くなるんだと思った。

誰も何も言わなかった。

昼休みに控え室で休んでいると、工場長がやってきた。

「君の整形のことだが――」

工場長が言った。「女性の顔のことであまり細かいことを言いたくないんだがね。何というか、ちょっとやりすぎじゃないかね」

「整形するなと言うんですか?」

「職場の雰囲気というものもあるし、一緒に働く女の子たちもやりにくいんじゃないかな」

「誰かがやりにくいって言ったんですか?」

「いや、直接は言っていないが……」

「じゃあ、いいんじゃありませんか」

工場長は明らかに不機嫌な顔になった。

「ただね、老婆心から言わせて貰うと、親から貰った体に傷をつけるのはよくないよ」

「傷じゃありません。美容整形です」

「私は自然な顔が一番と思うよ」

「それは個人の考え方ですね」

「正直言って、私は以前の君の顔の方がいいと思うよ」

「それ、本気で言ってるんですか？」

私はそう言って彼の顔を覗き込んだ。彼は私から視線を逸らした。

私は言ってやった。

「あいにくですが、私は工場長のために整形してるんじゃありませんから」

八・堕ちていく女

顔がよくなって客の指名が増えた。SMプレイでもやはり顔は重要なのだ。

SMクラブの稼ぎは工場の給料を軽く上回った。一日で一ヶ月分の給料くらい稼いだことがあった。ハードなプレイを好む客を三人立て続けに相手にした時だった。スカトロを含めたほとんど全部をこなした。さすがにくたくたで三日くらいは体中が痛かった。

でもアパートに帰り、金庫にその日の稼ぎを入れると疲れも痛みも忘れた。金が貯まるということは、それだけ美しくなるということだ。そのための苦労なんか苦労じゃない。

私は三ヶ月後、再び美容整形の病院を訪ね、鼻の手術をした。今度は小鼻を小さくする手術だった。手術代は二十万円だった。

横山先生は金の出所を一切聞かなかった。半年前まで、全然金のなかった女がこの三ヶ月で二度も高額の手術を受けるのだ。私が何をしているのかくらい察しはついていただろう。おそらく私のような女をいくらでも見てきたに違いない。

小鼻が小さくなった鼻はすらりと美しくなった。本当に素晴らしい鼻だった。何しろ鼻だけに百万円以上もかけたのだ。現在の完璧な美しさになった私の鼻から見れば、まったくたいしたことのない鼻だったが、その時は心の底から感動した。

私は自分の顔を鏡で見てうっとりした。自分の顔でうっとりするなんてことが本当にあるのだと思った。「鏡よ、鏡よ、世界中で一番美しいのは誰？」と聞いた白雪姫の継母（ままはは）の話は、世の中のすべての美人のことだったのだ。

同僚たちは私が美しい鼻を持ったことに明らかに動揺していた。私を見る目は嫉妬と羨望と嫌悪が入り交じったものだった。

ある日、私が工場内の鏡の前で自分の鼻を触っていた時、同僚の江崎玲子が言った。

「いくら美しくなっても、本当の鼻じゃないわ」

私に堂々とこんなことを言える度胸に感心した。私の整形によほど言いたいことがたまっていたのだろう。

私は言った。

「これが私の本当の鼻よ。手術しようとどうしようと、これが今の私の本当の鼻よ」

「でも、元々は違う鼻じゃない」

「元々って何なの？　じゃあ昔は綺麗だったおばあさんが、私は元々は美人だったたって、言って歩いてるの。昔はどうだったって関係ないわ。今、どうなのかが大事なのよ」

玲子は悔しそうな顔をしたが何も言い返さなかった。

私は追い打ちをかけるように言ってやった。

「よく見ると、あんた、不細工な鼻をしてるわね。あぐらをかく鼻ってそういうのを言うのよ」

「何よ！　整形ブス！」

玲子は半泣きになって言った。

「整形ブスって何よ。どうせ言うなら整形美人って言ってちょうだい」

「何が美人よ。あんた、頭おかしいんじゃない。全然美人じゃないよ。目も変だし、口だっておかしい、鼻だけきれいにしてもブスはブスよ」

私は笑った。文字通り鼻で笑ってやった。不思議なことにブスと言われても、ほとんど傷つかなかった。今は何を言われてもどうってことはない。

しかし「口がおかしい」という玲子の言葉は悔しいけど本当だ。目も鼻もきれいにしたが、猿のように突き出た口は私の恥ずかしい部分だ。でもそのうちに全部直してみせる。そうなれば、もう玲子も誰も私には何も言えない。

私は次に口を直そうと思った。横山先生に、口を美しくするにはどうすればいいのかと尋ねた。

以前はカウンセリングで時間が進むのが怖かったが、今は平気だった。美へのアドバイスが二十分五千円で聞けるのは安すぎるくらいだった。

「口は実は美容整形では一番厄介な部分なんです」

横山先生は言った。それは前にも聞いていた。

「目や鼻は、言うなれば、皮膚の問題です。もちろん、唇や人中――鼻の下の部分ですが――の手術なら、いくらでも可能です。ところが、本格的にやろうとすれば、骨格と歯をいじらないといけなくなります。あなたの場合、口全体が大きく前に出ています。これを奥に引っ込めるのは、簡単な手術ではありません」

「歯を抜く必要があるのですか」

「おそらくそうなるでしょう」

「別に抜いてもかまいません」

横山先生は苦笑した。

「整形外科医が歯を抜くことはできません。歯を抜くのは歯科医でないとできないのです」

へえ、と思った。

「あなたの口を整形するとなると、歯科医との共同作業になるでしょう」

「具体的にはどんな手術をすることになりますか？」

「あなたの場合、鼻の下の骨が前に出ていますから、これを引っ込めるには、上顎の骨を切除することになります」

「骨を取るのですか。どの部分を取るのですか？」

横山先生はエックス線写真を見せながら、鼻の両脇あたりのラインを指差した。

「このあたりの骨を――ちょうど前から四番目の歯があるところですが――切除して、上顎全体を奥に引っ込めます」

「それって、一旦上顎全体を外してしまうということですか」

「そうなりますね。その際、四番目の歯も抜くことになります」

横山先生は淡々と語ったが、かなり強烈な手術というのは私にも理解できた。でも長い間、私を苦しめてきたチンパンジーのような口とお別れできるのだったら、全然平気だった。

「その手術はいくらくらいかかりますか？」

「しっかり見積もりを取らないと何とも言えませんが、顎の骨の切除だけで百万円以上はかかるでしょう。その上に歯の矯正代がかかります。歯を二本抜くわけですから、当然嚙み合わせが悪くなる。その矯正に――ざっと二百万」

「口の上下を両方やると、四百万円ですね」

「上の口だけ引っ込めるわけにはいかないでしょう」

横山先生は珍しく悪戯っぽい顔をして言った。

「たしかに上だけ引っ込めると、下顎がものすごく出てしまいますね」

私が言うと、横山先生は、「ペリカンみたいになりますよ」と言った。

私はその顔を想像して思わず噴き出してしまった。それはものすごく滑稽な顔だろう。私がおかしそうに笑うのを横山先生はじっと見ていた。

「初めて笑いましたね」

言われて、そのことに気が付いた。

「ここにきて二年以上経ちますが、あなたが笑ったのは初めてです」

「あんまりおかしかったから――」

私は笑いすぎて出た涙を拭きながら言った。

「あなたはかなり明るくなりました」

そうかもしれないと思った。自分の顔のことで笑うなんて、自分でも信じられないくらいだ。顔を変えたことで、性格も変わってきたのだろうか。

「話を手術に戻すと――」と横山先生は言った。「あなたの場合は、両顎を同時にやる必要があります」

「はい」

「その場合、下顎も上顎と同じような手術を行ないます。ただし、術後の歯の矯正は同時にやれるので、その分の料金は倍にはなりません。けれども、すべて含めると——五百万円はかかると見ていいでしょう」

別に驚きはしなかった。随分前に口の手術は数百万円くらいかかると言われていたからだ。ただ、五百万円となると、SMクラブでも簡単には作れる金額ではない。

製本会社を辞める気はなかった。本職は堅気でいたいという気持ちもあったからだ。昼間の仕事を失えば、本物の風俗嬢になってしまう。私の中ではSMクラブはあくまでアルバイトなのだ。それに会社の同僚たちを見返してやりたいという思いもあった。美しくなっていく私を彼女たちに見せてやりたいのだ。

短期間に五百万円を稼ぐには、もっと割のいい仕事を見つける必要があった。今の顔でソープへ行っても面接ではねられそうだ。たしかに昔に比べたら格段にいい顔になっているが、それでも世間レベルで言えばブスなのは承知していた。やはり一番のネックは口元だった。

取りあえず突き出た乱杭歯(らんぐいば)の前歯を抜いてインプラントにすることに決めた。顎を直すまでの応急処置だ。横山クリニックで紹介してもらった美容歯科医院で、インプラントの手術を受けた。

　医者は歯茎に何本も麻酔の注射を打ち、ペンチで一本一本抜き取っていったが、私の歯は丈夫にできているらしく、医者はひどく苦労していた。何度かペンチがすべって口の中でぶつかった。よほど力を入れたのか、時々、歯が折れる音もした。麻酔をしていたので痛みを感じることはなかったが、歯が折れる音を聞くのはぞっとした。

　私の歯は虫歯一つなかった。生まれたときから丈夫な歯だった。本来なら七十年以上は丈夫でいただろう歯だった。それなのに、私のわがままで抜き去られていく――私は心の中で歯に謝った。一本抜かれるたびに、体を起こして口をゆすいだが、口の中からすごい量の血が出てきた。多分、歯茎の部分もずたずたになっているのに違いない。

　一時間以上かかって上の前歯を全部抜くと、今度はドリルで骨にインプラントを埋める穴を開けた。ドリルの震動が頭の中全体に響いた。その穴にチタンのネジを埋め込んでいく。そこにセラミックの歯を嵌めていくのだ。手術は全部で三時間くらいはかかったろうか。

　その日の手術は上の歯だけだった。時間がかかりすぎる上に、一度に上下を手術すると、さすがに口への負担が大きいということだった。それで下の歯は後日ということになった。

　全部の手術が終わって、医者の差し出した鏡に映る自分の口を見た時、あっと思った。突き出た歯はなくなり、以前は出っ歯のためにめくれあがっていた上唇は歯の上にかぶさっていた。その下から、白い形のいい前歯が顔を覗かせた。

私は鏡に向かって笑ってみようとしたが、うまく口が動かなかった。

「唇のまわりも麻酔が効いてるから、まだうまく動かないよ。夜には動くようになる」

私は返事の代わりにうなずいた。

「満足したかね」

私は、はいと言おうとしたが、舌が回らなかった。

料金は全部で六十万円だった。高いとはまったく思わなかった。

インプラントの美しい歯を見た瞬間、自分の歯に未練なんかなくなった。むしろ子供の頃に全部虫歯になっていればよかったのにと思った。そうすれば子供の頃に口元だけはきれいになっていたのだ。

精算を済ますとトイレに入り、鏡を見た。医者の手鏡では口元しか映らなかったからだ。初めて顔全体を見た時、一瞬、鏡が歪んでいるのかと思った。口元の感じが見慣れているのと全然違っていたからだ。私は実際に鏡を触ってみた。ガラスが歪んでいないのを確かめてもう一度ゆっくり顔を見た。口全体はまだ前に出ていたが、歯がへこんだことによって、その印象は大きく薄らいでいた。口元から覗く形のいい白い歯が素敵だった。

口元に手をやった。長い間覚えている感覚とは全然違う感触が指先を通して伝わった。

私は口を開いた。白い差し歯が見えた。前に飛び出すこともなく、整然と並んでいた。夢にまで見た美しく揃った歯だ。喜びがじわじわと込み上げてくるのがわかった。

会社の同僚たちは私の顔を見ても何も言わなかった。しかし皆が私の口に注目していた。ラインで仕事をしていても、私のそばにいる女の子が私の口を覗き込んでいるのはわかった。

「歯をどうしたの？」

昼休みに、ようやく一人の女子工員が言った。皆が私の答えを待っているのがわかった。

「どうしたのって――入れただけよ」

「そこまでするの？」

私は思わず笑ってしまった。私の笑い声にその子はぎょっとしたように少し後ずさった。また私が切れて暴れると思ったのかもしれない。しかし私は別の意味で笑っていたのだ。そこまでって――。何が、そこまで、よ。私はこれからどんどん美しくなるのよ。こんなのはまだ入口にすぎないわ。

私はSMクラブを辞めて、ホテトル嬢になることにした。ソープというのも考えたが、ソープは技術が必要だし、体力もいると聞いていた。できれば昼の仕事に差しさわりを生じさせたくなかった。その点、ホテトルなら空いた時間にできるし、やることはセックスだけだ。それでも、スポーツ新聞の求人欄で見つけた新宿のマンションの前まで来ると、足がすくんだ。仕事の怖さではない。前にファッションヘルスで受けた屈辱が、トラウマになっていたのだ。

コンパクトを取り出して、自分の顔を確認して、何度も大丈夫だと心に呟いてから、マンションの呼び鈴を鳴らした。

マンションには何人かの若い女性と、男が三人いた。皆が一斉に私を見た。

「先程、電話した者ですが」

と私が言うと、中年の男がやってきて、「鈴原さん?」と尋ねた。

男は私の顔をまじまじと見ると、「この仕事は初めて?」と聞いた。

前に一度、と言うと、男は「いつから来られる?」と聞いた。採用ということだと思うと、思わず笑みがこぼれた。男は不思議そうな顔で私を見た。

「今日からでも大丈夫ですが、平日は八時過ぎからでないと来られません」

「ああ、そう言ってたな。うちはそれでいいよ。じゃあ、今日はここで待機しておいて。電話がかかったら、行ってもらうかも」

私はうなずくと、マンションに上がった。女たちが和室や洋間でくつろいでいた。テレビを見ている者もいれば、週刊誌を読んでいる者もいた。手帳に何やら書き込んでいる者もいた。

私は女たちの顔をそっと覗きこんだ。いずれもそこそこの顔をしていた。彼女たちの仲間に入れてもらえて嬉しかった。以前は、ファッションヘルスでまったく相手にされなかったのに、一発で採用になった。私の顔も彼女たちと同じレベルに来たということだった。

まもなく電話がかかってきた。私の採用を決めた男が出て、何やら交渉している。電話を切った後、女の名前を呼んだ。週刊誌を読んでいた女が、はいと返事して、立ち上がった。

部屋にいたチンピラ風の若い男が彼女と一緒に出て行った。若い男は女の送迎と用心棒だろう。

その夜、私も初めて仕事をした。客は同じ新宿のビジネスホテルに泊まっていた。歩いて十分くらいのところだった。私はそのホテルに行き、教えられた部屋のドアをノックした。ドアが開き、中年のサラリーマン風の男が顔を出した。男は私の顔をしばらく見ていたが、ロックを解除して部屋に入れてくれた。部屋に入ると、電話を借りて、店に電話した。そうするように言われていたからだ。多分、それがいくらか身の安全の保障になるのだろう。客は関西のなまりがあった。私はシャワーを浴びてから、その男相手に仕事をこなした。仕事時間は九十分だったが、男は三十分で果てた。まだ一時間もあるなと思っていたら、男は「もう帰っていい」と言った。私は男の言葉に甘えてさっさと服を着た。客が支払った金は二万円、そのうち事務所が八千円抜く。わずか一時間足らずで、一万二千円も稼いだ。

こうして私はホテトル嬢になった。もう「嬢」という年齢でもなかったが、一応この業界ではそういう呼び名だった。

昼の仕事を終えると、事務所に詰めた。電話があると、客の待つホテルへ行く。そこで九十分、男の相手をするだけでいいのだ。ＳＭクラブの仕事に比べると比較にならないほど楽だった。

客の中には好みの激しい男もいて、部屋に来たホテトル嬢の顔を見て、チェンジを言う者もいる。そんな時は、部屋から事務所に電話して、その旨を告げる。事務所から別の女が来るというわけだ。私もたまにチェンジと言われるが、店の女の子の中にはしょっちゅうチェンジを言われる子もいた。もちろん彼女は不細工な顔だった。といっても以前の私ほどではない。

チェンジばかりされる子は稼ぎも少なかった。私はどうして事務所はこんな女の子を雇っているのだろうと不思議に思ったが、もしかしたらチェンジ用に置いているのかもしれないと思った。いい女の子が出払っている時に、とにかくその子を派遣できる。そしてその子に客が付けば儲けものだし、チェンジされても時間稼ぎができる。そしてほとんどの客は、二度続けてチェンジをしない。早くやりたいというのもあるかもしれないが、最初の女に比べると、これでも十分と思えるのかもしれなかった。

私は平均して一晩に二人の客が付いた。基本的に電車のある時間に帰った。タクシー代がもったいないということもあったが、朝から普通の仕事をしていたから、どこかで一線を引かないといけないと思っていた。体を壊したりしたら元も子もない。手取りにすると毎日約二万円の金が入った。もちろん無税の金だ。その月はホテトルの稼ぎだけで、六十万円を超えた。

見知らぬ男とセックスするのは平気だった。というよりも、私は愛のあるセックスをしたことがない。だから商売のセックスと普通のセックスの違いを比べることができなかった。

私は目をもう一度手術することにした。口を直すための五百万円を稼ぐためには一年近くかかる。その間に何もしないのは我慢できなかったからだ。

前に横山先生のカウンセリングを受けていて、目の形を整えれば、さらによくなると聞いていた。

「あなたの目の左右のバランスが崩れて見えるのは、右目の目尻が少し上がり気味なのに対して、左目の目尻が少し下がっているからです。ですから、右目の目尻を少し下げて、左目の目尻を少し上げてやれば、印象は極端に変わります」

横山先生は手術の方法を説明した。右の目尻を下げるには外眼角じん帯を手術して上方にずらし、左の目尻を上げるには瞼の裏をレーザーメスで切開して下眼瞼開大術をすればいいということだった。両方で四十万円だったが、私は即決した。それくらいの金なら半月で貯まる。口元の手術が遅れることになるが、少しくらいならいい。ちょっとでも美しくなるのなら、そっちを優先したい。

一週間後にその手術を受けた。

手術は一時間ほどで終わった。術後に鏡を見た時は、一瞬、鏡が斜めになっているのかなという錯覚に陥った。そこには左右にずれた私の目がきちんと平行におさまっていたからだ。でも錯覚にすぎなかった——私の目はきれいに水平に並んでいた。

「すごく上げて、下げたんですね」

「左右とも二ミリもずらしてませんよ」

横山先生がおかしそうに言った。私はもう一度鏡の中を覗きこんだ。二ミリもずらしてないなんて——そんなことが。でも先生が言うからそうなんだろう。

「二ミリ以下なんですか」

「整形手術の世界で二ミリというのは逆に非常に大きいと思ってください。普通、一ミリいじれば、目の印象は大きく変わります。魅力的な目とそうでない目の差は、ほとんどは一ミリ以内の差なんですよ」

「じゃあ、美人とブスの差も、ほんのちょっとなんですか」

「各パーツの差は、計測的にはきわめてわずかですね」

目は少し腫れてはいたが、傷口もなく、看護師の言うところでは、翌日にはメイクもできるということだった。

週が明けて、工場の従業員更衣室に入った時、同僚たちは私を不思議そうな顔で見た。私の顔の変化に驚いている表情ではなかった。皆、私が誰だかわからなかったのだ。

この人は誰だろうという彼女たちの視線を浴びながら、私はおかしくなった。彼女たちが私をわからないのも無理はない。目のテープを取った顔を見るのも初めてということもあったが、実はヘアースタイルをすっかり変えていたからだ。

前日に美容院に行き、短大以来八年ぶりにパーマをかけた。同時に、長い間、顔を隠すために前に垂らしていた髪をアップにした。美容院で鏡を見た時は、病院で鏡を見た時以上の衝撃を感じた。髪型がこれほど人の顔の印象を変えるものなのかと驚いた。ある意味で、整形手術以上の効果があった。世の女性たちが皆、ヘアーメイクに必死になるのがわかった。

自分でさえも一瞬本人かどうか疑ったくらいだから、同僚たちが別人と間違うのも無理はない。皆、更衣室の私を遠巻きにこそこそ見ていた。

やがて一人の勇気あるアルバイトの十代の子が私に声をかけた。

「もしかして、鈴原さん？」

私は着替えの手を止めて、彼女の顔を見た。彼女は間違った質問をしてしまったかというようなバツの悪い顔をした。周りの女も皆、私の方を向いた。

私はたっぷり間を置いて言った。

「ええ、そうよ」

私に質問した女の子が息を呑むのがわかった。そしてその部屋の空気が一瞬にして変わった。全員がぽかんとした顔で私を見た。私はその中で一人制服に着替えると、堂々と部屋を出た。

工場長も私がわからなかった。私が挨拶すると、一瞬絶句した。

私だとわかると、「綺麗になったね」と笑顔で言った。

「工場長は前の方が好きなんでしょう」

私の皮肉に彼は苦笑いをした。

「あれは何というか、言葉のアヤで――」

「じゃあ、どうなんですか？」

「今の方がずっといいよ」工場長は言った。「ぼくは気に入ってるよ」

「ありがとうございます」

私はそう言って微笑んだ。工場長はちょっと顔を赤くした。

仕事中、同僚たちは誰も話しかけてこなかったが、彼女たちの視線は一日中感じていた。それは嫉妬と羨望と嫌悪の入り交じったものだった。この上ない快感だった。


その日、もう一つ忘れられないことが起こった。私が街でナンパされたのだ。

工場からの帰り、駅近くで「すみません」と声をかけられた。最初は自分ではないだろうとそのまま歩いていたが、もう一度呼びかけられた。

振り返ると、背広を着た男が私を見ていた。咄嗟に、何かの勧誘かと思って身構えた。しかしそうではなかった。

「すみません。お時間ありませんか？」

一瞬何を言ってるのかわからなかった。

「あのう、どこかで三十分くらいお茶でも飲みませんか？」

突然、ナンパという言葉が頭の中に閃いた。私は今、ナンパされている！　体中にゾクゾクする快感が広がり、全身に鳥肌が立つ感じがした。

「お茶ですか？」

そういう私の声が震えているのがわかった。

「はい、どうですか？」

私はようやくのことで首を振った。ここは断らなくては——この喜びを味わうためにも。

「ごめんなさい。時間がないのです」

「そうですか。残念です」

男は寂しそうに言った。私はその顔を見て、可哀想になった。悪い人には見えなかった。いや、正直に言うと、この男に好意を抱いていたのだ。だって私の顔を素敵と思ってくれた人なのだ。「本当はオーケーしたいのです」と言いそうになった。

去っていく彼の後ろ姿を見ながら、すごく後悔した。しかし後悔は長くは続かなかった。男の姿が視界から遠ざかると、心の底から喜びが溢れてきた。

私は街で声を掛けられた！　それもハンサムな男から。

嬉しくてスキップしそうになった。中年サラリーマンとぶつかりそうになって、あやうくよけた。

街を行く男が私を認めてくれた。私の美しさを認めてくれたのだ！

人格なんかどうでもいい。私が何を考えているか、どんな仕事をしているか、どこに住んでいるか、そんなことを何も知らない男が、私の顔だけを見て、声を掛けてくれたのだ。

一目惚れって素敵だと思った。動物の世界では多分、オスとメスは会った瞬間に互いに惹かれ合うのだろう。それこそが本当の恋ではないかと思った。

人間の世界は、学歴や家柄、職業や知識、その他様々なものでごまかされる。余計なものに目が騙（だま）される恋なんて本当の恋ではない。本当の恋とは、すべての条件は関係なし、ただその異性に会った瞬間に惹かれるものだ。そして女は男に選ばれる。

私はこれからいろんな男に選ばれる。多くの男が私の美しさに惹かれ、近づいてくる。嬉しい、嬉しい、嬉しい！――私は心の中で、嬉しい、を何回も唱えた。

九・報復

九時前に店に入ってきた客を見て、最初は別人かと思った。それほど印象が違っていたからだ。

彼がやってくることは二日前に予約客の名簿を見て知っていた。しかし苗字だけなので、私の知っている男かどうかはわからなかった。本当に彼なのだろうか。二日間、落ち着かなかった。彼であってほしくないと思った。その一方で、彼なら面白いというぞくぞくした気持ちもあった。

彼がテーブルに着いた時、私はプライベートルームの小窓からその姿を観察した。彼はがっしりとした大きな体になっていた。顔にもふくよかな肉が付いていた。私の覚えている彼はスマートな体つきで、顔も細かった。

彼は妻とおぼしき女性を連れていた。中年にさしかかったぽっちゃりした女だった。若い時はさぞかし美しかったろうと思える顔だった。

――さすがは足森、美人をものにしたわね、と心の中で呟いた。

ただ残念なことに、その美しさは老いの前に風前の灯火（ともしび）だった。若さも美しさも長い人生ではわずかなものだ。その両方を失った美人は、その他大勢の中年のおばさんの中に投げ入れられる。そしてそこから過ごす人生の方がずっと長いのだ。

足森はふっくらしていたが依然として男前だった。美貌は男の方がずっと長持ちする。かつての美少年の雰囲気は消えていたが、今はちょっとくずれた感じのする中年のハンサムだった。私は足森の顔を見ながら、犬に巻かれたマフラーのことを思い出していた。

私はメニューを持って足森のテーブルへ行った。

「ようこそ、いらっしゃいました。当店のオーナーの鈴原と申します」

足森は鷹揚（おうよう）に挨拶したが、私の顔を見て目がぱっと輝いた。足森に限らず私の美しさに目を奪われる男たちは皆、瞳孔が開く。黒目の色が変わるからすぐにわかる。彼もまた自分の瞳孔が開いていることなど知らないだろう。

「本日はごゆっくりおくつろぎ下さい」

そう言って、私はメニューを開きながら説明した。

「何がお勧めかな」

足森は私の顔を正面から見つめながら言った。こんな風に私の顔を堂々と見る男は意外に少ない。よほど鈍感な男か、自信のある男か、好色な男だ。彼がどのタイプなのかはわからなかった。

私は注文を受けると、一旦テーブルを離れた。

プライベートルームに戻ると、かつての屈辱的な日のことを思い出して、怒りが込み上げてきた。まさか足森がまだこの町にいるとは思っていなかった。できたら早く食べ終わってとっとと帰って欲しかった。

一時間後、梨沙がやって来て言った。

「ママさん、お客さんから名刺をいただきました。ママさんに渡してくれって」

見ると、足森の名刺だった。そこには「足森医院院長　足森修司」と書かれていた。そう言えば彼の父は医者だった。ということは彼は医学部を出て家を継いだのだ。

それにしても店の女の子にわざわざ名刺まで言付(ことづ)ける客というのも珍しい。

「食事は終わってるの？」と梨沙に聞いた。

「はい、今はワインを飲んでいます」

私はプライベートルームを出て、足森のテーブルへ行った。

足森は私の顔を見ると、嬉しそうに笑った。

「お名刺をいただきましてありがとうございます。足森さまはドクターでいらっしゃるんですね」

「一応、この町では大きい医院です」

「病気になった時はよろしくお願いいたします」

足森は大きな声で笑いながら、いつでも大歓迎ですよと言った。それから、「ところで、よかったら少しご一緒していただけませんか？」と言った。

「まだ他のお客さまがいらっしゃいますので――。また後ほど伺えたら、伺います」

私はそう言ってテーブルを離れた。

同じテーブルに座りたい気持ちを感じて怖くなった。足森の顔を見ていると、凶暴な気持ちが呼び起こされる。

私の社交辞令を理解して、適当に帰ってくれることを願った。しかし足森はゆっくりと妻と一緒に酒を飲んでいた。そして他の客が全部帰っても残っていた。私がもう一度やって来るのを待っているのだ。そう思った時、心の中にどす黒い何かが生じた。

私は店を閉める少し前に、足森のテーブルに行った。

「少しだけご一緒させていただいてもいいでしょうか？」

「どうぞ、どうぞ。オーナーと一緒なんて光栄です」

足森は言った。私はすぐには椅子に座らず、妻の方を見た。彼女も笑って、どうぞ、と言った。私の美貌は同性をも惹きつける。

私は一礼して椅子に座った。すぐに梨沙がやってきた。私は紅茶を頼んだ。それから、私からのサービスとしてフルーツを用意するように言った。

足森はフルーツの礼を述べてから、言った。

「それにしても、鈴原さんはお綺麗ですね」

「ありがとうございます」

「私はたくさん美人を見てきましたが、鈴原さんはその中でも最上級の美しさです」

私は軽く頭を下げた。内心で、妻の前で堂々と女を口説く足森に呆れていた。

「東京の大学にいた時も美人を山ほど見ましたが、鈴原さんは負けていませんよ」

「東京はどちらにいらしたのですか？」

「K大学の医学部です」

足森は誇らしげに言った。私は、すごいですねと言いながら、妻の方を見た。彼女もまた誇らしげに微笑んだ。

「足森さまのような素敵なご夫妻がうちの店のお客さまとして来られて光栄です」

足森は豪快に笑った。

「よかったら、鈴原さんのプライベートの名刺をいただけると嬉しいのですが」

足森は私の方を見てそう言うと、妻には見えない角度で微笑んだ。

「少しお待ち下さい」

私は一旦席を立ち、プライベートルームから個人用の名刺を取ってきた。そこには私の携帯電話の番号が書いてあった。今日まで誰にも渡していない。

足森は名刺を受け取る時に、携帯の番号に目を留めた。私はその目を見て、彼は間違いなく三日以内に電話してくると思った。


翌朝、足森から電話があった。

「足森です」

「どちらの足森さんですか」

私は笑いながら言った。足森も笑った。

「待ってたんでしょう？」

「自信たっぷりね」

私のくだけた言い方に、足森もなれなれしい感じで「嫌か？」と言った。

「ううん。自信家は好みよ」

「携帯の番号が書いてある名刺をくれたということは、電話してこいという意味だろう」

「あなたが欲しいって言ったからよ」

「渡すのが嫌なら、プライベートな名刺は持っていませんと言えばすむことだ」

私は答えなかった。

「まあ、いいよ。それで今度は二人きりで逢いたいな」と足森は言った。

「じゃあ、一人で食べにいらして」

足森は笑った。

「お店が休みの日はある？」

「月曜日が休みよ」

「じゃあ、来週の月曜日の夜に会えるかな」

「この町で会うのは人目があります」

「どこならいい？」

「会うとは言ってませんよ」と私は笑いながら言った。「それに来週は東京へ行きます」

足森が少し黙った。おそらく頭の中で自分のスケジュール表を繰っているのだ。

「東京へは何しに行くの？」

「いろいろと雑用があります」

「日帰り？」

「日帰りは疲れます。どこかホテルを取ります」

「ぼくも東京へ行こうかな」

「用事があるんですか？」

「東京へはよく行ってる。行けば、いろいろと用事はあるよ」

「病院はいいんですか？」

「そんなもん、どうとでもなる」

「時間が合えば、お食事ができるかもしれませんね」

電話口の向こうで、小さく息を吸い込む音がした。今、彼は口元に笑いを浮かべたに違いない。私も声を出さずに笑った。

「ぼくは新宿のPホテルを定宿にしてるんだけど、そこでディナーを一緒にどう？」

「いいですね」

「よし、決まりだ。来週は新宿でディナー」

さすがだわと思った。若い男の子にはない強引さだ。こういう交渉に慣れているのだろう。でも、水心がある相手にしか通用しないやり方だ。こんな手に乗る女はろくな女じゃない。

「東京までは一緒に行く？」と足森が訊いた。

「現地で合流しましょう」

「オーケー」

電話を切ってから、足森の馬鹿、と呟いた。

どうして電話なんかしてきたのだ。なぜ会いたいなどと言ってきたのだ。私の気持ちをかき乱さないでほしいのに。しかしその一方でこうなることを望んでいた自分にも気付いていた。これも運命なのだろうと思った。

＊

ホテトル嬢のアルバイトを始めて半年後、私は七年勤めていた製本会社を辞めた。

工場で働く時間はまるで無駄ということに気付いたのだ。製本のラインについている時間にホテトルの仕事をすれば何倍も稼げるのだから。

考えてみれば、私が工場に居続けたのは同僚たちを見返したかっただけかもしれない。その目的は十分に果たした。口元を除けば同僚の誰よりも綺麗になっていた。もちろん綺麗かそうでないかは人の好みだ。ただ私は自分が一番綺麗だと思っていたし、それで十分だった。

それからまもなくファッションヘルスに移ることにした。ホテトルの仕事は事務所での待ち時間が長く、それにホテルまでの往復の時間もある。結局、あまり効率のいい仕事ではないことに気が付いたのだ。

私はかつて訪れた店を訪ねた。私に、故郷へ帰れと言った男がいる店だ。

見覚えのあるマネージャーが出てきた。仕事をしたいと言うとすぐに採用になった。彼は
私とわからなかった。店長格の人に会いたいと言うと、事務所の奥に通された。

かつて私にアドバイスしてくれた男がソファーに座っていた。

「今日、採用になった鈴原未帆です」

「何の用だ？」

「前にも来たことがあるのです」

「いつ？」

「二年前です。その時は不採用になりました」

「不採用？」

彼は不思議そうな顔をした。

「器量があまりにもひどいからって、あなたに言われました」

彼は私の顔を覗き込んだ。「覚えてないいな」

私は微笑んだ。

「顔をかなりいじったか？」

「お母さんの話をしてくれました。私の顔を見ていると田舎のお母さんを思い出すって――」

彼は「ああ」と言ってうなずき、それからもう一度、私の顔をしげしげと眺めた。

「思い出したよ。その時の顔がどんなだったかは忘れたけど、すげえブスだったのは覚えてる」

彼はそう言って笑った。私も笑った。

「いつかヘルスの仕事をする時は、ここに来ようと思ってました」

「見返してやろうと思ったのか」

私は首を振った。

「あなたが誠意ある人だと思ったからです」

彼は笑うのをやめた。

「あんたは、ここにいる女の子とは違うな」

「何が違うんですか」

「どこがどう違うのかは上手く言えないが、何というか――強い意志を持っている。こんな店に来る子はほとんど流されてやってくる。でも、あんたは違う。この世界に確固とした意志を持って飛び込んできた」

私は何と答えていいのかわからなかった。

「多分、何か目的があるんだろう。ここは頑張ればいくらでも金が稼げる。普通の女が一生かかっても稼げない金を手に入れることができる。しかしそれは永遠に続かない。若い時のわずかな時間だ。多くの女の子はそれに気が付かない」

私はうなずいた。彼は私の肩を軽く叩いた。

「時間と金を無駄に使うなよ」

「はい」

「じゃあ早速、今から仕事をして貰おう。俺は崎村だ。何か困ったことがあったらいつでも言ってこい」

崎村の言うとおりだった。ここでは面白いようにお金が稼げた。

一日、何人もの客をこなした。ヘルスの仕事は手と口を使って男を射精させることだ。店の女の子たちは客を数える時に一人二人とは言わずに一本二本と数えた。そして「こなす」とは言わずに「抜く」と言った。その言い方は実に自然な感じがした。実際にセックスしたならそうは思わなかっただろうが、射精させるだけが目的だったから、より即物的に感じたのだろう。

私は一日十本以上抜いた。指名があるのとないのとで実入りは違ったが、平均すると一人抜けば四千円の手取りだったから、一日四万円以上稼いだことになる。店の勤務は基本的に二勤一休だったが、私はほとんど休まず働いた。月の稼ぎは平均で百万円を超えていた。

半年で五百万円以上の金が貯まった。その金を持ってクリニックを訪ねた。念願だった口の手術をするためだ。

「口の手術をする前に言っておかないといけないことがあります」

横山先生はカウンセリングで言った。

「この手術は、専門の歯科医を交えた手術になります。これまでやってきたような目や鼻の手術とは比較にならないくらいの大きな手術です」

それは金額からも十分理解できた。

「口を引っ込めるためには、余分な顎の骨を切除することになりますから、上顎も下顎も、一時的に完全に切り取って外すことになります。前にも申し上げましたが、その際、上下とも歯を二本ずつ抜きます。もっともあなたの場合はインプラントを抜くわけになりますが」

「はい」

「手術には最善を尽くして十分な注意を払いますが、それでも完全な保証はできません」

「それはどういう意味でしょう？」

「顎の骨を一時的に切り離すわけですから、神経を傷つけてしまう可能性があります」

「つまり、神経も切れてしまう、と」

横山先生はうなずいた。

「神経が切れるとどうなるのですか？」

「口元の感覚が失われます」

「まったくなくなるのですか？」

「それはありません。切り取るのはあくまでも顎の骨だけですから。皮膚や筋肉組織は切りません。しかし骨を切除する際、どうしても筋肉組織にもメスが入ります。その際、神経の一部が切れてしまう可能性もあります」

「私はかまいません」

横山先生は、「手術前に一筆書いていただくことになります」と言った。私に異存はなかった。

この手術のために全身麻酔を施された。これまで一度も経験したことのない大手術だ。時間も数時間を費やした。

麻酔から覚めると、顎には、金属製の大きなギプスのようなものが嵌められていた。これはあらかじめ聞いていたことだから別に驚きはしなかった。顎の骨が完全にくっつくまで、動かないように固定されているのだ。その間、奥歯の隙間から柔らかい小さなものを入れて食べることになる。

「あまり食べることができないから、十キロくらい痩せると思いますよ」

私は「はい」と言おうとしたが、顎が固定されているので、うまく喋れなかった。

「六週間は固定します。顎を自由に動かすことができるようになったら、歯の矯正を始めます」

私は黙ってうなずいた。

顎が使えなければ、仕事にならない。手を使ってやれないことはなかったが、誰が顎に大きな器具を嵌めて満足に話もできない女に愛撫してもらって興奮するだろうか。それで六週間は店を休むことにした。そのことは崎村にも言って了承を貰っていた。

六週間の間、私は何もすることなく、ただ部屋で一日中ごろごろしていた。顎はずきずきと痛んだ。痛み止めの薬をもらっていたが、鈍痛は四六時中あった。

食事はお粥のようなものを作って、それを細いストローのようなもので、奥歯の隙間から口の中に入れる。もちろん噛むことはできない。舌を使って飲み込むだけだ。一時間くらいかかっても、お茶碗一杯分のお粥が食べられなかった。横山先生が「十キロくらい痩せる」と言ったのは本当だと実感した。

どこにも出掛けないで何日も部屋の中でじっとしていると孤独を感じた。

両親も姉もどこに住んでいるのかわからない。多分、薬局はつぶれている。家族はそれを私のせいだと思っているに違いない。もう私とは完全に縁を切るつもりだったのだろう。十年前に戸籍が離れたが、今、心も離れたのだ。

別に悲しいとは思わなかった。私は東京で、生まれ変わりつつある。これからはまったく新しい人生を生きるのだ。両親も姉もいらない。むしろ、新しい私には不必要だ。

目を変え、鼻を変え、歯を抜き、顎の骨を切除した。もう私の元の顔はどこにもない。昔の私はどこにもいない。そう思うと、なぜか涙が出てきた。泣く理由は自分にもわからなかった。多分、手術の疲れで、心が参っているのだろうと思った。

六週間後に横山クリニックで顎を固定していたギプスを外してもらった。

私は久しぶりに自由になった顎を動かそうと、大きく口を開けた――が、口は開かなかった。

「ずっと顎を動かしていなかったから、口が動かないでしょう。筋肉が弱っているのです」

横山先生が優しく言った。

「ゆっくりリハビリするように、少しずつ動かしていけばいい。でも、大きなものや硬いものは食べないように。柔らかいガムなどを嚙むのはいい」

横山先生は鏡を見せてくれた。

鏡を見た時の気持ちをどう言えばいいのだろうか――。人生であれほどの衝撃を受けたことはない。初めて二重瞼の手術をした時の比ではなかった。

後になってから、横山先生に、「しばらく呆然とした顔をしていたよ」と言われた。私は数分以上沈黙してから、ようやく「これ、私ですか?」と言ったということだが、その記憶さえまるでない。

鏡の中には美しい女の顔があった。絶世の美女とは言えないが、十分すぎるほど美しかった。何年か経って、この当時の写真を見た時、この程度の顔で大喜びしていた自分を滑稽に思ったが、この時は自分の顔に心の底から感動した。

「横顔を御覧なさい」

横山先生は小さな三面鏡の前に私を座らせた。鏡の中に横顔が見えた。鼻の頂から唇、それに顎の先端のラインがきれいな直線になっているのがわかった。夢にまで見たEライン――エステティックラインだ。プロテーゼが入った顎はわずかにしゃくれたようにとがっていた。モンキーラインもバードフェイスもどこにもない!

私は思わず指でそのラインをなぞった。口全体は麻酔を掛けられた後みたいに感覚がなかった。でも、そんなことはどうでもいい。

横山先生と手術スタッフの看護師に、感謝の気持ちが湧き起こった。

「先生、ありがとうございます。みなさん、ありがとうございます」

そう言った途端、涙が溢れてきた。止めようとしても無理だった。両手で目を覆うと、喉の奥からかすかに嗚咽（おえつ）が漏（も）れた。

「よく頑張ったよ」

横山先生は私の肩に優しく手を置いて言った。私は声を上げて泣いた。恥ずかしくてたまらなかったが、涙も声も抑えることができなかった。

先生も看護師もしばらく私を自由に泣かせてくれた。ようやく泣きやむと、看護師も何人か目を赤くしていた。

「おかしいでしょう。こんな患者さんは他にいないでしょう」

と涙を拭きながら言った。

「いいえ」と一人の看護師は言った。「感激して泣かれる方はいますよ」

私は大きく首を振った。

「私ほど感激する患者さんはいないと思います。私は――本当に醜い顔をしていたから。先生は初めてここに来た時の私の顔を知ってらっしゃいますよね。私は、この顔のせいで、これまでの人生で辛いことばかりだったんです」

先生は私の話を黙って聞いていた。

「それがここまで綺麗な顔にしていただいて――」

また涙が溢れてきた。

「この美しさはあなたが勝ち取ったものです。私は手助けしただけです。あなたがこれまで手術に費やした額は決して小さなものではありません。おそらく――」横山先生は静かに言った。「すごく苦労なさったんだと思います」

私は泣きながら首を振った。この金を貯めるための苦労など、これまでの人生で味わった辛さに比べたら何ほどのことはない。でも、それを言っても誰にもわかってもらえないだろう。

「あなたの美しさには価値があります」横山先生は言った。

「でも、周囲の人には本当の美しさではないと言われました」

「馬鹿な！」横山先生は言った。「美容整形をしていて、こんなことを言うのは何だが、私は美しさなど所詮皮一枚のことだと思っています。そんなことで女性が幸せになったり不幸せになったりするのは馬鹿馬鹿しい。私はこの世の中の女性を全部美しくしたい。そうすれば、もう美人などという価値もなくなる」

先生はそう言って笑ってみせた。

「それに、私は、生まれついて美しい女性よりも、あなたの美しさの方がずっと素晴らしいと思う。美しく生まれて来た女性が一体どんな努力をしたというのですか。彼女たちはただ美しく生まれただけです。金持ちの家に生まれた子供のように、また貴族の家に生まれた子供のように、オギャアと生まれた時にそれを与えられていただけです。勉学やスポーツのように、たゆまぬ努力によって手に入れたものではありません。彼女たちは何の苦労も努力もなく、生まれながらに持っているものだけで、ただただ幸運な人生を送っています。しかしあなたは違う。自分の力で美しさを勝ち取った。同じ皮一枚でもあなたの方がずっと素晴らしいというのはそういうことです」

その言葉は本当に嬉しかった。周りにいた看護師も先生の言葉にうなずいていた。

私はヘルスの仕事に復帰したが、指名の数がぐんと増えた。自分の顔にこれほどの効果があるとは思わなかった。

でも、ヘルスの仕事はほどなくして辞めた。顎の筋肉が弱っていて、仕事が辛くなったことが原因だった。一日男性のあの部分をくわえていると顎が動かなくなった。仕事中は必死で頑張ったが、仕事を終えて家に帰ると、顎が痺（しび）れ切ってごはんも満足に食べられなかった。

手術の後遺症と言えるものは他にもあった。顎の骨を切除した際にやはり神経がいくつか切れたらしく、唇の感覚がほとんどなくなった。

私がヘルスを辞めたいと言った時、崎村は「違う店に行きたいのか？」と聞いた。

私は口元の手術で、顎が弱くなったと伝えた。崎村はわかったと言った。

「で、どうするんだ？　堅気に戻るのか？」

「ソープに行きたいと思っています。お金が欲しいから」

驚いたことに、崎村はいくつかのソープランドの店を紹介してくれた。

「俺の名前を出せばいい。悪い条件にはならない」

「ありがとうございます」

崎村は私の顔をじっと見つめていた。

「あんたの人生の目的は金なんかじゃないな。多分――綺麗になることなんだな」

私は図星をつかれて、一瞬、言葉を失った。

「一つ聞いてもいいかな」と崎村は言った。「綺麗になって何をしたい？　いや、何のために綺麗になる？」

私は咄嗟には答えられなかった。そんなことは考えたこともなかったからだ。

「風俗で仕事をする子で整形をする子は珍しくない。その目的はその方が仕事で有利だからだ。つまりは金のためだな。男にもてたいとか、チヤホヤされたいとか、この業界でナンバー1になりたいとかだ。でもあんたを見ていると綺麗になることが目的のように見える」

私は黙っていた。たしかに美しくなりたいというのは強烈な欲求だったが、では何のためにと問われたら、答えられなかった。

私の迷ったような表情を見て、彼は笑った。

「気にするな。別に嫌みを言いたかった訳じゃない」

「わかっています」

それから彼は、財布から一万円札を五枚出して、餞別だと言って私に渡した。

「受け取れません」

「これまでたっぷり稼がせてもらった一部だよ。退職金としたら少ないが、気持ちだけだ。帰りにどこかで何かおいしいものでも食べてくれ」

思わず涙が出た。

＊

足森から電話があった翌週、私は東京に行った。店は二日間休みにしている。

予約してある整形外科の病院へ行き、ボトックス注射を額に二ヶ所と眉間、それに両方の頬に打ってもらった。ボトックスを注射されると、その部分の筋肉が弱まり、皺ができにくくなる。

顔の皺は筋肉を動かすことによってできる。目に力を入れると額と眉間に皺ができる。それを繰り返すと皺が刻みこまれるのだ。口元を引き締めると、口角に皺ができる。でもその筋肉を弱めてやれば、皺はできない。一種のアンチエイジング術だ。私の場合、効果は約一ヶ月しか持たなかったから、月に一度はこうして東京まで出て注射を打つ。別に東京まで来る必要もないのだが、地元でするわけにはいかない。

七時に新宿のPホテルに向かった。

足森はすでにホテルのロビーにいた。荷物を持ってなかったので、チェックインを済ませていたのだろう。

「それにしても美しい人だ」

足森は好色そうな笑顔を浮かべて言った。

「ありがとうございます」

「今夜の再会を祝して」

足森はグラスを少し上に掲げた。私が軽くグラスを当てると、彼は嬉しそうに笑った。

「東京で会うなんて、おかしいですね」

「こう見えても私も町の名士だし、あなたも町の有名人だ。あらぬ噂を立てられてもお互いに嫌だろう」

私は微笑んで見せた。彼はそれを共犯の意味と受け取ったのか、満足そうな顔をした。

「君みたいな美しい方が、なぜあんな町にやって来たの？」

私はおかしくなった。なぜ男はみんな同じことを言うのだろう。まるで美しい女は皆東京にいなければおかしいと思っているかのようだ。

「どこの町にも綺麗な方は沢山いらっしゃるわ」

「いや、君は別格だよ」

「ありがとうございます。そう言っていただけると嬉しいです。でも正直に申し上げますと――、顔だけで好きになられるのって嬉しくない気持ちもあります」

「いや、君は顔だけじゃない魅力があるよ」

「そんなものが私にあります？」

「あるよ」

私は黙って上目遣いで足森を見た。

「君には——華がある」

陳腐な台詞にがっかりした。もう少し気の利いたことを言えないのか。

「他には？」

「エレガントだ」

これ以上聞いても無駄だろう。若い時はカッコよさだけで、中年になってからは金だけでしか女を口説いてこなかったのだろう。

「足森さんのことをもっと知りたいですわ」

私は話題を足森のことに変えた。すると足森は急に饒舌になり、自分のことをいろいろと話した。市内で一番大きな個人病院を持っていること、別荘を持っていること、ゴルフの腕前がシングルであることなどだ。

「スポーツも得意なんですね」

「それほどでもないけどね。中学、高校とテニスをしていたからね」

「素敵ね。活躍されたんでしょう？」

「中学時代は県大会で優勝したことがあるが」

それは嘘よ。あなたは準優勝どまりだった。

「じゃあ、中学時代は校内のアイドルだったでしょう」

足森は笑みを浮かべてグラスを口に運んだ。

「中学時代から今のようにがっしりされていたのですか？」

「こう見えても中学時代は痩せていてスマートだったよ。多少はもてたかな」

「でも、不特定多数にもてるというのも辛いでしょう」

「どうして？」

「だって、好みでない女の子からもアプローチを受けるでしょう」

「それは君だって同じだろう。いや、美人の方がその弊害は大きいだろう」

私はその言葉は無視して聞いた。

「足森さんは不細工な女の子からもアプローチされたことがあります？」

「さあ、どうかなあ」

「困ったこともあったでしょう」

足森は笑って答えなかった。

「すごく不細工な女の子から告白されたのって覚えてます？」

「どうしてそんなこと聞くの？」

「実は私の知り合いに、あまりきれいでない女性がいるんですが、その人、何というか、男性に対してすごく積極的なんです」

「わかるような気がするな」

と足森は言った。「綺麗な女性はプライドが高いから自分からは絶対にアプローチしないけど、不細工な女性は結構図々しいというか、積極的なアタックを見せることがある。医学部の学生の時にそれを感じたね」

「ええ、そうなんです」

「待っていても狩ってくれないから、狩る側に回るんだな」

二人とも声をあげて笑った。場がいっぺんになごんだ。

「足森さんの出会った中で、一番のブスって覚えてます？」

足森は昔を思い出すように天井にちらっと目をやった。

「ブルドッグみたいな顔した子だった」

その瞬間、私は表情が変わらないように大きく深呼吸した。

「ブルドッグって言い過ぎじゃないの？」

「いや、本当にブルドッグみたいな顔をしていたんだ。もう、まともにじっと顔を見ていられないほどのブスだったよ」

「そのブルドッグから告白されたの？」

「中学の卒業式にマフラーを貰った」

「それで心が動かされた？」

「まさか！」

足森は笑って手を振った。

「でも、そうは言っても嬉しかったでしょう」

「嬉しくなんかないよ。むしろ腹が立ったな。こんな女に『いける』と思われてるのかって思うと、むしゃくしゃしたよ」

その瞬間、思わずワインにむせてしまった。そんな私を、足森はおかしそうに見ていた。

「そんなに面白い？」

「面白いわよ」私は呼吸を整えながら言った。「それでマフラーはどうしたの？」

足森はすぐには答えなかった。

「よく覚えていないな——」

「ねえ、当ててみましょうか？」

足森は、どうぞ、という風にグラスを掲げた。

「犬の首に巻いたんでしょう？」

足森は驚いて私の顔を見た。

「どうして、それを？」

「だって、ブルドッグのマフラーだから、犬にお似合いなんじゃない？」

「まさにビンゴ！　よくわかったね。俺は彼女もいたし、手編みのマフラーなんか持って帰るの嫌だったから、捨てて帰ろうと思ったんだよ。で、ツレに相談したら、ブルドッグのマフラーなんだから犬にあげたらいいと言うんで、それは名案だと思ったんだ」

私は声をあげて笑った。笑いすぎて涙が出た。それを見て足森も笑った。

「可哀想に――」

私はバッグの中からティッシュを出しながら、こっそり携帯電話のリダイヤルボタンを押した。

「本当だな」と足森は言った。

馬鹿な男、と思った。可哀想と言ったのは、あなたのことなのに。

「私、酔ってきちゃった」

胸に手を置いて、甘えた声で言った。

「部屋で飲むか？」

「部屋を取ってるの？」

「ああ、大きなソファーもあるし、ここよりもくつろげるよ」

「じゃあ、部屋で飲み直しましょうか」

足森は嬉しそうな顔をした。喜びすぎだわと心の中で呟いた。今、好色さが顔に噴き出したわよ。

足森はボーイを呼んで、請求書にサインした。

それから二人でバーを出て、エレベーターに乗った。エレベーターの中で足森は私の腰に手を回した。

部屋はダブルルームだった。部屋の真ん中にキングサイズのベッドがあった。

足森はいきなり私を抱きしめてきた。その目は爬虫類の目みたいだった。頭の中は性交のことしか考えていない。恋の駆け引きもなにもない。

もう少しじらして楽しませてやってもよかったかなと思った。そうすれば爬虫類の目ではなく、もっと人間的な喜びと期待に満ちた目をしていただろう。私のような美人を苦労の末に手にした喜びは無上のものだったろう。しかしあっさりとことが進んだことで、彼の頭の中はもうセックスで一杯になってしまったのだ。

ごめんね、かつて少しだけ憧れた私のアイドルさん、と心の中で謝った。

足森は私を抱きしめてキスしてきた。舌を入れてきたから応じてやった。足森は私の舌を吸った。それからベッドに押し倒した。胸を揉んだ。私はかすかな呻(うめ)き声を上げた。彼はその声に一層興奮して、今度はスカートの中に手を入れてきた。

「待って」と私は言った。「ゆっくりして」

「わかった」

「足森さん、少し、汗の匂いがする」

足森は私から体を離した。

「シャワーを浴びてから、しましょう」

「一緒に入る？」

「恥ずかしいわ。先に入っていて。もしかしたら後から行くかもしれない」

足森は立ち上がると上着を脱いだ。私はそれを受け取るとハンガーに掛けた。

足森はバスルームに入った。しばらくするとシャワーの音がした。今頃、足森はわくわくしながら体中を洗っているのだろう。

私は携帯電話をかけて、部屋番号だけ告げて切った。

二分もしないうちに、ドアが軽くノックされた。私はこっそりと部屋の入口に行き、静かにドアを開けた。そこには見覚えのあるスーツ姿の中年男が立っていた。その後ろには見知らぬ若い男が立っていた。こちらもスーツを着ている。一見すると、サラリーマンの上司と部下といういでたちだった。

男は崎村だった。ヘルスを辞めてからも、たまに会って飲みに行ったりはしていたが、会うのは久しぶりだ。もっともこの週は何度か電話で話した。

「全然、変わらないな。というか昔よりも綺麗だ」

「挨拶は後で」

崎村は笑った。そして胸ポケットからサングラスを取りだしてかけた。

「野郎は？」

「風呂よ」

私は二人を部屋に招き入れて、ドアに内鍵をかけた。

崎村は若い男を従えてバスルームに入った。すぐに浴室内で驚く足森の声がした。それを制するような崎村の低い声がした。二人のやりとりはよく聞こえなかった。べつに聞きたくもない。私は部屋の椅子に腰掛けてタバコを吸いながら二人が出てくるのを待った。

まもなく崎村と若い男にはさまれるようにして全裸の足森が出てきた。足森はすっかりしょげかえっていた。鼻からはおびただしい血が流れて、裸の上半身を血で染めていた。私は思わず目を背けた。

「まあ、落ちついて話を聞け」

崎村は足森にソファーに腰かけるように言った。足森は大人しく従った。

「実はこの女は俺の女房でな。言いたいことはわかるな」

足森はうなずいた。崎村のセリフは古典的な言い回しだ。しかしこれは挨拶みたいなものだ。面倒くさい段取りだが、手順を踏まないと話は進まない。

結局、足森は指を詰める代わりに詫び状を書き、後日五十万円を崎村の口座に振り込むことを約束させられた。

崎村は足森に詫び状を書かせると、カメラの前に立てと命令した。

足森は嫌がったが、若い男が殴ると、大人しく従った。崎村は足森の鼻血をきれいに拭い、全裸で「気をつけ」の姿勢をさせてカメラで撮った。無様な恰好だった。崎村はさらに屈辱的なポーズをさせた。土下座している姿や四つん這いで尻をカメラに向けている姿だ。足森はいちいち抵抗したが、そのたびに若い男に殴られ、最後は言われるがまま、どんなポーズも取った。崎村は胸に「私はエロオヤジです」とサインペンで書かせ、ガニ股でガッツポーズを取らせたり、ダンスしているポーズを取らせたりした。

足森は痛みと情けなさで泣きながらポーズを取った。この写真の何枚かは、後日、足森の家族と病院に送るつもりだった。

「いいか。これからは他人の女に簡単に手を出すなよ」

崎村は優しい声で言った。足森はなおも泣きながら、何度もうなずいた。

「それじゃあ、帰るぞ」

と崎村は私に声をかけた。

「先に行ってて」

崎村は私の顔を少し見ていたが、何も言わずに若い男を連れて部屋を出た。

二人だけになった時、私は足森にバスタオルを投げてやった。

足森はバスタオルを腰に巻きながら、私に言った。

「どうして、こんなことをしたんだ。俺が何かしたのか」

「したわ」

足森は驚いたように顔を上げた。

「あなたがブスから貰ったマフラーを犬に巻いたと聞いて、頭に来たのよ。それであの男を呼んだの」

足森は呆けたような顔で私を見た。

「もし、あなたがマフラーを犬に巻いたのは自分じゃないと言ってくれたら、今夜、あなたに抱かれてあげたのに」

もちろんそれは嘘だった。

足森は訳がわからないという風に首を振った。

「あなたに抱かれたかったのに、残念だわ」

私は足森の耳元に口を近づけて囁くように言った。私の頬が足森の頬に触れた。

「犬の話は嘘なんだ。作り話をしただけだ。冗談なんだ」

「じゃあ、あなたじゃなかったのね」

「うん。俺の友達がしたことだ」

「あなたじゃなかったんだ——」

私がそう言いながら彼の太股を撫でると、彼は小さな声で呻いた。驚いたことに足森はあそこを硬くした。私は呆れた。この男、どれだけ助平で能天気なのだろう。今から、私を抱けると思っているのだろうか。

足森は私の手を握ろうとした。

「ワンワンワン！」

いきなり耳の傍で大きな声で叫ぶと、彼は全裸の身をびくんとすくませた。私は大声で笑った。

「お座り！」

私が怒鳴ると、足森は床に座った。

「ここだけの秘密だけど、私は市長の増田さんとはすごく仲良しなの。それに警察署長の尾田さんとも親しいのよ。私を怒らせると、あなたの病院は潰れるかもしれないわよ」

足森はがたがた震えた。私は「じゃあね」と言って、部屋を出た。


崎村はロビーにいた。

「あれでいいのか？」

「ありがとう」

「美鈴は故郷に帰ったんじゃなかったのか」

崎村は私のことはずっとヘルス時代の源氏名で呼ぶ。

「今日、東京へ出てきたの」

「たしかレストランを経営するって言ってたよな」

「ええ」

崎村はそれ以上は聞かなかった。

「嫌なこと、頼んじゃったね」

「お前に頼み事をされるなんてめったにないからな。よほどのことなんだろうと思ったが――」崎村は言った。「美人局(つつもたせ)とは思わなかったよ」

「ちょっとしつこい男がいたから、追い払おうと思ったの」

私は三十万円が入った封筒を崎村に渡そうとしたが、彼は手を振って拒否した。

「これは俺の好意だ。金でやった仕事じゃない」

「でも――」

と言いながら、崎村の横にいる若い男を見た。

「こいつには、俺が後で飯でも奢ってやるよ。気にするな」

私は深く頭を下げた。

「あの男は同郷の男だな」

「なぜ、わかったの」

「免許証を見たからな。昔、恨みがあった野郎か」

「恨みってほどのものでもなかったんだけどね」

足森に復讐する気はなかった。もちろん恨みはあったが、もうほとんど忘れていた。今の私はあんな男にかかずらっている暇なんかないのだ。彼が電話さえかけてこなければ、私からは何もする気はなかった。それなのに――。

電話で口説いてきたりしたから、忘れていた恨みを思い出した。昔、あれほどひどい仕打ちをされた男から、美しくなっただけでしつこく誘われ、怒りが湧き起こったのだ。それでも、ここまでやるとは決めてなかった。もしマフラーの件が彼の仕業(しわざ)ではなく、友人の仕業か何かの誤解なら、彼を許してあげようと思っていた。

崎村は車で私のホテルまで送ってくれた。

私が降りようとすると、崎村は言った。

「美鈴、一言いわせて貰うが――」

「何？」

「お前、どこかキレてるぜ」

私は笑った。崎村は私の顔をしばらく見つめた。

「まあ、お前の人生だからな。好きにやれよ」

崎村はそう言うと、ドアを閉めて車を走らせた。

それを見送りながら、彼の言葉を反芻した。どこかキレてる――たしかにそうかもしれない。

多分、私は狂ってる。崎村は、それを見抜いたのだ。

十．美の黄金比

「宇治原さんは何年の卒業なんですか？」

美香が宇治原陽子に聞いた。

いつものように、昼過ぎに店で美香たちと遅いランチを食べている時の会話だ。話題がたまたま高校時代の話になり、宇治原陽子が美香たちの高校の先輩ということがわかって、美香が尋ねたのだ。

宇治原が少し恥ずかしそうに卒業年次を口にすると、美香が指を折って数えた。

「十八年も先輩なんですね」

「だって、高校を卒業して二十年も経つんだから――」

「たしかに二十年て、気が遠くなるほど長いですね」

「宇治原さんは高校時代は可愛かったのでしょう？」と梨沙が言った。

「あら、宇治原さんは今も素敵よ」

私が言うと、宇治原は必死で手を振った。

「若い頃は今以上にチャーミングな方だったと思いますわ」

宇治原はもじもじしながらもまんざらではない様子だった。その様子を見て美香と梨沙は楽しそうに笑った。私は、余裕の表情で笑う二人を見ながら、あなたたちもすぐに年を取るわ、それこそ気が付けばおばさんになっているのよ、と心の中で呟いた。美しい時にもっと人生を謳歌しておけばよかったと、後で思ってももう遅い。

「もし、よかったら、宇治原さんの高校時代の写真なんか見せてもらいたいな。駄目かな」

と私は言った。

「駄目というわけじゃないですけど――」

「みんなも見たいよね」

私が言うと、美香と梨沙も口を揃えて「見たい！」と言った。

「じゃあ、お願いしますね。できたら、そうね――卒業アルバムなんか見たいな」

宇治原は仕方なくうなずいた。

自分でなぜこんなことを言ったのかわからない。私は卒業アルバムを持っていない。おそらく実家でとっくに処分されてしまっているだろう。だから卒業以来一度も見ていない。これまで一度も見たいと思わなかったのに、突然、見たくなったのだ。

クラスで一、二を争う美少女だった岡田陽子を始め、彼女と人気を二分した富田紀子、その他、あの当時の男子たちを夢中にさせた美少女たちの顔を見てみたかった。彼女たちはどれほど可愛かったのだろうか。

でも、何よりも見たかったのは、私が恋した男だ——。

翌日、宇治原陽子は高校の卒業アルバムを持ってきた。前日と同じくランチの時に、皆で見た。

宇治原は最初はすごく照れくさそうにしていたが、いざ見せるとなると、嬉々として自分が写っているページを開いて、自分の顔を指差した。

「わー、綺麗！」と美香が言った。

「本当、可愛い！」

と梨沙がかぶせた。

たしかに今よりもずっといい。でも、想像していたよりも美しくはなかった。というか、記憶の中の岡田陽子よりも全然劣っていた。たしかに整った顔立ちはしているが、芋臭い顔だ。メイクをしていない分を差し引いても、たいした顔ではない。こんな程度の顔に劣等感を抱いていた自分がおかしかった。

「でも、当時の高校生って地味ですね。ヘアースタイルなんかも」

梨沙の言葉に宇治原自身も同意した。

「イケメンいるかな？」

美香がそう言いながら他のページをめくった。

「イケメンがいても、今はもう四十前よ」

梨沙がつっこむと、皆が笑った。

美香が突然、あっと声を上げた。

「どうしたの？」梨沙が聞いた。

「この人、強烈じゃない？」

美香がアルバムの一枚の写真を指差した。

「うわっ、たしかにすごい」

梨沙の言葉に宇治原が覗きこんだ。そして「ああ、この人ね」と言った。

「ママさんも、見てください」美香がアルバムを私に向けた。「ものすごいですよ」

「私はいいわ」

二人が指差しているのが誰の写真かはわかっていた。このアルバムで皆を驚かせる人物は一人しかいない。

「ママさんが見たら、びっくりしますよ」

私は仕方なくアルバムの中の二十年前の自分の顔を見た。一瞬ぞっとした。なぜなら写真の中の私は上目遣いで私を睨んでいたからだ。思わず目を逸らした。

「ね、怖いでしょう」美香が言った。

「大丈夫よ。怖くはないわ」

もう一度写真を見た。左右アンバランスな細い目には、怒りの炎が燃えていた。同時に恨みがこもっていた。醜く歪んだ口元は、蓄積された憎悪を抑えつけていた。しかしそれは錯覚だ。私の目と口元はただそんな形をしているだけだ。

私は、かつての自分の顔を醜いと思うと同時に、強い嫌悪感を覚えた。こんな目で睨まれ、こんな口元を見せられたら、誰だって、好意は抱けない。いや、むしろ嫌いになる。

——私はこんな表情をしていたのだ。これでは誰からも好かれないはずだ。

「でも、この人、すごい面食いだったのよ」宇治原が面白そうに言った。「イケメンのアイドルの写真を生徒手帳に入れてたのよ」

「そうなんだ」

「一度彼女がファンレターを出そうとしたことがあって、自分の写真を入れようとしたから、慌てて止めたのよ」

美香と梨沙は笑った。宇治原がなぜ突然こんな嘘を言い出したのかわからなかった。私が自分の写真など手紙に入れるわけがない。私にとって写真は決して見たくないものなのだから。

「でも、彼女は写真を入れちゃったのよ」

「ええっ、うそー！」

「それで、彼女だけ返事が来なかった。他に送った人はみんな返事が来たのに」

「ひどい！」と美香が言った。「それって、そのタレントが最低なんじゃないの」

「そうよ」と梨沙が言った。

宇治原はちょっと鼻白んだ顔をした。

「宇治原さん――」

と私は言った。「他人の容貌を笑うような方に、この店で働いてもらいたくはありません」

宇治原は冗談と思ったようだが、私はにこりともせずに言った。

「申し訳ないけど、今日限りで辞めていただきます。給料は後ほど、お渡しします」

場が静まり返った。

「クビですか――」

宇治原の言葉に私はうなずいた。

「私が何をしたって言うんですか。高校時代のアルバムを見て、ちょっと冗談を言っただけじゃありませんか」

「文句があるなら、労働基準監督署でも裁判所でも訴えてください。受けて立ちます」

宇治原はがっくりと肩を落とした。

美香も梨沙も表情を強張らせて私たちを見つめていた。村上はいつものように黙ってコーヒーを飲んでいた。

ソープランドで働くようになって、収入は倍増した。指名客もどんどんついた。

ソープではコンドームを付けなかったからピルを服用するようになった。ピルを飲むようになってから、太りやすくなった。ピルは体に妊娠させたと勘違いさせる薬らしく、脂肪が付きやすくなるのだそうだ。

でも太る心配は不要だった。顎がすっかり弱くなって、沢山のものを食べられなくなっていたからだ。何度も咀嚼（そしゃく）すると、顎が痺れてくるのだ。だから肉とか生野菜の類は食べられなくなっていた。家ではいつもお粥のようなものを作って食べた。

ただ食事量が減って運動しないと筋肉が減って体形が悪くなると聞いていたから、スポーツジムへ通うようにした。

ジムへ行くようになってから気付いたのだが、私はかなりいい体をしていた。胸は大きくて垂れてもなく、お尻の形もよかった。ＳＭクラブ時代から、多くの客に「いい体をしてる」と言われたが、それは醜い顔に比べれば、という意味にしか受け取っていなかった。むしろ体を褒められるのは嫌だった。しかし美しい顔になって初めて、私は男たちが夢中になるような体をしていると気が付いた。私は素晴らしい体にふさわしい顔を手に入れたのだ。

私はソープランドで稼いだ金を惜しげもなく整形手術につぎ込んだ。

まず手を付けたのは「目」だった。これまでは、敢えて言えば「醜い目」を「普通の目」にする手術だった。でも、これからはより美しくするための手術にする。少しでもよくなるなら、何度でも手術を繰り返すつもりだった。

横山先生は言った。

「日本人の理想的な目のバランスは、目尻から目頭までの長さを１とすると、左右の目の間は1.2が最も美しいバランスと言われています」

これも初めて聞くことだった。

「日本人は、ということは外人は違うのですか？」と私は聞いた。

「白人の場合、両目とその間隔は、１対１対１が最も美しく見えるバランスと言われています」

「私の場合はどうなのですか？」

「あなたの場合は、目の幅が狭くて、目と目の間が広い。そして右目の方が左目よりも若干小さい。この写真で測りますと、左から1対1.4対0.9ですね」

先生は私の画像に定規を当てて説明した。私の目の大きさはかなり整えられていたが、まだ完全に同じではなかった。

私はふと前に短大時代の玉井助教授が言っていた「平均値」という言葉を思い出した。

「その1対1.2対1というのは、もしかして日本人の女性の平均値なのですか？」

「きわめて平均値に近い数字です」

玉井が言っていたことは本当だったのだ。スポーツの世界でも学力の世界でも、平均値というのは平凡という意味でしかないのに、女性の顔の場合は、平均値こそが美しいとは！平均値を大きく外れるほどブスなのだ。上に外れても下に外れても駄目なのだ。

「それって、個性がないってことではないのですか？」

「その通りです。美しい顔というのは実は個性がないのですよ。すべてのパーツが平均化して、個性がない。それが典型的な美人です」

これも玉井が言っていたことだ。

「不思議に思うかもしれませんが、美容整形の世界では常識です。世間の人は、美人は個性的で、ブスは個性がないように思っていますが、実は真逆です。ブスの方が実は個性的な顔なのです」

横山先生は少し笑った。

「だから、あなたの顔は本当は大変個性的なのです。ただ、個性的ということと美しいということは別です」

「はい」

「女性の顔というものは、すべてのパーツを平均値に近づければ近づけるほど美人になります」

それは私も実感していた。私の目はどんどん普通の女性の目に近付いている。でも、私は普通の目が欲しくてたまらなかったのだ。

「もっとも現代は個性的な美人というのが脚光を浴びています。顔の一部分が平均値を超えているケースの美人ですね」

そのことも玉井は言っていた気がする。女性の地位が向上すると、社会的な要求から美人の範囲が広まると言っていた。

「ところが不思議なことに」と横山先生は言った。「俗に言う『個性派美人』も、各パーツの黄金比のバランスは変わってないのです」

「そうなんですか」

「たとえば、さっき言ったように目の間隔が1対1.2対1のようなものですね。つまり大枠のバランスの中で、小さな変化をしているのが、個性派美人と言われる人たちです」

「黄金比は他にもあるのですか？」

「ありますよ。たとえば、顔全体を『額の生え際から目のライン』『目のラインから鼻の先』『鼻の先から顎の先端』の三つのゾーンが等分になっているのが一つの黄金比です。他にも、小鼻の先端から目尻、眉尻のラインが直線になっているのも理想です。女優などを見ていると、皆こういうところは共通しています」

「知りませんでした――」

横山先生は笑った。

「私もそういう美人になれますか？」

「なれますよ。どんどん美しくなっていきましょう」

私はまず両目と間隔の比を1対1.2対1の黄金比にする手術をした。目の間隔はこれ以上は詰められないので、両方の目尻を切開して、目を大きくした。その際、小さめだった左目の目尻をより大きく切開した。

黄金比を持った私の目は前以上に美しくなった。目が大きくなった分、黒目の比率が小さくなったが、これは黒い大きめのコンタクトレンズを入れることで調整できた。いや、調整どころではない。瞳より大きい黒のコンタクトレンズの威力は強烈すぎるほどだった。鏡の中の自分を見ると、まるでその目に吸い寄せられるような錯覚に陥った。

鼻の手術もした。目が大きくなったことで、鼻もバランスを取る必要ができたからだ。もう楽しくてたまらなかった。手術をするたびに美しくなるのだ。整形は私の最高のレジャーであり、生きがいだった。

横山先生はそんな私を不思議そうに見た。

「普通、整形を繰り返す女性は、どんどん性格が暗くなるのに、あなたは逆ですね」

「あら、どうしてですか、先生。美しくなって、性格が暗くなる方がおかしいんじゃないですか？」

「実はね――」横山先生は言った。「ここだけの話ですが、心の病を持っておられる方は、どんな整形をしても永久に満足しないのです」

わかるような気がした。多分そういう女は本当は醜い女ではないのだ。自分の人生がうまくいかないのを顔のせいにしているのだ。だからいくら顔をいじっても、病んだ心が治ることはないのだろう。私がそう言うと、横山先生は否定しなかった。

「そうですね。そういう女性は、どの部分を具体的にどうしてほしいという要求がありません。『周囲の人が、目がおかしいと言うんです。だから、何とかしてほしい』みたいな言い方をされる方が多いですね。医者としては具体的に、どうしてほしいと言われないと手術はできません」

贅沢な病だと思った。私のように本当に醜い女に生まれたら、そんな甘いことは言っていられないし、手術で美しくなれれば素直に喜べる。でも他人のことなんかどうでもいい。私は少しでも美しくなるために努力するだけだ。

整形の喜びと面白さをどうたとえたらいいだろう。あえて言えば、「磨く」感じだ。一所懸命に作った作品を、丁寧に磨いていく感じがした。そう、私の顔は「私の作品」だ。ここまで一千万円近くかけて作った作品だ。よりいい作品に仕上げるためには金も時間も惜しむつもりはない。

私はソープの仕事も手を抜かずに頑張った。客が喜んでくれれば、また来てくれる。顧客がどんどんつけば、それだけお金が入る。

ソープの仕事をしていて気付いたことがある。

男たちは私の顔だけで興奮することだ。エレベーターの中で、私が寄り添うと男の息が荒くなるのがわかった。男の胸に顔をもたせかけると心臓の音が聞こえた。

浴室でも、私が服を脱ぐ様子を男たちは凝視した。奉仕している時も、私の顔から目を逸らさなかった。

あれの最中も男たちは私の顔をまじまじと見つめた。SMクラブ時代は私の顔を見ようとする男はいなかった。美しくなっていくにつれて、正常位で私の顔を見つめながらする男が増えていった。男たちは心の中で自分にこう言っているのだろう。俺は今、この美しい女とやってる、と。

私が美しい顔で悶（もだ）えながら、切ない声を上げてやると、男たちはあっという間に果てた。男にとって、美しい女とのセックスはそれほどまでに素晴らしいものなのだろう。

荒い息をしてぐったりした男の顔を胸に載せて、私は天井を見ながら、心の中で、馬鹿馬鹿しいと呟いた。セックスなんてあそこの穴に入れてこするだけなのに、顔が大事なんて。している行為は同じなのに、顔が美しいだけで男の反応は天と地ほどに違う。男って、本当に馬鹿！

でも一方で、セックスという行為は、私に女の顔の美しさの威力をあらためて教えてくれた。

ソープに行くようになって、私は女性器も整形手術した。同じ店で働いているルイという年下の女の子との会話がきっかけだ。

ルイはほんの少し頭が弱い子だった。彼女はある時、楽屋で私にこう聞いてきた。

「玲子さんは、あそこの整形してる?」

「あそこって?」

「おまんこよ」ルイはおかしそうに言った。

「してないわ。あなたはしてるの?」

「してるよ」

ルイの言葉にちょっと驚いた。

「あそこの手術って——何をどんな風にするわけ?」

「見てみる?」

ルイはあっけらかんと言った。私は、いいわと言ったが、ルイは「減るもんじゃないから」と言い、半ば強引に見せた。

SMクラブにいる頃、複数プレイの時に、他の女性のあの部分は何度も見たことがあったが、こうして二人きりであらたまって見るのは初めてだったから、かなり戸惑った。

たしかにルイの性器は美しかった。余分な肉がなく、形がよかった。それに色がきれいだった。おまけに毛がほとんどなかった。

「どうやったの？」

「びらびらの余分なところを切って、形を整えたの。黒いところがなかったでしょう」

「ええ――どうして？」

「その部分をまるまる切り取ったから」

「そんなことして大丈夫なの」

「全然平気よ。アメリカのポルノ女優なんて二十年前から、あそこの整形手術は当たり前なのよ」

「嘘――」

「嘘じゃないよ。だって、あいつらはあそこを見せる商売だもん。でも、私らも一応商売道具だから、綺麗にしておいて損はないわ」

「毛は、どうしたの？　それも手術？」

「それは単なる脱毛よ。エステでね」

数日後、私はルイに教えてもらったクリニックを訪れた。彼女に言わせると、女性器の整形を扱う医者は都内でも多くはないということだった。多分需要も少ないのだろう。ただルイが教えてくれたクリニックは腕もいいということだった。私はそこで小陰唇縮小形成術という手術を受けた。おかげで二週間以上、仕事を休まなくてはならなかった。

腫れが引いて抜糸した後、自分の股間を見て、感動した。左右で形の違う小陰唇がきれいに揃えられ、おまけに縁の黒ずんだ部分がなくなっていた。まるで十代前半の少女の時のような性器になった。

「仕上がり具合はどうですか？」

「満足です。とても！」

医者はまんざらでもない顔をした。

「こんな手術があるとは知りませんでした」

手術台から降りて、ショーツを穿いた私が言うと、中年の医者は笑いながら答えた。

「実は、女性のこの部分は、皆、形が全然違う。顔以上に変化が大きい。女性器の千差万別に比べたら、顔の変化なんかないようなものだよ」

「全然知りませんでした」

「大陰唇縮小形成術もあるし、陰核包皮縮小術もある。基本的には、別に肉が厚くても大きくても困らないんだけど、稀には手術しないといけないケースもある」

「それはどんなケースですか？」

「一番多いのは、処女膜が肥大したり発達しすぎているケースです。これはそのままにしておくと、性交不能ないし困難になります。それと陰核の完全包茎もやはり手術した方がいいでしょう」

「女性にも包茎ってあるんですか？」

「男の包茎とは違うけどね。クリトリスと皮が完全に癒着していると、いろいろ衛生上よくないことがある」

世の中には様々なケースがあるのだと思った。

「性生活に支障はきたさなくても、性器の形のことで悩んだり、強いコンプレックスを持って暮らしてる女性は少なくない」

「わかるような気がします」

「けど、この手術はいくら上手く仕上げても、評判にはならない」医者はそう言って苦笑した。「口コミも期待できないし、ビフォーアフターの広告も打てない」

私は思わず笑ってしまった。

もし、いつかアメリカのように日本でも無修整のポルノが堂々と見られるようになったら、きっとＡＶ女優はみんなあそこを整形するだろう。すると、それを見た一般女性も整形するようになるかもしれない。

女性器を整形してから、あそこをじっくり見る客が増えた。中には、「きれいだね」と言う客もいた。私はその言葉を聞きながら、ここでもやっぱり最後は「美」なのか、と思った。

性器を手術した後、乳首も手術した。もともと大きめで左右不揃いだった乳首を縮小したのだ。聞くと、いくつか方法があるらしく、私は楔状切除という手術を受けた。この方法だと乳首の組織が壊死するリスクがない代わりに乳管が閉じるので授乳不能になるらしい。だから将来、出産して授乳する時は、乳管を開く手術をするので、もう一度来院してくださいと言われた。


私の稼ぎは月に三百万円以上になった。

同僚たちの中には稼いだ金を湯水のように使う子が沢山いた。金銭感覚が麻痺していたのだろう。ほとんどの女がかつては堅気の仕事の経験がある。この業界に入るまで、朝から晩まで働いて月に十数万円しか稼げなかったのに、同じ額を一日で稼ぎだすことができるのだ。それも半分以下の労働時間で。あぶく銭と思って使ってしまいたい気持ちもわかる。でもこんな仕事でいつまでも稼げない。金は永久に湧いてくる泉じゃないのだ。もしかしたら彼女たちは、金を使うことで嫌な仕事をしている気分を晴らしているのかもしれない。

恋人がいたり同棲相手がいる女もいた。相手の男はたいていが遊び人だった。それはそうだろう。自分が一ヶ月真面目に働いて稼ぐ分を、女が一晩で稼ぐのだ。真面目に働く気持ちなんかいっぺんに失せるだろう。

私は高い車を買ったり、億ションを買ったりはしなかった。宝石などにも興味はなかった。服にはそれなりの金をかけていたが、五十着も買えば、それ以上は不要だった。私が一番金を使ったのは相変わらず整形だった。

美容整形はほとんど趣味の世界に入っていた。若い女の子がエステに通うように、私は気軽に美容整形に通った。もちろんエステも週に一度は通った。

目は何度も手術した。あらためて整形手術は何でもできるということを知った。つり目を下げることもできるし、垂れた目を上げることもできる。目頭と目尻を切れば、目は簡単に大きくできるし、二重瞼の手術なんてメイクよりも早い。埋没法なら糸を抜くだけであっという間に元通りになるから、本当に化粧と同じだ。

瞼の大きさも何度も作りかえられる。目をかまぼこ形にするのも、切れ長にするのも自在だ。目がこんなにも、まるで絵を描くように好きな形に変えることができるというのは驚きだった。私が目を何度も手術したのは、それ以外の部分を整形した時にバランスを取るためだ。

鼻の手術も何度もした。鼻は目ほど楽ではない。高くするにはプロテーゼを入れなくてはならなかったし、小鼻を小さくしたり、鼻の穴を狭くするのは簡単な手術じゃない。でも金さえ払えば十分可能だ。以前に入っていたプロテーゼは冬の寒い日に冷えてしまうので、軟骨を入れた。自分の耳の軟骨を取り出して、形を整えて鼻に移植したのだ。

最後にした大きな手術は顎のえらを削り取る手術だ。この手術の後は、何日もソープを休まなければならなかったが、腫れが引いた私の顔は、輪郭がすっかり変わっていた。えらはきれいになくなり、耳の下から顎にかけて美しいラインを描いていた。

この手術の代償は小さくはなかった。顎の筋肉はすっかり弱り、少し硬めの肉さえ嚙み切ることができなくなったからだ。ごはんも一膳食べると、顎が疲れた。でも、後悔は微塵もなかった。


私は見違えるような美しい女になった。

それは横山先生も認めた。

「あなたの顔はすっかり変わりました」

ある日、彼は私の顔を見てしみじみとそう言った。

「あら、その言い方はおかしいですわ。だって、整形手術なんですから、顔が変わるのは当たり前でしょう」

「それはそうですが」

彼は苦笑した。「整形手術を受ける女性のほとんどは、顔の一部分を変えます。元の顔をベースにして、そこから磨いていくという感じですね」

それはわかるような気がした。女なら誰しも美しくなりたいという思いを持っているが、別人の顔になりたいとまでは決して思わないだろう。なぜなら皆自分の顔を愛しているからだ。自分が絶世の美人でないことはわかっていても、自分の顔に不満は山ほどあろうとも、それでも人は自分の顔を愛しているのだ。

でも私は自分の顔に愛着など微塵もない。完全に捨て去ってもいいと思っていたから、とことんやれたのだ。

「私も長い間、整形手術をしてきましたが、はっきり言ってここまでしたのは初めてです」

「やってみていかがでしたか？」

横山先生はちょっと考える素振りをした。

「女性の顔は、やろうと思えば、完全に作りかえることが可能なのだなという思いです。もちろん、以前からそうできることはわかっていましたが、実際にやってみて、整形手術の威力と可能性に今さらながら驚かされました」

「患者に言うセリフではないような気がしますわ」

横山先生は笑った。

「あなたは普通の患者という気がしません。言うなれば——一種の同志です」

ついおかしくて笑ってしまった。

「あなたの場合、肌がきめ細かく白いことがよかった。実は、目や鼻はいくらでも形を変えられるが、肌を美しくするというのは、現在の整形手術では難しいのです」

私はきれいな肌に感謝した。これまでまったく役に立たないものと思っていた肌の白さが、実は素敵な財産だったのだ。

横山先生は体のことも褒めてくれた。

「あなたは背も高くてスタイルもいい。これも大きな財産です。整形手術はいくらでも美しい顔を作ることができますが、背を高くしたり、足を長くすることはできません。あなたは両方を持っています」

横山先生はにやりと笑って言った。

「あなたは顔にコンプレックスを抱いていたようですが、それは直せるものだったのです」

たしかに先生の言う通りだ。でも、先生は大事なことを忘れている。私が美しくなるために、大金を費やしたことだ。優に一千万円を超える金額をつぎ込んでいた。この金を稼ぎだすためにどれほど苦労を重ねたかわかっているのだろうか。

整形手術に保険がきかないのはおかしい。だって美しく生まれた女は、それだけで得な人生を送ることができる。医者や金持ちと結婚できたりする。絵に描いたような玉の輿でなくても、就職や結婚では、美しくない女に比べて圧倒的に有利だ。逆に醜く生まれた女にとっては、すべてが茨（いばら）の道になる。美しい女になるためには、私のようにどんな仕事にも手を染めて、大金をつぎ込まなければならない。

しかし過ぎ去ったことを悔んでも仕方がない。私は三十年近く生きてきて、世の中がいかに不公平なものであるかということをたっぷり学んできた。今さらそのことに不満を言うつもりもない。人は持って生まれた能力で戦っていかなくてはならない。

私は戦って美しさを手に入れた。だから私は「美」の価値を知っている。

せっかく美しく生まれながら、その価値を知らずに生きている女がどれほど多いことか。綺麗な顔立ちなのに、ろくな化粧もせず、美しく着飾ることもせず、また美しさを生かした仕事にも就かず、美しさを利用した恋も結婚もせずに、平凡な安サラリーマンに嫁ぐ女——私に言わせれば、そんな女たちは馬鹿としか言いようがない。

何度も手術を繰り返した目は、最初の頃のどこか作り物めいた雰囲気は完全になくなっていた。鏡の中の自分に見つめられると、時々どきっとするくらい蠱惑（こわく）的な目だった。

私の目を「知性的だ」という客は多かった。「目に光がある」という客もいた。

お笑い種だ。「目」に知性なんかない！　光を発することもない！　そんなものは男たちの勝手な思いこみだ。私の目はそんな形をしているだけだ。目は目だ。ただそれだけだ。

しかし彼らがそう思う理由はわかっている。私の目と眉の間は狭い。もちろんそういう風に手術した。なぜならこういう形の目は賢く見えるからだ。私が生まれながらに持っていた目と眉は間延びするくらいあいていたし、瞼は腫れぼったく下がって目をふさいでいた。こんな「目」には「知性」はない！

しかし目と眉の間の脂肪と皮膚を切除して、眉との間が狭くなった私の「目」は、多くの人たちに「知的」に映った。「目の光」も同じことだ。大きく開いた目には、黒目に多くの光が当たり、それが「輝く目」に見える。そう言えば、少女漫画のヒロインの目にも、やたらと星が入っている。

私の目を「優しい」という男もいた。これも形から来る印象にすぎない。私は目尻を少し下げていたから、これが目の印象を優しくしているだけだった。

このことを教えてくれたのも横山先生だ。彼はカウンセリングの時に言った。

「こういう錯覚がどこから来たのかと言えば、表情からです。人は真剣になった時や、ものを考える時は、目を開いて眉を寄せる。逆に、ぼーっとしている時は目は大きく開かず、眉との間もあく。それで人は無意識に、眉と目の間が狭い人は知的に見え、そうでない人は賢くないように見える。人は眠くなってくると瞼が下がってくる。そんな目が半開きの状態の人間は、たいてい知性も鈍っています。だから、瞼が生まれつき下がって、半開きのような目をした人は、知性がない目に見える。優しいという印象も同じだ。人は笑う時や機嫌のいい時には目尻が下がる。逆に怒ったり不愉快な時には目尻が上がる。それで人は、目尻が下がった人を見ると優しそうな人と感じ、目尻が上がった人を見ると怖そうに見える」

初めてこのことを聞いた時はすごい衝撃だった。なぜなら私自身が長い間、他人を見る時に、無意識に、賢そうな人とか優しそうな人と勝手に思っていたからだ。そんなものが全部、単に顔の形から来る錯覚だったとは——。

「口で笑っても目が笑ってない、という言い方がある。それも私に言わせれば、単純な話です。そういう状態の時は、目と眉の間が開いていないだけです。笑う時は、眉と目の間を開いた方が笑っている感じがしますね。でもね、笑っても目と眉の間が開かない人もいるのです。しかし他人は、そういう人を見ると、目が笑っていない人、と解釈するわけです」

横山先生のアドバイスを受けて、口角も整えた。口元をわずかに上がり気味にし、微笑んでいるような形にしたのだ。いわゆるアルカイックスマイル——仏像に多く見られる、少し笑っているように見える口だ。

横山先生に言わせると、人間の感情の変化は実は目よりも口角に最も多く表れるという。口は目以上に大きく形を変える。だからその口角の形はとても大事なのだという。「小股の切れ上がったいい女」という「小股」とは口角のことらしい。つまり少し笑ったように見える顔なんだろう。それで人は私の口角を見るだけで、私が穏やかで、優しい心根を持っていると無意識に思い込む――とんだ勘違いをする。

こうしたことを私は、実際に美容整形を繰り返してきた自分の顔で学んだ。

横山先生に出会ったことは本当に幸運だった。彼の美意識はアジア的だったからだ。当時の整形外科医たちの多くが美しさの基準を白人においていた。そういうクリニックは極端に言えば、「白人とのハーフ」みたいな顔を作る。そんなところで二重瞼の手術をすると、瞼は白人のような巨大なものになる。白人は額が付き出て眼窩（がんか）が落ちているからそういう目になるのだが、それを日本女性にやると瞼の脂肪を抜くことになる。ファッション誌のモデルの写真を見ても、そういう不自然な瞼を作った女が少なくなかった。

また鼻の位置もアジア人と白人は違う。日本人が最も美しいのは鼻根部が目の中心ラインにあることだ。でもモデルの写真を見ると、白人を基準にして鼻根部をもっと上にした女が少なくなかった。ミロのビーナスみたいな眉あたりから伸びた鼻もたまに見た。グラビア写真だからそれほど不自然には見えなかったが、実際に目（ま）の当たりにすると、滑稽な作り物を見る感じがするだろう。もし整形外科医を選び損ねていたら、私の顔はめちゃくちゃなものになっていただろう。

横山先生のお陰で私の顔はアジア的な美を手にした。それは私自身でありながら、私の宝物だった。

——それはある休日の午後に、不意にやってきた。

夏の終わり頃だった。前の晩に同僚と飲んだ酒が残っていて、珍しく昼過ぎまで寝ていた。ベッドから出ようとしたが、体を起こすのが難儀で、ベッドでごろごろしていた。本当は出勤までそうしていたかったが、トイレに行きたくなって、仕方なくベッドから出た。トイレで用を足すと、便器から立ち上がるのがうっとうしくて、横の棚にあるタバコを取って火を点けた。

煙を大きく吸い込んだ時、それが不意に心の中に浮きあがってきた。そう、まさに浮き上がってきた。その感情は、遠い遠い昔に錘（おもり）をつけて心の沼の奥深くに沈めた感情だった。それが突然に、前触れもなく浮き上がってきたのだ。まるでガスを含んで浮き上がってきた水死体のようだった。私はそれを気味の悪いものでも見るように眺めていた——。

それは、かつて英介へ抱いていた想いだった。

この気持ちは間違っている——と自分に言い聞かせるように何度も心の中で呟いた。遠い昔に終わった恋だ。こんな気持ちを思い出すべきではない。この想いは妄執にすぎない。とっくに死に絶えた恋だ——そう、腐った水死体のように。

しかし一度浮き上がった「想い」をもう一度沈めることはできなかった。何度も何度も心の奥に沈めようとしても無理だった。

その日以来、英介への想いが心から去らなかった。通勤中も、仕事の合間も、ふとした拍子にそのことを思い出した。一人で部屋にいるときが一番頻繁に訪れた。夜、ベッドに寝て、部屋の電気を消すと、英介の顔が浮かんでくる時があった。当たり前のことだが、その顔は十代の少年のままだった。

英介への想いが甦ったのは、私が美しくなったからだ。

かつてはどれほど思っても手に入らなかったものが、今は手に入るかもしれない、そんな気持ちが英介への想いを甦らせたのだ。

今なら、英介は私に恋するかもしれない。美しくなった私を見て、夢中になるかもしれない。多くの男たちと同じように、私の美しさの前に跪(ひざまず)くかもしれない。

英介に会いたいと思った。しかしそんなことはできない。それは過去の亡霊に会うのと同じだ。それがどれだけ無意味で馬鹿馬鹿しいことなのかよくわかっている。四歳の幼児に抱いた恋の想いを十八歳になった少年にぶつけても駄目なように、十八歳の少年に抱いた恋の想いを大人になった男にぶつけても駄目だ。

しかし、会えば手に入るかもしれない。二人ともまだ二十代だ。恋に落ちても不思議ではない。

私は何日も何日も悶々とした時間を過ごした末に、一つの決断をした。

探偵社に英介の調査を依頼したのだ。現在、英介がどこに住み、何をしているのか調べて欲しいと頼んだ。

そして、もし英介がまだ独身でいたら、会いに行く。しかし結婚して家庭を持っていたら、彼への想いは永久に封印する——そう決めたのだ。でも自分がどちらを望んでいたのかはわからない。

一ヶ月後、探偵社から報告書が上がった。

彼は結婚していた。同じ年の妻がいて、二人の子供がいた。英介は地元の国立大学を卒業し、地元のK興産に勤め、二年前から家族を連れてアメリカに赴任し、現在はニューヨークに暮らしていた。報告書の「参考」部分によると、K興産の海外赴任は短くて数年、長い場合は十年近くになるということだった。

その報告書を読んだ時、私は泣いた。愛する英介は結婚していた。子供まで作っていた。私が美しくなるために死に物狂いでいる間に、愛する女性と巡り会い、幸せな家庭を築いていたのだ。

その時、私は英介が結婚していないだろうと思っていたことに気付いた。何の根拠もなく英介はずっと独身だと思っていた。多分、私の中で時間が止まっていたのだ。しかし時間は確実に流れていた。高校を卒業して十年の月日が流れている。あの夜、私を守ってくれた小さなナイトは、夫になり、父になっていた。

私の恋は完全に終わった。もうすべてが遅すぎた。

さんざん泣いた後で、私は、美しくなりたかったのは、英介のためだったのだということを悟った。美しくなりたい本当の理由は、英介に会いたかったからだ。ずっと心の奥深くに封印していた想いだったが、彼を永久に失って初めてそのことがわかった。

彼への想いがあるからこそ、美しくなるために懸命に頑張ってきたのだ。美しくなるためなら、どんなことでもやってきた。それはすべて英介のためだったのだ。

しかしそんな努力もすべて無駄に終わった。

探偵社から報告を受けて十日あまりは腑抜けのようになっていたが、ある朝、英介の夢を見た。

夢の中で、私は英介と故郷にいた。海の見える丘に二人で立っていた。私は現在の姿で英介は高校生のままだった。英介は私の顔を眩しそうに見た。私が、泳ごうかと言うと、彼は泳げないと言った。いいから泳ごうと言って、英介の手を握ったところで目が覚めた。

　夢から覚めてしばらくの間は、現実だと思った。かつて本当にあったことを思い出したような錯覚に陥った。

　私は英介を諦めきれない自分に気付いた。

　彼を永久に失ったわけではない。彼は死んだわけではない。結婚生活は永遠に続くとは限らない。離婚することもあれば、死別することもある。

　十年待てたのだ。もう十年が待てない筈はない。探偵社の報告によると、K興産の海外赴任は短くて数年、長くても十年以内と書いてあった。すると早ければあと二、三年、遅れても八年で日本に戻ってくる。

　私は探偵社に、英介の帰国が決まったら、知らせてくれるように新たに依頼した。一年に一度報告してくれたらいいと言った。毎年、報酬は支払う、と。

　しかし、本気で英介の帰国を待つ気があるのかないのか、自分でも本当の気持ちはわからなかった。もしかしたら単なる気休めかもしれない。彼を永久に失ったという現実を受け止めるのが怖くて気持ちを引き延ばしているだけかもしれない。もし本気で英介に会いたければ、アメリカまで行っただろうからだ。英介の動向を摑むことで、彼は私の手のうちにあると思いこみたかっただけかもしれない。

数年後に英介に会える日が来るかもしれないという思いは、私に新たな力を与えた。その日までには、もっともっと美しくなってやる。彼の妻がどんな女性か知らないが、彼女が及びもつかない美しい女になってやる。

彼が私を見て、美しさに陶然とするところを見たい。その日は必ずやってくる。

ソープに勤めて一年ほど経ったある日、店にふらっと崎村がやってきた。仕事で来たと言っていたが、時間があるのでと、私を指名した。多分、店は彼からは入浴料は取っていない。

「久しぶりだな」

「ご無沙汰しています」

「また綺麗になったな」

崎村は私の顔をまじまじと見て言った。多くの女を見てきた崎村に褒められて嬉しかった。

エレベーター内で二人きりになると緊張した。今から崎村とセックスするのかと思うと、ドキドキした。ヘルス時代、崎村に様々なサービスの仕方とテクニックを教え込まれたが、セックスはしたことがなかった。

私はいつものように奉仕したが、挿入する時はかなり緊張した。こんなことは初めてだった。彼に好意は持っていたが、恋の感情ではない。ただ、よく知っている男とセックスするということに慣れていなかった。

その最中、生まれて初めて恥ずかしい気持ちになった。こんな気持ちになったのは初めてだった。処女を失った時も、そんな感情にはならなかった。でも、不快な感情ではなかった。世間の女は皆、こんな気持ちでするのだろうかと思った。本当に好きな男性とするセックスは、すごく素敵だろうと思った。

終わってから、崎村は言った。

「今の名前は何て言う？」

「玲子ですけど、美鈴でいいです」

「今いくら稼いでる？」

「三百万くらいかな」

崎村は苦笑した。

「女には勝てんな。若い男には絶対にできない稼ぎ方だからな」

私は笑いながら、心の中で、美しい女にしかできないのよと言った。

「お前の顔と体なら、かなりの高級ソープでもやっていける。もっと稼げる」

崎村は今度、組が作る高級ソープに移らないかと言ってきた。飛びきりの美人ばかりを集めた会員制のソープということだった。どうやら今日やってきたのは、私のことを調べるためだったのだ。

「倍の稼ぎは保証する」

私に異存はなかった。

こうして私は一プレイ十五万円の会員制の高級ソープに移った。

わずか二時間のセックスのために十五万円も払う男が大勢いるなんて信じられなかったが、世の中には金を持った男たちがいくらでもいたのだ。会員の多くは医者やオーナー社長だった。稀に芸能人もいた。ある有名な二枚目俳優が風呂に入る前にカツラを取るのを見た時は、笑いをこらえるのに苦労した。セックスの最中も思い出してしまったから、それを誤魔化すのに、大きな声で悶えてやると、その俳優は大喜びした。

店の女の子は崎村の言ったようにレベルの高い美人が多かった。そこらのソープランドなら文句なしにナンバー1だろう。彼女たちのほとんどが整形美人だった。でも、私ほど美しい女の子はいなかった。

皆、整形をしていることは隠さなかった。それどころかお互いの整形の情報を積極的に交換していた。私も自分の整形の情報や知識を聞かれればいつでも話した。

店の女の子の多くがＡＶに出ていた。どうやらこの店の売りの一つは、人気ＡＶ女優とセックスできるということらしかった。

店のマネージャーは私にもＡＶに出てみないかと言った。それはお断りだった。日本全国に顔を晒(さら)すなんてご免だった。それにＡＶ女優になるには年を食いすぎていた。ＡＶで人気を勝ち取るには、美貌よりも若さが大事だった。店の女の子も皆若かった。二十九歳の私が一番年上だった。もっとも店には二十四歳と言っていた。皺一つない白い肌のせいで二十四歳で十分通用した。私がＡＶ出演を断っても、マネージャーは無理強いはしなかった。

一度、アケミという店の同僚に聞いたことがある。ＡＶに出演したら、何年経ってもずっと残るのにいいのか、と。すると驚くような答えが返ってきた。

「平気よ。だって、この業界を辞める時に顔変えるもん」

彼女は二十二歳で、明るい性格の娘だった。新潟県の出身で、高校を卒業して東京に出てきて二年間デパートに勤めていたが、そこを辞めて風俗に入ってきた子だった。

私たちが楽屋と呼んでいる更衣室の椅子にショーツ一枚で腰かけたアケミは、タバコをふかしながら言った。

「姉さんもそうだと思うんだけど、私も整形よ。今の顔は多分親が見てもわからない。そりゃあ、ビデオをしっかり見たら、もしかしたら声で気が付くかもしれない。でもパッケージやポスターなんかでは絶対にわからない。だからビデオに出られるのよ」

「でも、辞める時にまたその顔を変えるの」

「変えるんじゃないわ。戻すのよ」

アケミは笑った。「でないと、親元にも帰れないし、昔の友達にも会えない」

私はうなずいた。

「それにね、今の顔も気に入ってるけど、本当言うと、元の顔も好きなのよ。というか、その時の方が男の子にもてたかもしんない。今の顔は整いすぎていて、逆にもてない。AVや風俗だと人気が出る顔だけどね。だからこの仕事辞める時は、元の顔に近い顔に戻すのよ」

「そうなんだ」

「こんなこと考えてるの、私だけじゃないと思うよ。勘当されて家追ン出された子は別だけど、皆、故郷に帰る時は、親が見てわかるくらいには戻すよ。そうでない子も、この業界を辞める時は、顔はわからないようにするわ。AVから芸能界を狙っているような子でない限り、辞める時は現役の時とは違う顔にするのよ。でないと結婚もできないじゃない」

アケミはそう言って無邪気に笑った。アケミに釣られて私も笑った。

ちょっとしたカルチャーショックだった。整形する女性は誰もが私のような女ばかりじゃなかったのだ。

アケミも含めて、店の女の子たちは元々そこそこ可愛い顔をしていたということもあるのだろう。だからほんの少しいじるだけで綺麗になる。でもＡＶ業界でスターになるには、少々の美しさでは無理だ。だからＡＶを本気でやりたいと思う子はかなりいじることになる。多くの場合、プロダクションが紹介する病院で、しかも監督やマネージャーが医者にどのパーツをどう変えるかを指定するという。つまりＡＶ仕様の顔にするということなのだ。

ＡＶ女優の寿命は短い。平均三年、超売れっ子でも数年もてばいいということだ。ＡＶを引退しても、多くが風俗関係の業界に残るが、中には堅気に戻る子もいる。そういう子たちは、アケミの言うように、本来の自分に近い顔に戻して、元いた世界に帰っていくという。

でも私は違う。私は故郷には戻らないし、親にも会わない。昔の私を知っている人たちには一生会うことはない！

私が会いたいのは英介だけだ。しかし英介に会う時も、「私」として会うのではない。もしいつの日か、その日が来るとしたら、私はまったくの他人として英介と出会うのだ。

十一・女神

私は美しい！

街を歩くと男たちの目を感じる。すれ違う女で、私よりも綺麗な女は滅多にいない。ショーウィンドーに映る自分の顔を見たい衝動に駆られるが、そんなことは美しい女はしない。

笑みが自然にこぼれる。普通にしていても私の口元は笑みを浮かべているような形なのだが、さらに笑いが加わりそうだ。美人は明るいというのは本当だ。美しいということは、それだけで幸福なことなのだ。そして生まれながらにして美しい女よりも、私の方がその素晴らしさをずっと知っている。

美しくなって初めて気付いたことはいくつもある。それは街で男たちといつも目が合うことだ。正面から歩いてくる男の顔に目をやると、ほとんどの場合、その男と目が合う。かつて醜い時は男と目が合うことなど一度もなかった。

男たちはいつも美しい女の顔を見ていたのだ。だから私が男に視線を向けた時はたいてい目が合ってしまう。こんなことはそれまで知らなかった。美しい女にとっては当たり前のことだったのだろう。そしてブスには永久にわからないことだ。

驚いたことは他にもある。店でもどこでもやたらと男たちが親切にしてくれることだ。レストランやバーではいつもいい席に案内してくれたし、時にはワインなどのサービスもあった。デパートでも店員を呼べば、すぐに飛んで来て、こちらが要求したことに一所懸命に応えようとしてくれた。様々なところで待たされるということが極端に少なくなった。クレームの対応にはいつも誠意を感じた。こんなことは以前はなかった。正当な要求さえ、木で鼻をくくったような対応をされることは珍しくなかったし、待たされるのも普通だった。

一度、書店で本が見つからなかった時、若い男性の書店員はすぐ近くにある同じチェーン店に在庫があることを確認してくれ、わざわざ取りに行ってくれた。ここまでされて嬉しくないはずはない。私は彼に精一杯の笑顔で感謝の意を表した。彼も嬉しそうだった。

美人の性格がよくなるのは当たり前だと思った。いつもこんな風に善意に包まれていれば、自分もまた気配りのできる笑顔の素敵な女になるのは当然だ。

自分が美しくなって気付いたことのもう一つは、本当に美人と言える女なんて滅多にいないということだ。醜い時代は、「世の中には美しい女性がいくらでもいる」と思っていたが、実際はそうでもなかった。そこそこ美しい女も、よく見れば、たいていどこかおかしい。欠点がいくつも見えた。多分、それが個性なんだろう。

美しさは同性にも効果があった。醜い時代は、いろんな店で、正当なクレームでさえ拒絶されることも珍しくなかったのに、美しくなってからは、やや理不尽と思える要求でさえ聞いてもらえた。ほとんどの女性店員たちは、私が静かに話すと呑まれたようになった。

若い娘にはさらに威力を発揮した。

デートしていた男と一緒にコンビニに入った時にこんなことがあった。雑誌売り場で四人のギャル風の女の子が、品のない男性雑誌を開いて大きな声で下品な冗談を言ってはしゃいでいた。レジの中年女性も周囲の客たちも明らかに不快そうだった。

「あの子たちを黙らせてあげましょうか」

と私は男に言った。

「やめておけよ。逆切れされて面倒なことになるよ」

「あら、何も直接注意するとは言ってないわ」

男は怪訝そうな顔をした。

私はゆっくりと雑誌売り場の前に行くと、優雅な仕草でファッション雑誌を手に取り、そこでページを開いた。

女の子たちは私の顔に目をやった途端、お喋りをやめた。いや、正確に言うとやめたのではない。声を落として話し出したのだ。そして見ていた雑誌をそっと棚に戻すと、店を出て行った。

少し離れたところで見ていた男は肩をすくめた。


街を歩くと、多くの男が声を掛けてくる。皆、緊張した顔で誘ってくる。おどおどしている様子を見ると、おかしくてたまらない。もちろんそんな素振りは微塵も見せない。たまにふてぶてしい男もいる。俺は美人なんか何とも思ってないぜ、という態度を取る男だ。

「お茶でも、飲まない？」

くだけた感じで言う男には、私は「えっ？」と小声で言い、自分の一番魅力的な顔で見つめてやる。顎を少し引いて、左にわずかに顔を傾け、目を大きく開いて、上目遣いに相手の目を見つめるのだ。すると、そんな男も怯む。

「いやあ、お茶でもどうかと思って……」

さっきよりも幾分高い声で同じことを言う。私は相手の言うことは理解したという風にわずかにうなずくが、答えることはせず、黙って男の目を見つめる。

「時間ないですか？」

たいていの男は自分から引くようなことを言う。私はにっこり微笑む。自信を失いかけている男の顔がぱっと明るくなる。

「嬉しいですが、時間がありません」

途端に男の顔に失望の色が浮き上がる。

でも時々は、お茶に付き合ってやる。好みの男性の時が多いが、そうでない時もある。ただの退屈しのぎだ。ただし派手な恰好をしたチンピラやホストみたいなタイプは絶対にお断りだ。私が相手をするのは、きちんとした身なりをしたサラリーマン風の男たちだ。「一時間くらいなら大丈夫です」と言うと、ほとんどの男が本当に嬉しそうな顔を見せた。

この遊びは楽しかった。

男たちは思いもかけない僥倖（ぎょうこう）に有頂天になりながら、わずかな時間に自分をアピールしようと緊張するのが手に取るようにわかる。

たいていの男が喫茶店に入ると、自分はこんなことをするのは滅多にないと言う。あまりに魅力的なので、つい声を掛けてしまった、と。そんな台詞は聞き慣れている私にしてみれば、感激はしないが、嫌ではない。美に対する賞賛の言葉は聞き飽きることはない。

中には生まれて初めてこんなことをしたと言う男もいる。そんな自分に驚いている、と。

私は心の中で、嘘つけ！　と言う。でも、そんな感情はおくびにも出さずに、恥ずかしそうに微笑み「嬉しいです」と言ってやる。男はようやくほっとした表情を浮かべる。それからおもむろに自分の仕事の話、趣味の話を一所懸命に話し始める。

にこにこしながら聞いてやると、男は調子に乗ってどんどん話し出す。それで時々、退屈そうな顔をして見せる。そんな時、たいていの男が焦り出す。私の興味のポイントがどこにあるのかと思って、好きな映画や音楽は何かと聞いてくる。

男たちは皆、私を賢い女と思いこんでいる。私の目が知的な目と勘違いさせているからでもあるが、それだけではない。

人は魅力的な容姿の持ち主を見ると、知能が高く、望ましい性格で、立派な人と無意識に思いこむ。これは「光背効果(こうはい)」＝「ハロー・イフェクト」のゆがんだ結果らしい。「光背効果」とは、その人に何か一つでも顕著ないい特徴があると、他の部分も優れていると錯覚することだ。「光背」とはキリストの肖像などの後ろに描かれる光輪だ。仏像の頭部の後ろにも作られている。

初めてこのことを短大の心理学で知った時は愕然としたが、嘘だとは思わなかった。やっぱりそうなのだ、と思っただけだった。

心理学の助教授の玉井はさらに驚くことを言った。

「アメリカの大学の調査では、教授が女子学生を評価する時に、明らかに容姿に左右されるという結果が出たのは有名な話だよ」

その時、教室中は女子学生の非難の声で一杯になった。玉井は言った。

「心配しなくても、ぼくはそんなことはしないからね」

女子学生たちは皆笑ったが、私は笑えなかった。ずっと身をもって知らされてきたし、その一年後、就職試験の時にまざまざと見せつけられることになった。

そして今、私は光背効果の恩恵をいっぱいに受けていた。


私はさらに美しさを目指した。

皮肉なことに、私が行なったのは完璧な均衡を崩すことだった。

そうすることになったきっかけは、ソープに客としてやってきた、ある年老いた美術評論家との会話だった。彼は変わり者で、いつも本番はせずに体を洗わせるだけだった。そしてベッドの上に二人で横になって会話をするのを楽しんだ。

彼はある時、私の顔を見てこう言った。

「あなたの顔は完璧すぎる」

私は褒め言葉と受け取って微笑んだが、そうではなかった。彼は尋ねた。

「モナリザの魅力はどこにあると思いますか？」

「さあ、昔から謎の微笑みと言われていますね」

「その通りです。モナリザの微笑みの魅力は、嬉しい感情か悲しい感情か読みとれないことにあります。私は、これは一種のゆらぎだと思っています」

「ゆらぎ、ですか――」

「音楽にたとえてもわかりやすいですね。全音階の長調はたしかに明るく開放的で人を楽しい気分にしますが、深みに欠けるきらいがあります。一方、短調は悲哀を含んで深みを感じさせますが、癒される部分が少ないです。長調と短調が微妙に交錯する半音階のメロディーには、人は不思議な魅力を感じます。飽きがこないとも言えます。これも、ゆらぎです」

面白い話だと思った。

「たとえば、焼き物の名人がろくろを回して作った皿には、人は魅力を感じます。でも機械で作った完璧な瀬戸物の皿からは、人は魅力を感じません」

「完璧すぎるからですか？」

「完璧なものは美しいです。でも魅力とは別なのです。たとえば彫刻でも、機械で彫った完璧なものよりも、人が手で作った、わずかにずれがある方が魅力的なのです」

「それが、ゆらぎですか」

年老いた美術評論家はにっこりと微笑んだ。

彼との会話の後、私は敢えて、完璧な均衡にした顔をずらす手術を何度か繰り返した。ずらすといっても、ほとんど気付かないほどのわずかなずれだ。

せっかく完璧に揃えた右目と左目の大きさを変え、目尻の角度も差をつけた。さらに眉の角度も変えた。いずれも注意して見てもわからないくらいのわずかなものだ。口角の上げ具合もわずかに差をつけた。これによって私の目は一種の悲しみを含みながら、口元は微笑みを浮かべている不思議な顔になった。

この効果は自分でも驚くほど大きかった。まずソープでの指名の数が上がった。それに街を歩いている時に声を掛けられる回数も増えた。私はあらためて「ゆらぎ」の威力を見た。

人は現実の女を見るとき、写真のような二次元では見ていない。顔の角度は絶えず変わり、見る方向によって千変万化する。私の顔は左から見るときと右から見るときとでは印象が違う。それは意識することのないくらいのわずかなものだ。でもそれを見る人の潜在意識ではそれを認識している。ちょうど心の深いところでサブリミナルのように受け取っているのだ。

ソープの仕事は夕方からだったから、私は空いている時間を利用してメイク講座に通うようになった。メイクアップによってさらに美しさに磨きをかけたかったからだ。私の顔は上手なメイクをすれば一層美しさが増した。

美しくなるためのすべての努力が楽しかった。努力が見事に報われるのだから、努力する意欲も湧く。

世の中の美しくない女が、さらに美しくなくなるのもよく理解できた。世の中の男性たちには「美しくない女は、美しくなるための努力さえしない」という者もいたが、それは仕方がない。同じ努力をしても、美人とブスでは成果が全然違うのだ。乏しい成果をさんざん見せられて、なお気合いを維持することの困難さを理解しているのだろうか。そして、美しい女はさらに美しくなり、そうでない女はますますそうでなくなっていくのだ。

メイク講座に来る女性たちは年代も職業も様々だった。上は六十歳を超えている女性から下は二十歳くらいの女の子までいた。銀座のホステスもいれば、プロのエステティシャンもいた。普通の主婦もいればＯＬもいた。美しさを求める理由に年齢も職業もないのだ。

私は講座に通う女性たちの何人かと知り合いになった。彼女たちと講座の終わりに一緒にお茶を飲むこともあった。長い間、知り合いの女性は風俗の女ばかりだったから、普通の主婦やＯＬの日常の話を聞くのは新鮮だった。

年下のＯＬは私の美しさを褒めた。どんなエステに通っているのか、どんな化粧品を使っているのかと聞く娘もいた。私は彼女たちの前で自分の美しさをひけらかすようなことは絶対にしなかった。私の容姿の話になるとさりげなく話題を変えた。

それが一層彼女たちに控えめな人という印象を与えたようだ。美しい女性は皆、自分の容姿に関しては控えめだ。なぜなら美は一目瞭然だからだ。自分の美しさを説明する必要も、美しさの秘訣を語ることもない。なら黙っていればいい。それに一瞬でも自分の美しさを自覚している素振りを見せた途端、多くの女性たちの憎悪の込もった怒りを買うのがわかっている。醜い女であった私は、誰よりもそれを知っていた。


知り合ったＯＬに誘われて、合コンにも何度か参加した。

私はＯＬとして参加した。ソープに勤めるようになってから、電話受け付けのサービス会社に登録していて、架空の名刺も持っていた。そこは風俗の女性たちが親や友人たちをごまかすためのダミー会社だ。私が働いているソープの女の子たちの多くも利用していた。名刺に書かれてある会社の電話番号にかけると、ダミー会社の女性がその会社名を名乗り、それなりの対応をしてくれるというわけだ。私は税理士事務所に勤めていることになっていた。

合コンで出会った男たちはサラリーマンが多かった。いずれも大学出の男たちだ。

合コンは短大以来だった。かつては珍獣扱いされていたが、今は違った。

男たちは例外なく私を意識した。皆に向かって冗談やギャグを言う時も、私の反応をうかがっていた。私が笑うと、その顔には「してやったり」という表情が浮かんだし、私が笑わないと、焦りの色が浮かんだ。私が席を立つと、話の途中にもかかわらず途端にトーンを落とす男もいた。

私が席を外している間は男たちの気持ちは盛り下がっているはずだ。短大時代にすごい美人が参加する合コンでは何度も見た光景だ。男たちは私が戻るまで、とっておきの話はしない。

私が口を開くと、男たちは話を中断して私の話を聞いた。だからどんなにその場がやかましくても、私の声はいつも通った。そして男たちは私の言葉に素早く反応した。

痺れるような快感だった。かつて遠目で眺めていた美人の役割を、今、私が演じているのだと思うと、ゾクゾクした。

たったこれだけのことが、これほどまでの快感とは想像もしなかった。他愛ないと言えば実に他愛ない。下らないと言えば実に下らない。しかしこの快感は味わった者でなければわからない。私も短大時代に夢見たことはあったが、これほどまでに心地よいものだとは知らなかった。

男たちの心の底にあることはお見通しだった。彼らはただセックスがしたかったのだ。面白い話もギャグも、そこに至る長い前ふりだ。他の女たちがそのことに気付いていたのかは知らない。気付いている子もいただろうし、そうでない子もいただろう。男の中にはセックスではなく純粋な恋愛が目的という幼いのもいたが、そういう男はたいていものすごく退屈な男だった。

熱心に私にアタックしてくる男たちには、たまに携帯電話の番号を教えた。恋の期待ではない。単なる退屈しのぎだ。

携帯の番号を教えて電話をかけてこなかった男はいない。たいていの男が数日以内にかけてきたが、たまに一週間以上経ってかけてくる男もいた。たいていはルックスがよくて自信ありげな男だった。焦らすつもりか、おそらく何らかの効果を期待しているのだろうが、私には通じない。恋の駆け引きやゲームに付き合うつもりはない。そんな男には「ごめんなさい。あなたのことをよく覚えていないのです」と言ってやった。

私に対して素直に憧れの気持ちを口にする男には、たまに会ってやった。

普段、ソープで男にかしずく仕事をしていると、どこかで男たちにかしずかれたくなるのだ。同僚の女の子の中にはホストクラブに入りびたる子も少なくなかったが、私はご免だった。苦労して稼いだ金をホストなんかにくれてはやれなかった。

しかし彼女たちがホストにちやほやされていい気分になるのは理解できた。私にとって、合コンで出会った男たちとのデートがホストクラブのようなものだった。

　デートはいつも昼か昼下がりだった。夜の貴重な仕事時間を削るわけにはいかなかった。ランチか三時のティータイムという健康的なデートだった。セックスにつながるかもしれない妖しい雰囲気のデートなんかしたくなかった。どうせ数時間後にはいやというほどセックスをするのだ。

　男たちの話はいつも自慢話だった。これは不思議な体験だった。かつて醜い顔をしている時は、男の自慢話など聞いたことがなかった。

　そしてもう一つ彼らがよくしたのは、自分の趣味の話だ。彼らは観た映画、芝居、読んだ本、聴いた音楽などの話をよくした。中には、歌舞伎やオペラの話をする者もいた。サッカーについて熱く語る者もいた。彼らのする話のほとんどが興味のない話だったが、興味あるような顔をして聞いてやると、一所懸命に語った。

　しかしその話をよく聞いているうちに、ある共通点が見えてきた。それは、自分がいかに知的であるかというアピールだ。男たちが女に熱心にする話というのは、全部自分を恰好良く見せるためのものなのだということがわかった。だから、醜い時代にはこんな話は聞けなかったのだ。それにヘルスでもソープでも、男たちはアピールする必要がない。

　もう一つ気付いたことがある。それは男たちが平気で難しい話をすることだ。でも難解でレベルの高い話は、相手に理解してもらえなければ意味がない。ところが彼らは私が話の内容を理解していると思っているようだった。男たちは皆、私を賢い女と思いこんでいたのだ——そう、光背効果だ。

光背効果は信じていたが、実際に高学歴の男たちが私に向かって一所懸命に知的なことを話しているのを目の当たりにすると、その威力に自分自身で驚いた。

最初は自分の知識と理解力の低さがすぐに露呈するのではないかと恐れたが、そんな心配は無用だった。

男の難しい話を聞くこつは、話の内容ではなく、声のトーンだけ聞くことだ。それに男はここ一番の話をする時は、「どうだ」という顔を見せるからわかりやすい。その時に大きくうなずいたり感心したりするふりをしてやれば、男は大喜びする。そして時々は質問してやることだ。時々、首を傾(かし)げてもう一度お願いします、と言ってやると、男は嬉々として説明する。

そして話が終わった最後には、男たちはすっかり感心したような顔で「あなたほど頭のいい女性に会ったことがない」と言うのだ。

だから私はいろいろな難しい話を沢山聞いた。世の美人はこうした話題に触れる機会が、ブスに比べて百倍くらい多いのだということを初めて知った。

しかし私はせっかく知性や教養に触れる多くの機会を与えられながら、そうしたものを身につけることはできなかった。話なんか全然聞いていなかったからだ。しかしそんなものはどうだっていい。大事なことは男たちが賢い女として扱ってくれることだ。知的で素晴らしい女性として扱われることが大事なのだった。

私は「話し方教室」に通うようにもなった。

きっかけは客に「なまり」を指摘されたからだ。その客は私と同じ県の出身だった。私は東京に来てから故郷の匂いを消したくて、なまりを消していたつもりだったが、同郷の人には簡単にわかるものだったらしい。私は周囲の人に出身地を偽っていたので、少しだけ焦った。いつの日か、英介と出会う日のことを想像して焦ったのだ。彼は私のなまりを聞き取り、同郷の者だと見抜くかもしれない。

それで話し方教室に通い、完璧な標準語を身につけようと思ったのだ。ついでに、この顔にふさわしい優雅な話し方をしようと考えた。

教室に通って三ヶ月で私のイントネーションはほぼ完璧になった。講師のお墨付きだったから間違いはないだろう。講師に言わせれば、私には才能があるということだ。

その教室はアナウンス教室もやっていて、私にナレーターコンパニオンの仕事をしてみないかと言ってきたが、断った。モデル事務所を紹介するよとも言われたが全部断った。OLよりも収入はずっとよくなるよと言われたが、「華やかな世界は向いていませんので」と言った。

イントネーションを直した後も、いくつかの講座を受けた。暇と金があったからだが、上手な会話をする人間に憧れもあった。

話し方教室に通い出して半年後に、懐かしい人物に再会した。短大時代に心理学を習った玉井が新しい講師としてやって来たのだ。彼の講座は「知性豊かに見せる話し方」というものだった。

玉井の顔を見るのは九年ぶりだった。以前は長く伸ばしていた髪は短く刈られていた。ラフなブレザーではなく、きちんとした背広を着ていた。全体にふっくらと肉が付き、それなりの貫禄がついていた。私が知っている頃は三十ちょっとくらいの年齢だったから、もう四十歳は超えているはずだった。肩書きは教授になっていた。

最初の講座を終えて、教室から出ようとする玉井に声をかけた。

「私はY女子短大で、先生の授業を受けたことがあります」

「そうですか。それは奇遇ですね」

「昔の授業も楽しかったですが、今日の講座も素敵でした」

「ありがとう。お名前は何といいますか？」

私は一瞬迷ったが、「鈴原と申します」と本名を名乗った。

会話はそれだけだった。お互いに、よろしくと言って別れた。


翌週、同じ講座を受けた帰り際、玉井から声をかけられた。

「鈴原さん、もしよかったらお茶でもいかがですか？」

私が講義中に玉井の顔を見つめていたから、声をかけても大丈夫と思ったのだろう。

「ええ、かまいません」

私と玉井は教室の近くの喫茶店に入った。

「鈴原さんは二十八期生ですね」

「卒業名簿を見たんですね」

「その年に私の授業を受けていますね。私の記録に残っていました。鈴原未帆さんですね」

「覚えています？」

「もちろん！」

と玉井は言った。「先週にお会いした時、どこかで見た顔だと思ったのですが、別れた後、思い出しました」

私は玉井の抜け抜けと言う嘘に少々呆れながらも、黙って頭を下げた。

「あなたは昔から美しかったけど、さらに美しくなりましたね」

「そうおっしゃっていただけて嬉しいです」

「今は何をされているのですか？」

「税理士事務所で働いています」

玉井はコーヒーを飲みながら、私の顔を正面からじっと見つめた。私は視線を少し落として彼に好きなだけ自分の顔を見つめさせた。

「それにしても美しいなあ」

玉井は感心したように言った。私は小さく首を横に振った。

「謙遜は良くないなあ」玉井は笑った。「それだけの美貌なんだから、自分が美しいと思われることは知っているでしょう」

私は苦笑した。

「でも、美しさなんて、外見だけのものでしょう」

「そこに価値があるんですよ」

私は驚いた。かつて彼はその反対のことを言っていたからだ。外見の美しさなどに惑わされるのは愚かなことだ、ぼくは女性の内面にしか興味がない、と言っていたではないか。女性の本当の美しさは内面にあると言っていた。幼い私はその言葉にどれほど勇気づけられたか——。

「美しいというのは、ただ皮一枚のことでしょう」

「たかが皮一枚、されど皮一枚ですよ。皮一枚がどれほど大きいものか。たとえば——」

玉井は真剣な顔で言った。

「芸術作品を見て下さい。美しい絵画とそうでない絵画の違いは、油絵の具のわずかなバランスの違いだけですよ。美しい音楽とそうでない音楽の違いもヘルツの違う音の配列の変化にすぎません。百メートルを九・九秒で走れば、世界の英雄ですが、〇・一秒遅い人間には何の称賛も与えられません。美人は皮一枚と言いますが、美しいということは、それだけで他のものを圧倒する価値があるのです」

私の口元は、その瞬間少し緩んだかもしれない。

「傾城(けいせい)という言葉を知っていますか？」

「知りません」

「城が傾くと書きます。江戸時代、美しい花魁(おいらん)のことをそう言ったのです。もともとは中国の言葉です。国王が、城つまり国を傾けてしまうほどにのめり込む美女という意味です。楊(よう)

貴妃に夢中になって国を滅ぼしかけた唐の玄宗皇帝が有名ですね。シーザーを惑わせたクレオパトラもそう言えるかもしれない」

「城を滅ぼすほどの美人、ですか……」

傾城という言葉は私をうっとりとさせた。

「つまり、絶世の美女というのはそれほどの価値があるのです。これはもう芸術作品のようなものです。実用品ではない。だからその価値がわかる人にしかわからない」

玉井の言葉は私をますますいい気分にした。

「内面はどうなります？」

「内面は見えない。残念ながら」

彼はそう言って片目をつぶって悪戯っぽく笑った。私もついつられて笑った。

玉井の言葉は不快ではなかった。理由は簡単だ。私が美しかったからだ。むしろ玉井の本心が聞けて嬉しかった。これほどまでに苦労して美しくなったのに、「外見上の美しさよりも内面の美しさが大事だ」なんて言われたら、その方が腹が立っただろう。

私の笑顔を見て、玉井が私を舐めるような目をした。先程までの美術品を見つめる目ではなく、食事に注がれる目だ。ソープに来る男たちがよくする無遠慮な目だ。玉井は私を抱きたがっていると感じた。どうして男は女が少し笑顔を見せただけで自分に気があると思いこむのだろう。

「鈴原さんは実に魅力的だなあ」

玉井は唐突に言った。「何だか急速に惹かれていくのを感じるよ」

いきなり口説きモードか、と内心で呆れたが、私はそれを抑えて恥ずかしそうに俯いた。

「鈴原さんは外見上の美しさも素晴らしいが、その内側はそれ以上に輝いている——ぼくはこう見えても一応心理学の教授だから、鈴原さんの素晴らしさは理解している」

私は急に気持ちが冷めていくのを感じた。

私は俯いたまま呟くように言った。

「玉井先生になら、私、抱かれてもいいな」

私の言葉に、玉井はぎくっとした顔をした。頰をこわばらせた。

「びっくりするようなことを言わないでよ。一瞬マジに受け取ってしまったじゃないか」

玉井は緊張した顔で笑った。

「あら、冗談で受け取ったんですか。女が真剣に言ったのに——」

真面目な顔で言うと、彼は慌てた。

「いや、そんな意味じゃない。真面目に受け取ったよ」

私がにこりともせず、コーヒーカップに口をつけると、彼はますます慌てた。

「あんまり突然なので驚いただけで……、君がその気なら、ぼくもきちんと受け止める」

私は彼の目を見ないでコーヒーカップを置いた。

「今から、どこかへ行こうか」

「ごめんなさい」と私は言った。「その気がなくなりました」

玉井は、えっ、という顔をした。

「女が勇気を振り絞って言った言葉を冗談ではぐらかされるのは屈辱です。さっきの言葉は忘れて下さい」

「そんな――」玉井は言葉を詰まらせた。「君に屈辱感を与えたのなら謝ります。本当は君が言った瞬間に、ぼくは天にも昇る気持ちになったんだ」

「残念ですね。心の中は見えませんから」

玉井が呆然とした顔をするのを見つめながら、私は席を立った。

はじめから玉井と寝るつもりなんか微塵もなかった。彼に恨みはない。それどころか、私の美しさを褒めそやしてくれたことは嬉しかった。私は心から喜んだのだ。しかしその後口説きにかかったことが、すべてをぶち壊した。あれで私の美しさへの賞賛の言葉が価値を失ってしまった。

口説く時に、とってつけたように内面を褒められたのも不快だった。私のことを何も知らないのに、そんなことを言ってもまったく意味がない。美しさだけを褒めそやしてくれればよかったのだ。それならただで抱かれてあげてもよかったのに――。

その日以降、玉井から毎日のように電話があった。前の会話で、もう少しで落とせると思ったのだろう、あの手この手で口説いてきた。

最初はそっけなく対応していたが、途中から、からかいたくなってきた。それで時々は優しく対応した。

すると、彼の言葉は様々に変化した。そこらの男のように一本調子の口説きではなかった。さすがは心理学者と感心した。文字通り押したり引いたりだ。私の性格を必死で分析し、自分の持つ心理学のすべての武器を駆使して頑張っているのだろう。でも、彼は一番肝心なことがわかっていなかった。私が玉井にまったく気がないということをだ。それで心理学者とはお笑い種だ。

二週間ほど、やりとりしていたが、そのうちに面倒くさくなった。それで、ある日、私は玉井に言った。

「素直に言いますと、私は玉井さんにすごく惹かれています。自分でも怖いくらいです」

受話器の向こうで、玉井が息を呑むのがわかった。

「でも、玉井さんに抱かれるわけにはいきません」

「惹かれてるのに――なぜ？」

玉井の声には喜びを抑えた響きがあった。

「私は、その男性が誰よりも私を愛してくれないと、いやなんです。二番目はいや！」

「君を一番愛してる」

「――奥様よりも？」

「もちろん」

「嘘」

「嘘じゃない」

「誓えます？」

「誓うよ。こんなに好きになったのは初めてだ」

私は少し間をおいて、「わかりました」と言った。そして、「では、来週末、旅行に行きましょう。家を空けられますか？」と聞いた。

「大丈夫だ」

そう言った玉井の声が上擦っているのがおかしくて、思わず噴き出しそうになり、慌てて受話器を手で押さえた。

週末に伊豆で落ち合う約束をした後、電話を切った。その後、電器店に行き、今の会話をカセットテープにダビングしてもらった。そのテープは、玉井が伊豆に行っている日に家に届くように送るつもりだった。

　もちろん伊豆になんか行く気はないし、週末には携帯電話の番号も変えてしまう。玉井とは一生会うこともない。

　何度か恋愛の真似ごともした。合コンで知り合った男や街で声をかけられた男たちだ。恋愛ゲームはそれなりに楽しかった。映画に行ったり、食事したり、セックスしたりだ。セックスは仕事に比べると比較にならないほど楽だった。

　仕事では一方的に奉仕することが多かったが、「恋人」とのセックスは男がいろいろと奉仕してくれた。これはそれなりに快感だった。だから、頑張って奉仕せずに、私を楽しませなかった男は、それでお払い箱にした。本来なら何万円も稼げるセックスをただでさせてやるのだから、十分な快感がなければ馬鹿らしくて相手にする気が起こらないのも当然だった。

　私は男たちに、実家は東北の老舗旅館で、自分はそこの一人娘だと言った。いずれ故郷に帰り、婿を取って旅館を継ぐ身の上だが、数年だけ東京でＯＬ暮らしをさせてもらっていると言った。信用しない男はいなかった。時々、恥ずかしそうに、給料よりも実家からの仕送りの方が多いと言ってやると、皆、なるほどという顔をした。服も装飾品もいつも高価なものばかり身につけていたから、腑に落ちるのだろう。

私のそういう境遇を聞くと、妻子持ちは一層燃えた。そういう境遇なら結婚してくれとは言われないと思うらしく、露骨にアタックしてきた。文字通りありとあらゆる口説き文句を口にした。そんな時は、私も悪乗りして、「故郷へは帰らずに一緒になりたい」と言ってやる。すると、ほとんどの男は後先考えずに「妻と別れるから一緒になろう」と言う。彼らの考えていることはたった一つだ。早くこの女とやりたい！――ただ、それだけだ。結婚のことなど、適当に時間稼ぎすればいい。どうせ、共通の知人のいない女だ。

そういう時、私は嘘泣きして、嬉しいと呟く。そして、今夜は帰りたくない、と言ってやる。男はもう有頂天だ。頭の中は、妻に今夜は帰れないと、どう言い訳しようかでいっぱいだ。

そこで私は一枚の写真をカウンターの上に出す。小さな男の子の写真だ。男は怪訝そうにそれを覗き込む。

「私の子供」

そう呟いた時の男の顔は本当に見物だ。驚きながら、子供がいたとは知らなかったと口の中でもごもご言う。それはいい。問題はその次だ。

「この子のお父さんになってくれる？」

この時、即座に「うん」と言った男には一度も出会ったことがない。口から出まかせでそう言ってしまえばいいと思うのに、咄嗟のことに頭が回らないのだろう。私の失望した顔を見て、たいていの男が引きさがる。もちろん言い訳をたっぷり聞かされることになる。

後日、あの時は試されたのかもしれないということに気付いて、「子供の父親になる」とはったりをかましてくる男も稀にはいたが、もう遅い。

私が付き合った男の中には、医者もいればサラリーマンもいた。四十過ぎもいれば二十代の男もいた。妻子持ちもいれば独身もいた。金持ちもいれば貧乏人もいた。

男たちは私を連れて歩く時は自信に満ちた態度になった。私に対してではない。街を往く見知らぬ男たちに対してだ。それは例外を知らない。

男にとって、美人を連れ歩くのはブランド品を身につけるのと同じなんだと気が付いた。アルマーニのスーツやロレックスの時計以上に、自分を素晴らしく見せるものだった。

その効果は十分にあった。店や往来で、周囲の男たちは、私を連れている男には独特の視線を送った。大いにやっかみが入った羨望だろうが、男はその視線を味わっていた。レストランでも、私がいるだけで店の者たちの男に対する扱いが微妙に違った。まるで青年実業家か何かと思っているような丁寧な応対だった。

私は男と会う時はいつもファッションもメイクもびしっと決めていた。美しさを存分に味わって貰う、これが私のサービスだった。その代価がたとえお茶一杯でもかまわない。ただセックスはなかなかさせなかった。私がいかにすごい美貌を誇っても、男は一度でも自分のものにすると、美しさの神通力は急速に力を失った。女性経験の豊富な男ほどそうだった。しかし多くの女をものにしてきた男でさえ、セックスさせなければ、その輝きは少しも消えない。もう少しで手に入れられそうな状態にしておけば、女神でいられた。男にとって、一度でも自分の前で股を大きく開いた女は女神ではなくなる。こうしたことは多くの経験で覚えた。

美しい女は男を夢中にさせることはできても、完全に狂わせることはできない。

シーザーとアントニウスを狂わせたクレオパトラ、玄宗皇帝を狂わせた楊貴妃が有名なのは、そんな事件が滅多になかったからだ。絶世の美女なんていつの時代でもいくらでもいる。英雄や王たちがいちいちそんなものに狂っていたら、歴史は大変なことになる。だから本当はクレオパトラや楊貴妃が「世紀の美女」ではなく、シーザーやアントニウスや玄宗が滅多にいない変わり者だったのだ。

女の美貌に迷っても、そのためにすべてを捨てる王はいない。多くの英雄や王は美女を貪るように次から次へと食べては捨てて行ったのだ。美女などと言ってもその美しさの盛りはわずかなものだ。それに美しい女は次から次へと湧いてくる。

　女に狂って人生を棒に振るのは、もてない男たちだ。あるいは棒に振ったところで惜しくもない人生しか送っていない、しがない男たちだ。地位も名誉もある男が、女のためにそれらを捨てることはまずない。花魁は傾城と呼ばれたかもしれないが、実際に花魁のために国を失った大名なんて一人もいない。いかに美人でも、所詮、女の美しさなどというものはそういうものだ。

　でも私はそのことに失望はしていない。地位も名誉もある男たちがたとえひとときではあっても私に夢中になるということが、どれほど素晴らしいことか！　この快感は何物にも代えがたい。美しさを賛美され、崇められ、熱烈に恋されることは、女として生まれた至高の歓びだ。

*

　気が付けば、私は三十歳になっていた。

　しかし私の美貌は翳りを見せなかった。肌が衰えなかったからだ。エステの美容担当の女性にも「驚異的だ」と言われた。機械で測った肌年齢は二十歳だった。定期的にスポーツジムにも通っていたから、体の線にも自信があった。

英介のアメリカ赴任は五年目に入っていたが、帰国したという報告は探偵社から受けていなかった。

英介が帰国したら実際に会いに行く気があるのか、自分でもわからなかった。ただ彼には美しくなった私を見て貰いたかった。たとえ言葉を交わすことがなくても、私の顔だけは見て貰いたい。電車の座席に座る彼の前に立つだけでもいい。彼の目が私を見つめ、この美しさに見とれてくれるだけでいい。心の中で、ああ、美しい人だな、と呟いてくれたら、それだけで満足だ。ああ、そんな日が来たら——もしかしたらその一念が私の肌の衰えを抑えていたのかもしれない。

しかし探偵社からは毎年、今年も高木英介氏の異動はありませんという報告が来るだけだった。自らアメリカに行こうという気は起きなかった。探偵社に調べさせれば、英介のニューヨークでの住所もわかるかもしれないが、一人で訪ねる自信はなかった。

整形は相変わらず続けた。

まつ毛の移植も行なった。これは髪の毛を移植するものだ。両目で八十万円くらいかかったが、それだけの値打ちはあった。まるで付けまつ毛をしているみたいに長く太いまつ毛が目を縁取った。この効果は大きかった。上目遣いで相手を見ると、大きな目が一層強調される一方、下に視線をずらすと、長いまつ毛が目を隠して憂いがかった目になった。目の向きを変えるだけで、目の印象がめまぐるしく変化するのだ。

私は自分の顔をビデオで何本も撮った。部屋にビデオをセットして、自分の顔を様々な角度から映して、どう見えるかを研究した。女優のように表情もいくつも作って研究した。怒った顔、悲しい顔、笑った顔、迷った顔、驚いた顔、うっとりした顔、悪戯っぽい顔、何かに心を奪われたような顔——私はどんな顔も自在にできるようになっていた。一番練習したのは笑顔だ。笑顔だけは十種類以上持っている。同じ笑顔でも角度によって見え方が全然違う。見せる方はそのことも知っていないといけない。たいていの女は鏡で見える角度しか知らない。だから綺麗な女でも、時にびっくりするくらい油断する時がある。

本当に魅力的な笑顔は決して自然には生まれない。誰も気付いてはいないが、実は人の笑顔は「演技の賜物(たまもの)」なのだ。その証拠に、生まれながらにして目が見えない人の笑顔は、目が見える人の笑顔とはあきらかに違う。人は人の笑顔を見て、無意識にそれを真似ているのだ。おそらく笑顔以外の表情も無意識に演じているものばかりだろう。それが魅力的であるかそうでないかは、その人の持って生まれた能力と努力の差にすぎない。

私は目的もなくいろいろな男と付き合った。

青年実業家の岩見孝明は自信に溢れた男だった。都内にいくつかのファッション関係の店を出していた。バブルがはじけて不況にもかかわらず、店は繁盛しているようだった。

本人が一代で稼いだ金ではなく、親の金での成功だったが、岩見は自分一人で成し遂げたような顔をしていた。それも虚勢ではなく本気で信じていた。

彼とのデートは楽しかった。なぜなら私を誘う時はいつも最高級の店を選んでくれたからだ。いくら金を持っていても、一人で一食何万円もするような店で食事することはない。

一見様お断りのような和食の店も行った。プライドの高いそういう店は、客を見下すところがある。案内係からして客を見て差別するのだ。玄関先で客によって扱いが違うシーンを何度も見た。ああいう店が見下すのはおどおどした客だ。成金親父でも堂々とした男には何も言わなかった。私も一度も見下されたことはない。店のしきたりや作法を知らなくても、店の人たちは逆に私を丁重に扱った。私のような美人はそれだけで力がある。私の笑顔は何よりのチップなのだ。

一度、銀座の高級鮨屋でいきなり大トロを三回連続頼んだことがあった。一緒にいた岩見はさすがに慌てた。そして板前に聞こえるくらいの小さな声で、「こういう店では大トロばかり頼むもんじゃないいんだよ」と注意した。私は「まあ、そうなの」と言って、板前に「大トロをもう一つ、いただきたいわ」と言った。

気難しい顔をした板前は、苦笑しながら「お姉さんには、まいったなあ」と言いながら大トロを握った。店を出てから岩見は、「板前に怒鳴られるかと思ったよ」と言った。

「あのオヤジは気難しさでは東京一と言われてるんだ。前に一度大トロを連続して頼んだ客に、他のネタを知らねえのかいって怒鳴ったのを見たことがある」

私は肩をすくめて見せたが、板前が私に怒鳴るはずがないのはわかっていた。最初の大トロを食べた時、板前の目を見て、「すごく、美味しいわ！」と言って、最高の笑顔で微笑んでやった。彼は無愛想に軽くうなずいただけだったが、すごく嬉しがっているのはすぐにわかった。頑固オヤジでもなんでもない、ただの恰好つけの男だ。それに世の中のほとんどの男と同じように美人に弱い助平野郎だ。私ほどの美人に、下らないマナーを注意できるはずがない。かりにそうされたところでどうということはない。黙って店を出て行くだけだ。

その夜も、岩見は関係を迫ったが、キスしかさせなかった。彼が自分のスクラップブックに私の名前を書き込みたいのはわかっていた。そのリストに載れば、一流の店に連れて行ってもらえる機会は激減する。だから私が彼に飽きた時にでもやらせてあげるつもりだった。

大橋信夫は金のない平凡なサラリーマンだった。中小企業の平社員で風采の上がらない三十六歳の男だった。そんな男と付き合ったのは、ちょっとした理由がある。

五反田駅のホームで私が転んでハンドバッグを線路に落とした時、たまたま通りがかった大橋が線路に飛び降りて拾ってくれたのだ。バッグはちょうど線路の上に載っかっていたから、彼が拾ってくれなければ中身はバラバラにちぎれ飛んでいただろう。彼がホームに戻ってすぐに電車が通過した。

私がお礼にお茶に誘うと、大橋は一瞬、迷った。営業中で次の約束があったらしい。

「後日というわけにはいかないでしょうか」

遠慮がちに言う大橋に、意地悪をしてみたくなった。

「後日なら、ないです」

大橋は意を決したようだった。

「わかりました。お茶をご一緒させてください」

近くの喫茶店へ行く間に、大橋は営業先にキャンセルの電話をした。

「あなたはスーパーマンかと思いました」

喫茶店に入って、私がそう言うと、大橋は本気で照れた。

「こんな綺麗な人とは思わなかった」

彼は少しどぎまぎしながら言った。私が正面からじっと見つめると、彼は、自信のないほとんどの男がそうするように目を逸らした。これは私のテスト方法だ。初対面で私の目をじっと見つめ返す男は、よほど鈍感な男か、女に慣れている自信のある男だ。

大橋は女扱いが不器用な男だった。本人は過去に何回か恋愛経験はあると言っていたが、おそらくそれは嘘だった。

大橋もやはり自分の話を一所懸命にした。彼は読書家だったらしく、好きな本について詳しく話した。いろんな名前が出たが、そういうものをほとんど知らない私にはまったく興味が持てなかった。ただ、村上春樹の名前だけは記憶に残っていた。彼は「現代の社会の苦悩をわかっているのは彼だけだ」と言った。私が感心した顔をしてやると、すごく嬉しそうだった。

それ以降、大橋とはたまにデートした。

酒が飲めない大橋とはいつも食事だけだった。だから私を酔わせてどうこうしようということはなかった。食事が終わると早い時間に別れた。彼は会うたびに本の話をした。本の話は退屈だったが、彼とのデートは面白かった。三十半ばまで一度も恋愛したことのない男が、これからどういう風にやっていくのだろうという興味があったからだ。

大橋は私といるときはいつも緊張していた。おそらくデートの前にさんざん迷って決めたであろうお店に、私が難色を示すと、滑稽なくらいうろたえた。慌てながら次に名前を出した店も、気が乗らないと答えると、本当に汗を流した。私はそれを楽しんでいたわけではないが、自信のない男を見るとからかってやりたくなるのだ。

大橋は高価なプレゼントをくれたりはしなかったが、金を持っている男たちの中には値の張るブランド品やアクセサリーなどをくれる者がいくらでもいた。

もう少しで「この女とやれる」と確信した男は、ねだれば何でも買ってくれる。もちろんこちらも男の財布の中身を計算して言っている。私はブランド品にも装飾品にもたいして興味はなかったが、自分の美しさの威力がどのくらいあるのかを知りたくて、高価なものをねだった。その値段が男にとっての私の価値だ。

それにしても男というものは本当に愚かだと思う時がある。私に高いプレゼントを贈る男たちの目的は、結局のところはセックスに他ならない。十五万円も出せば、ソープで私の精一杯の奉仕による極上のセックスを堪能できるにもかかわらず、やれるかどうかもわからないのに、その何倍もの金を費やすなんて――。

仮にセックスまで漕ぎつけたとしてもマグロ状態の私を抱くことになる。その時の男たちの至福の歓びを味わった顔を見ると、笑いをこらえるのに苦労する時がある。

しかし中には、高収入を得ていながら高額なプレゼントを一切しない男もいた。一度、店の女の子たちとそんな話をしたことがある。

「世の中の男には、女に貢ぐタイプと、そうでないタイプがあると思わない？」

私の言葉に、同僚の女の子の一人が答えた。

「あるある。それで、貢ぐタイプの男って、たいていダサイわね。カッコいい男は女に貢がない」

皆がうなずいた。私もそうだと思った。貢ぐ男は女に自信がないタイプだ。逆に貢がない男は女に不自由していない男だ。しかし「女に不自由しない」男の方が一緒にいてずっと楽しかった。同僚の女の子たちと一緒に棲んでいるようなヒモも、きっと多くがそんなタイプなのだろう。

「でもね、若い頃はもててた男も年取ってもてなくなると、ミツグ君になっちゃうのね」

「そうそう」

と何人かが言った。

「けど、男より私たちの方が先に年を取るよ」

誰かのツッコミに皆が笑った。

しかし私は心から笑えなかった。

男より女の方が早く年を取る――これは三十歳を超えた私にとっては切実な問題だった。たしかに今はまだ十分に美しい。しかしこの美しさがいつまでもつかはわからない。衰えはある日突然やってくる。二十代の半ばで来る子もいれば、三十代の後半で来る人もいる。この世界にいて、そんなシーンを何度も見てきた。

最初は「あれ？ 彼女、今日は化粧のノリがよくなさそう」という感じにしか見えない。数日後にはいつもの綺麗な肌に戻っている。ところがしばらくするとまた調子がよくなくなる。その繰り返しのスパンが次第に短くなって、気が付けば、はっきり老けが始まっているのだ。「お肌の曲がり角」とはよく言った。恐ろしいのは曲がり角が急カーブなことだ。

そんな日が私にもいつかは来る――もしかしたらそれは明日かもしれない。

せっかく大金を使い、何年もかけて、美しくなったのに、輝くような美しさはわずかな時間しかもたないのだ。

問題は英介が戻ってくるまで、私の美しさがもつかどうかだ。私のような仕事をしている女は肌の衰えが早い。私自身、何年もピルを服用しているし、客に性病をうつされてきつい抗生物質も何度も飲んでいる。多分、内臓は相当弱っているに違いない。風俗の女が急激に老けるのもそのせいだ。

私たちは体を犠牲にして金を稼いでいるのだ。

三十一歳の時、人生に大きな転機が訪れた——体を壊して入院したのだ。

最初は疲れやすくなったくらいにしか思っていなかった。後から思えば、その時早めに病院に行っていれば悪化することもなかったのかもしれない。若い頃から体力には自信があったのがよくなかった。だから相当悪くなるまで頑張ってしまった。

ある日の午後、どうしてもベッドから起きあがることができず、店に電話した。駆けつけた店の男に病院に連れていってもらい検査を受けると、肝機能と腎機能がかなり低下していた。慢性肝炎と急性腎炎という診断を受け、即入院しなければ、人工透析を受けることになると言われた。

結局、半年近く入院した。医者には自分の本当の仕事を言った。

医者は「長生きしたければ、辞めることだね」と言った。

急性腎炎は治癒したが、肝炎の方は慢性化していて、完全に治癒するのは難しいということだった。

「もう一度仕事に戻ると、今度は死ぬことになるよ」

医者には、はっきりそう言われた。

「ぶっちゃけた話、現在の肝機能ではハードな仕事はできないし、普通の日常生活もきつい」

半年近くにわたった入院生活だったが、金の心配はなかった。これまでの六年にわたる風俗の世界で稼いだ金は、何と二億円を軽く超えていた。

入院した当初は寂しかったから、付き合った男たちに「体を壊した」とメールを送った。一度しかデートしなかった男にも送った。すぐに何人もの男が見舞いに来てくれた。最初の頃、男たちは何度も病室に来てくれた。私は男たちがかち合わないように、調整しなければならないくらいだった。退屈な病室にいると、どんな男が来ても楽しい。

でも入院が二ヶ月を超えたあたりから、彼らの足が遠のいた。ひと月に一度とか、何週間に一度というペースになった。見舞いの代わりに携帯メールで元気づけるような言葉を送ってきた。直接見舞いに来ない男には返信しなかった。するとやがてメールも来なくなった。

入院して四ヶ月を過ぎると、見舞い客も滅多に来なくなった。誰も見舞いに来ない一日を過ごし、夜、一人個室でベッドに体を横たえ、暗い天井を見つめていると、自分はこのままたった一人で死んでいくような気がした。

ただ一人、大橋信夫だけが毎週のように来てくれた。彼は私が付き合った男の中でも一番風采の上がらない男だったから、最初は彼が来ても嬉しくなかった。病室で二人きりになっても、すぐに話題が途切れた。大橋はもともと、私を笑わせたり、楽しませたりするトークの技術がない。でも、不思議なもので、誰も見舞い客が来なくなると、大橋でも来れば嬉しかった。

彼は必ず花を持って見舞いに来た。だからいつも病室には花があった。これまでの人生で花なんかじっくり見たことはなかった。でも、退屈な病室でじっと花を見ていると、その美しさに素直に感動した。

でも、花は本来、果実をつけるためにある。花の美しさはそのためにあるのだ。なのに、ただ美しさだけを愛でるために切り花にされる花を哀れだと思った。こんな気持ちになったのも、入院で気持ちが弱っていたからだろう。

大橋とは何度かデートしたが、一度も愛を告白されたことはない。というか、「好き」と言われたことさえない。おそらく女にそういうことを一度も言ったことがない男なのだろう。だから三十六歳になっても独身でいたのだ。

もちろん病室で私を口説いたりもしない。多くの男たちみたいに、気持ちが弱っている女に、チャンスとばかりに必要以上に優しい言葉をかけたりもしない。いつも花を持ってきて、少しだけ退屈な話をして、帰って行く。帰り際にはいつも「早く元気になってね」と言った。

ある日、私は大橋に聞いた。

「どうして毎週、お見舞いに来てくれるの？」

「多分――好きだから」

大橋はそう言って、顔を赤らめた。三十代の男がそんな風に顔を赤らめるのを初めて見た。私は毛布からそっと左手を出して、大橋の手を握った。大橋は驚いた顔をしたが、私の手を強く握り返した。

翌週、病室にやってきた大橋の顔はこれまでに見たことがないほど緊張していた。プロポーズする気だなというのはすぐにわかった。

彼はいつもの退屈な話もせずに、いきなり言った。

「結婚してください」

「私は肝臓が弱っていて、家事も満足にできない女よ」

「かまわない」

「多分、あなたよりも先に死ぬことになるわ」

「そんなことにはならない」大橋は首を振った。「大事にする」

「大事にされても、私は長生きはできないわ」

「だったら――」と大橋はかすれたような声で言った。「余計、大事にしたい」

その夜、病室のベッドで、これからの人生を考えた。医者に言われたように、もうこの仕事を続けるのは無理なのはわかっていた。自分はこれからどんな風に生きていくのだろうかと考えた。これまでの人生も振り返った。

英介のことも何度も考えた。英介への想いは消すことはできないが、消さなくてはならないと思った。そのためにも自分の生活をしっかり築かなければ——。

慢性肝炎にかかったのは、もしかしたら神様が、仕事を辞めるという道を与えてくれたのかもしれない。英介のことは忘れて、普通の奥さんになりなさい、と言われたような気がした。

翌週、見舞いに来てくれた大橋に、私は結婚する旨を告げた。

十二・結婚生活

「半年が過ぎましたね」

珍しく、村上が話しかけてきた。店の女の子が帰ったあとだ。

店内は冷房を切ったあとも暑くはならなかった。窓を開けると、涼しい秋の空気が流れ込んだ。もう九月の半ばだった。

「私の仕事も半分が過ぎました」

村上との契約は一年間ということになっている。

「あと半年、よろしくお願いします」と私は頭を下げた。

「半年後はどうするんですか？」

私は答えなかった。彼もそれ以上は聞かなかった。

「もし、店を続けるつもりなら――そして私が必要なら言って下さい」

「ありがとう」

村上と出会ったのは二年前だ。私が大橋と別れて、しばらくした頃、たまたま一人で入った小さなビストロのオーナーが彼だった。

「鈴原さんには感謝しています」

「感謝するのは私の方よ」


そのビストロは住宅街の一画にあった。夜だったが、客は私だけだった。運ばれてきた料理は美味しかった。デザートを運んできた時、村上は言った。

「これで最後です。そしてこの店の最後の品です」

言ってる意味がわからなかった。村上の目を見ると、涙が浮かんでいた。

デザートはサヴァランだった。これまで食べたどんなお菓子よりも美味しかった。その時、ふと先程の言葉が気になったので、コーヒーを運んできた村上に聞いた。

「最後の品ってどういう意味ですか？」

「今日で、この店を閉めます。だから最後の料理です」

村上は少し笑顔で言った。しかしその目は濡れていた。

「よかったらお話を聞かせていただけませんか」

村上は事情を語った。長年勤めていたホテルを定年になり、自分の家を改造して、念願だった自分の店を出したが、思ったほど流行らず、今日で店を畳むのだと言った。

「ずっと料理一筋でやって来て、商売の方は何も学んで来なかったものですから」

私は曖昧にうなずいた。しかし店の場所が悪かった。村上自身が言うとおりだと思った。たしかに出してくれた料理は美味しかった。しかし店の場所が悪かった。それに外観もよくない。一見すると普通の家にしか見えない。これでは食べてもらう前に店に入ってもらえない。

私自身、最初はみすぼらしい喫茶店かと思った。カレーくらいはあるだろうと思って入ったのだ。フランス料理店とわかって戸惑ったが、そのまま注文した。出てきた料理は超一流だったが、食べてもらわなければ、その味は客に伝わらない。店構えの大切さが、この老シェフにはわからなかったのだろう。

「家内を半年前に亡くしたこともあって、店を続けていく気力がなくなったのです」

村上はそう言って苦笑した。

数ヶ月後、もう一度ここを訪れた時、村上は潰れた店の中で新聞を読んでいた。店の小さな看板は降ろしていたが、店内の内装はそのままだった。

私が一年だけ店を手伝ってほしいと言うと、村上は何も聞かずに、はいと言った。

「正直、こんなに流行るとは思っていませんでした」

村上は言った。それは私も同じだった。

「店というのは、やはりエクステリアや雰囲気も大事ですね」

村上はしみじみと言った。

「長い間、料理は味だと思っていました。美味しいものを作ればお客さんは集まってくると。お客さんが私の料理を食べに来たのは、一流ホテルだったからなんですね」

「美味しくなければお客は来ないわ。でも、それだけではお客さんは集まらない」

村上はうなずいた。

「鈴原さんは、ここで誰かを待っているのですね」

突然、村上が聞いた。

「この店を開いて、一年以内にその人がやって来ることに賭けたのですね」

「どうして、そう思うの？」

村上は答えなかった。

タバコに火を点けるのを、村上は黙って見ていた。そうよ、と私は心の中で答えた。私は待っている。彼がやって来るのを――。この店を建てたのも、あなたを呼んだのも、全部そのためよ。

しかし半年が無駄に過ぎた。もしかしたら彼はやって来ないかもしれない。その時は、どうする。その時のことなんか考えていない。いや、本当のところは、彼がやって来た後のことも考えていなかったのだ。

大橋は私が結婚を了承すると涙を流した。

その姿を見て私は胸が詰まった。そして泣くほどまで喜んでくれる人と結ばれることこそ、女の本当の幸せではないかと思った。

翌年、私は大橋と結婚した。三十二歳になっていた。

私の希望で披露宴は挙げなかった。大勢の人が集まるところへ出て皆の注目を浴びるのは嫌だった。私の顔に見覚えがある人が現れるのが怖かったのだ。大橋はかなりしぶったが、私が強く言うと、言うことを聞いてくれた。

埼玉にある大橋の実家に挨拶に行った時、両親と妹は美しい私を見て、素直に喜んだ。

「信夫がこんな美人を嫁にするとは思わなかった」

父親は感心したように言った。

大橋は「どうだ」という顔をしていた。私を恋人にしたと思った男は、皆そんな顔をする。彼も例外ではなかったということだ。父親は息子の嫁にもかかわらず、私の顔を舐めまわすように見た。息子の嫁だから、堂々と眺めてもいいと思っていたのだろう。

彼はローンを組んで都内に新居のマンションを買った。私は自分の貯金のことは彼には内緒にしていた。言えるはずがない。三十二歳の女が持っている金ではないからだ。たとえ上手い理由をつけたとしても、そんな金の存在を知ることが、彼の人生に何かプラスになるとは思えない。店の女の子のヒモたちと同じようにあぶく銭だと思うに違いない。思い付きで株なんかの投資に使われたらたまらない。これは私が体を削って稼いだ金なのだ。

新婚旅行はハワイに行った。私にとって生まれて初めての海外旅行だった。思えば、これまでの人生で旅行に行くような余裕は一度もなかった。

ハワイは素敵なところだった。現地でレンタカーを借りていろいろな観光名所を巡り、美味しいレストランで食事した。わずか数日間の滞在だったが、この島に一生住みたいと思った。

式を挙げてもマンションで同居しても、大橋にはさほど愛情を感じなかったのに、マウナケア山頂から二人で夕陽を見つめている時に彼に愛情を感じてしまった。多分、何かの錯覚だ。でも愛なんて、どうせすべて錯覚だ。

私はこのまま平凡な主婦で終わってもいいと思った。美しい人生を十分に享受したし、謳歌もした。一度しかない「女の人生」を思う存分楽しんだ。過去の自分の生活が、まるで遠い日の出来事のように思えた。いや、遠い日というよりも、まるで現実感がない感じだった。

それは他人の人生のようであり、あるいは映画の中の物語のようにも思えた。

海に沈む太陽は私を感傷的にした。私は今も美しい——でもこの美はすでにピークを過ぎている。あとはもう年を経るごとに美しさが減じていくだけだ。十年もすれば少し小綺麗なただの中年女になる。

私は残りの人生を平凡な女として生きていこうと思った。大橋に手を握られ、ゆらゆらと燃えるように海に落ちていく夕陽を見つめながら、それでいいと心の中で呟いた。


私はよき妻であろうとした。慣れない掃除、洗濯、料理と頑張った。

でもそれらは私の手に余った。短大と工場勤めの時は全部をこなしていたが、風俗で働くようになってからは、掃除はハウスキーパー任せだったし、洗濯も下着以外は全部クリーニングに出していたし、食事はいつも外食だったから、家事は大変だった。

それに肝機能がやられた後、健康な体を取り戻せなかったこともある。医者が言ったように日常生活を送るのさえ辛かった。朝、起きるのも難しかったし、昼間、掃除している時も体がだるくなって、ベッドで横になることも珍しくなかった。

大橋は私の体のことを知っていたので、不平は言わなかった。それどころか逆に私を労(いたわ)り、私がやり残した家事のいくつかを受け持った。彼は本当に私を大事にしてくれた。

そんな大橋に、心から感謝した。そして彼を愛そうと思った。しかし彼を愛することはできなかった。マウナケア山頂から夕陽を見た時に感じたと思った愛情は、日本に帰った途端消え失せていた。

彼のために尽くし、彼のためにいろいろと頑張っても、「愛する」ということはできなかった。一緒に暮らせば、いずれは愛することができるだろうと思っていたが、実際に暮らしてみると、愛は努力で生まれるものではないとわかった。

思えば、私は長い間、人を愛していない。恋愛のようなものは何度か経験した。でもそれさえ心の底からドキドキしたことはない。付き合った男と初めてセックスする時も、緊張感は全然なかった。

私が本気で好きになった男性は生涯に二人だけだ。一人は足森、そしてもう一人は英介だ。二人への恋が破れた時、私の心は恋をするという能力を失ったのかもしれない。

いや、違う。私は今も英介が好きなのだ。十年以上も会っていない男に心を奪われているなんてどうかしている。いや、会っていないからこそ心を奪われているのだ。妄想の中で、その存在が膨らんでいるのだ。現実の世界で、英介に一度でも会えば、その想いは消え去るかもしれない。その時、初めて大橋を愛することができるかもしれない。

しかしそんな理由で英介に会うことはできない。彼には会わないと自分に誓った。しかしその瞬間、心が張り裂けるように痛んだ。

大橋は家に友人を連れて来たがった。

でも料理の苦手な私には苦痛だった。それを言うと、彼はデリバリーでかまわないと言った。

家に来た友人たちは皆、私の顔を見て驚いた。

「聞いていた以上の美人ですね」

友人の賞賛の言葉を聞いて、大橋は得意そうな顔をしていた。私は自分の美貌を褒められることには慣れていたが、それでも美しさを称えられるのは快感だった。もっともその喜びはおくびにも出さない。それが賞賛に対する絶対条件だ。

「大橋さんを見直しました」と言う後輩の女子社員もいた。それに近いことを言う女性が何人かいた。美人を妻にする男というのは女性からもステイタスが上がって見えるものらしい。

大橋は皆に私を見せびらかしたくてたまらなかったのだ。見返してやりたい気持ちもあったのだろう。その気持ちはわかる。私も美しくなってしばらくは有頂天になっていた。それだけに、かつての自分を見ているようで嫌だった。

でも大橋のことを嫌いになったわけではない。なぜなら私を愛してくれていたのだから。

大橋は口癖のように言った。「未帆がぼくと結婚してくれたなんて夢のようだ」と。

「夢じゃないわ」

私が言うと、心から嬉しそうに笑った。

一度「もし、私が不細工な顔をしていたら、どうだった？」と聞いたことがある。大橋は「そんなことは関係ないよ。ぼくが未帆に惹かれたのは最初は顔だけど、結局は性格に惹かれたんだから」と言った。

「私の性格のどんなところが好きなの？」

大橋は「賢くて、優しいところ」と言った。私は賢くもないし優しくもない。でも、大橋がそう思っているならそれでいい。


しかし大橋の態度は意外に早く変わった。

私にかしずくような姿勢は結婚して半年後になくなった。大橋は私を完全に自分のものにしたと思ったのかもしれない。

男にそんな態度を取られるのは初めてだった。考えてみれば、これまで男とそんなに長く付き合ったことがなかった。男たちは、私を自分のものにしたと思える暇がなかったのだろう。

驚きはしたが、失望はしなかった。むしろ夫婦の間で、夫が妻を女神のように崇め続ける方が不自然だ。これからは普通の夫婦のような愛情が生まれていくのかもしれない。

私の波瀾に満ちた人生が落ち着いたものに変わっていくような気がした。でも、それでいいと思った。こんな風にしていつのまにか英介への想いも消えていくのだろう。

＊

私は生家を訪ねた。この町に来て半年も経って、ようやく生まれ育った家を訪ねる勇気が出た。

商店街はすっかりさびれていた。人通りも少なく、屋根付きのアーケードは照明も落ちて暗かった。

実家の薬局は100円ショップになっていた。店を覗くと、店主は知らない顔だった。

私は中年の店主に、昔ここにあった薬局を知らないかと尋ねた。

「ああ、大分前の話だね。うちが来る前はバラエティショップだったが、たしかその前は薬局だったという話を聞いたことがある」

店主はその薬局の人たちがどこへ行ったのかは知らないと言った。

私は両親に申し訳ない気持ちになった。私があの事件を起こしてから、客はぱったりと来なくなった。小さい町は、噂が広まるのは早い。私が家の薬を持ちだしたせいで、評判はがた落ちになった。結局その後も激減した売り上げが戻らず、店を畳むことになったのかもしれない。だとしたら、すべては私のせいだ。

近所の人から、隣の市に引っ越して薬局をしているということを聞いた。

翌日、車に乗って隣の市まで足を伸ばした。

さびれた商店街に田淵薬局という看板を見つけた。かつての店構えの半分以下の小さな店だった。店のカウンターには初老の男が座っていた。

父だった。

およそ二十年ぶりに見る姿に懐かしさを感じた。父は私を見ると、いらっしゃいと言った。私が微笑むと、少し戸惑ったような表情を浮かべた。

私が会釈すると、父は老眼鏡をずらすようにして、私の顔を上目遣いに見た。和子だとわかるはずはないと思っても、緊張した。

「何かお探しですか?」

「頭痛薬を貰おうと思って――」

声が少し裏返っているのが自分でもわかった。顔よりも声の方がずっと危険だ。でも私のイントネーションは完全な標準語だったし、話すテンポもまったく違う。二十年も聞いていない娘の声だと気付くはずはない。

父はいくつかの薬を出してきた。私はそのうちの一つを買った。

「少し立ちくらみがするので、少しだけここで休ませてもらっていいですか」

私が言うと、彼はカウンターから出て、パイプ椅子を出してくれた。それからコップに水を入れて持ってきてくれた。

「ありがとうございます」

私は頭痛薬を飲むふりをして、コップの水だけを飲んだ。

父はカウンターに戻り、新聞を読んでいた。その姿を見ながら、昔、家を出て東京に行く時、父は母と姉にわからないように、「苦しい時はいつでも戻っておいで」と言ったことを思い出した。

「おじさん」と私は声をかけた。「この店は昔からやってたのですか?」

「五年前からです」

父は新聞を読みながら答えた。

「その前は?」

「別のところで薬局をやっていました」

「もしかして、K市じゃないですか？」

父は新聞を膝の上に置いて私を見た。

「私、K市に住んでいるんです。おじさんの顔に見覚えがあったから——」

父の表情に警戒の色が浮かんだ。

「私、智子ちゃんと同級生だったんです」

私は姉の名前を出した。父は驚いたようだった。

「智子の——？　随分、お若く見えますが」

「若く見えるのだけが取り柄なんです。みんなから、何も考えていないからだって言われます」

父は少し笑った。

「智子ちゃんとは高校を卒業以来会ってないんですけど、今何をされてます？」

「結婚してK市で暮らしています」

「知りませんでした。住所ってわかります？」

父はカウンターのメモ用紙に姉の住所を書いた。姉は結婚してK市に住んでいた。私は礼を言ってそのメモをバッグに入れた。

「この店は奥さんと一緒にやっておられるのですか？」

父はその質問にはすぐに答えなかったが、ぽつりと言った。

「家内とは離婚しましてね」父は少し照れくさそうな顔をした。「この年になって、恥ずかしい話ですが」

そうだったのか、父と母は離婚していたのだ。母はどこにいるのかと聞こうと思ったが、さすがにそれはあまりに不躾な質問なのでやめた。

「たしか、智子さんには妹さんがいらっしゃいましたね」

その途端、父の顔色が明らかに変わった。それから私の顔を覗き込むように見た。私が和子の悪評をどれだけ知っているのかを心配したのだろう。

「下の娘は亡くなりました」

父は早口に言った。私は驚いて父の顔をまじまじと見た。父は視線を逸らした。

「交通事故です」と父は言った。

「そうなのですか」

父の中では、もう私は死んだことになっているのだ。

「もう随分昔のことです。親の反対を押し切って東京に出て、親不孝な子でしたわ」

もう話すことは何もなかった。

私は店を後にした。もう二度と来ることはないだろう。

その足で、父から貰ったメモを頼りに姉の智子の家を訪ねた。姉に会う気はなかったが、どんな暮らしをしているのかひと目見ておきたかった。

姉は公団で暮らしていた。築三十年以上になる古い建物で、エレベーターもついていなかった。姉は金持ちの男とは結婚できなかったようだ。ざまあみろ、だ。

公団の敷地から出ようとした時、正面からスーパーの袋をぶら下げた中年の女がやってきた。二十年ぶりだったが、ひと目で姉とわかった。

短い髪の毛はパーマが取れかけで、スカートはよれよれだった。十代の時はそこそこの美人だった顔は、ほとんどその面影を残していない。おまけに太っていた。

私はおかしくてならなかった。あまりにも露骨に眺めていたから、姉に気付かれた。

「どこかでお会いしましたか？」

近くまで来た姉は突然、私にこう聞いた。

「あ、すみません。どこかでお見かけした方だと思って見てしまいました。でも、勘違いだったようです」

姉は私の顔をじっと見た。落ち着け、と自分に言った——妹だとわかるはずはない。

「私はどこかでお目にかかったことがある気がします」と姉は言った。

一瞬どきっとしたが、もしかしたらタウン誌か新聞で私を見たのかもしれない。でも姉は記憶に自信がなさそうだった。

私は少し悪戯心を出して言った。

「もしかして、和子ちゃんのお姉さんじゃありません？」

「和子のお友達ですか？」

「中学時代の同級生でした。何度か薬局に行ったことがあって——それでお姉さんに見覚えがありました」

「随分お若く見えますが」

「若く見えるのだけが取り柄なんです。和子ちゃんは今、どうされていますか？」

「和子は——東京に行きました」

「ご住所はわかりますか？」

姉はしばらくじっと黙っていたが、わかりません、と言って首を振った。

「同級生なら、妹が起こした事件を知ってるでしょう」

私は、「はい」と答えた。

「妹は可哀想な子だったのです」

姉はそう言うと、突然、涙をこぼした。私は驚いた。

「器量の良くない子でした。それで小さい時から、すごく傷ついていました。友達にいじめられて泣いて帰ってきた時もあります。そんな妹を見ていると、私も悲しくて何度か泣きました」

私は動揺した。まさか姉からこんな話を聞くとは思っていなかった。

「妹さんと仲がよかったのですか」

姉はまた首を振った。

「仲はよくありませんでした。妹はあまりにも小さい時から傷つけられていて、いじけてしまっていました。だから、私にもなつこうとはしませんでした。それに——」

姉は少し言いにくそうな顔をした。

「私も子供の頃は何度か妹を傷つけました。子供だからわからなかったんですね。軽い冗談のつもりでも、すごくショックを与える言葉を何度も言ったと思います。妹があんな事件を起こしたのは、私のせいでもあると思っています」

姉はハンカチで涙を拭った。私は心がすっかり乱れて、何を言っていいのかわからなかった。

ようやく気持ちを鎮めて、姉に訊いた。

「お母さんは、お元気なんですか？」

「母は施設に入っています。認知症を患って」

母はまだ六十代半ばのはずだ。随分早く呆けたものだ。

「もう、私のこともわからなくなって――」

私は曖昧にうなずくことしかできなかった。

姉が「それでは」と言って立ち去るのを、呆然と眺めていた。


結婚しても私の体調は元には戻らなかった。

家事を頑張ると、次の日にはぐったりして一日中ベッドに寝ていることもあった。近所に買い物に出る以外は、ほとんど家から出ない生活になっていた。

そんな中、久しぶりに銀座に出たのは、アケミと会うためだった。相談したいことがあると、メールをくれたのだ。

二年ぶりに会うアケミは、二十七歳という年齢以上に老けて見えた。

「姉さん、元気？」

「元気、と言いたいところだけど――」

「そうかあ、大変な手術をしたんだもんね」

私たちは喫茶店に入った。

「結婚生活はどう？」

「退屈だけど、幸せって、案外こんなものかなって思う時もある。ただ、家事ができないのが夫に申し訳なくて――」

「そんなこと気にすることないよ。姉さんみたいな美人を嫁にできたんだから、家事くらいは男がするべきだよ」

私は笑った。

「ところで、相談って何？」

アケミは少し顔を曇らせた。

「ヒロちゃんのことなんだけど」

「一緒に暮らしていた彼ね」

「別れようかと思ってるの」

たしかヒロちゃんはフリーターだと聞いていた。

「私、そろそろこの仕事を引退して故郷に帰ろうと思ってるの。お父さんも体を壊して病院通いだし」

私はアケミが故郷に帰る時は、元の顔に戻すと言っていたことを思い出した。

「顔を戻すのを彼が反対するの？」

「ううん、それは反対しない。アケミが元の顔にもどすんなら、いいよって」

「彼は元の顔を知ってるの？」

「知らない」

「じゃあ、びっくりするかもね」

二人とも笑った。ふと、もし私が元の顔に戻したら、大橋は何と言うだろうかと思った。おそらく愛は一瞬にして冷めるだろう。

「故郷に帰ったら、お見合いしようと思ってるの」

「別れる理由はそれ？」

「ヒロちゃんのことは好きだけど、定職がないから。やっぱり結婚となると、難しいかな」

私はうなずいた。

「私はお父さんとお母さんが好きだし、田舎が好きだから、やっぱり帰りたい」

アケミがそう言うのは、都会の生活に疲れたからかもしれない。アケミが前に付き合っていた男はホストで、何百万円もの稼ぎを全部持って行かれたと言っていた。その前は暴力をふるう男で、鼻を折られたことがあると言っていた。

「ヒロちゃんは、アケミの仕事を知ってるの？」

「もちろん知ってるわ。でもね、ヒロちゃんにはお金は全部家に仕送りしてるって言ってる。実家がすごい借金抱えて、そのためにこんな仕事をしてるって」

アケミがペロッと舌を出すのを見て、私は笑った。

「だから、ヒロちゃんにはいつもぎりぎりの生活費しか持ってないことになってる。だから、彼はお金目当てで私と付き合ってるんじゃないの」

「優しい人なのね」

「そうなの。私がこの仕事辞めるって言った時も、喜んでくれたの。昔付き合っていた男たちは、この仕事辞めたいって言っただけで、皆機嫌が悪くなったわ。中には怒る男もいた。ヒロちゃんは今まで付き合った男の中で一番優しい。私に手を上げたことも一度もない」

アケミはそう言って少し寂しそうな顔をした。

「でもね、ヒロちゃんはフリーターだから、やっぱり結婚できない。三十歳でフリーターって駄目でしょう？」

そう聞かれても答えようがなかった。

「だからきっぱり別れようと思うの」

私はうなずいた。

「でもね、本当はヒロちゃんのことが好きなの。別れたくないの」

「私に何と言って貰いたいの？」

アケミは困ったように私の顔を見た。

「姉さんなら、どうする？　本当に好きな人がフリーターでも結婚する？」

本当に好きな人か――と思った。私が本当に好きになった男は英介だけだ。もし英介が私を愛してくれたら、フリーターでもかまわない。しかしそんなことをアケミに言っても仕方がない。

「女の幸せはやっぱり結婚だと思うよ」と私は言った。「愛なんて、どうせいつかは冷める。人生は長いよ。ちゃんとした仕事につけない男と、何十年も暮らしていくのは大変だと思う」

アケミは私の言葉を真剣な顔で聞いた。

「じゃあ、姉さんは別れろって言うのね」

「長い目で見れば、その方がいいと思う」

アケミは視線を下にしてしばらく黙っていた。

――今もこの時のアケミの顔が忘れられない。私の言葉が、その後のアケミの人生に影響を与えたのかもしれないという思いがずっと消えなかったからだ。

別れ際にアケミは、ありがとう、と言った。それから寂しそうな顔で笑った。それがアケミを見た最後の姿だった。

私と大橋の間には子供はできなかった。

結婚して二年近く経っても妊娠しなかった。大橋は二人で検査に行こうと言ったが、拒否した。多分、原因は私にあると思っていた。長かった風俗の仕事が体に影響しないはずはない。何度もかかった性病のせいか、飲み続けていたピルのせいかどうかはわからないが、生理不順もずっと続いている。

検査の結果、私に原因があるとわかったら、私は優位を完全に失う。美しいだけで実を付けることのない花と思われるなんて耐えられない。いくらセックスしても子供ができないなんて、まるで家庭の中の売春婦のように思えた。少なくとも大橋にそんな風に見られるのは嫌だった。

検査を拒否した頃から、夫婦の間にはすきま風が吹き始めた。

私は相変わらず美しかったが、かつて大橋を夢のような気持ちにした美貌は、彼に対しては神通力を失っていた。

それに、徐々にではあるが、私の美しさははっきりと衰えを見せ始めていた。

大橋が浮気しているとわかったのは、結婚三年目に入った年だ。

相手は同じ会社の二十二歳の女子社員だった。短大出の一般職で、都内の実家から通っている子だった。半年ほど前に、大橋の態度にかすかな異和感を覚えた。最初は私の気のせいかと思っていたが、どうやらそうでもなさそうだった。それで探偵社に調査を依頼して判明した。

隠し撮りされた写真を見ると、全然美しくない女だった。こんなブスに、と思うと呆れた。驚いたことに探偵社の報告書を突きつけても、大橋は謝らなかった。それどころか離婚してほしいと言った。遊びではなかったのだ。

私は、彼女のどこがいいのかと聞いた。

「家庭的なところだ」と大橋は言った。

「こんなブスのどこがいいの」

私は写真の顔を指で押さえて言った。「あなたには、お似合いのブスね」

大橋は黙っていた。

「何とか言ったらどうなのよ！」

と私は怒鳴った。

大橋は小さな声で、「人は顔じゃないよ」と言った。

その瞬間、私は逆上した。

「あんたみたいなブ男が言うセリフじゃないわ！　私と結婚できて、泣いて喜んだのは誰よ！　それとも美人をものにして、もう十分満足したとでも言うの」

「もうやめよう」大橋は言った。「君なら、ぼくと別れてもやっていけるはずだ」

哀れみはご免だった。

「慰藉料は貰うわよ」

大橋はうなずいた。


二ヶ月後、離婚が成立した。

私は慰藉料として一千五百万円を貰った。かなりの金額だったが、実は大橋は彼女が妊娠していて、離婚を焦っている事情もあった。そのために彼はマンションを売って金を作った。お金が振り込まれた後、離婚届に判子を押すために二週間ぶりに都内のホテルのラウンジで大橋と会った。私はひと月前から都内の賃貸マンションで暮らしていた。

その日は最高のメイクをして行った。大橋は明らかに動揺していた。私を失うことに一瞬後悔がよぎったのかもしれない。

離婚届に判子を押して、立ち去ろうとした時、大橋は「君のことは今でも愛してるんだ」と言った。

「別れても、一生、愛してる」

私は心の中で笑った。いつかよりを戻す伏線を張っているのが見え見えだったからだ。いざ失うとなったら、私の体が惜しくなったのだろう。

「いいこと教えてあげましょうか」と私は言った。「部長の羽賀さんのこと」

大橋は怪訝そうな顔をした。羽賀は大橋が尊敬している上司で、彼自身、目をかけてもらっていることを誇りに思っている人だった。

「私、彼に何度も抱かれたのよ」

大橋の顔が蒼白になった。

「あなたの友人の一人にも抱かれたことがあるわ」

「それは誰だ！」

「教えられないわ」

「言え！」

大橋はテーブル越しに身を乗り出してきた。

「乱暴したら大きな声を出すわよ」

大橋は椅子に座りなおした。

「今まではあなたに内緒で抱かれてたけど、これからは堂々とできるから、ほっとするわ」

「慰藉料を返せ」

「返して欲しかったら、裁判でもやったら。私と上司の不倫を証明したらいいわ。裁判所では否定してやるからね」

大橋の顔は怒りでぶるぶると震えた。

「あなたがあの不細工な庶務の子と一緒になって、職場の皆が笑ってるわ。じゃあ、さよなら」

私はそう言うと、椅子から立ち上がって、その場を去った。大橋は追ってはこなかった。しかしそれだけでは腹の虫が治まらなかった。翌週、別のホテルのラウンジで崎村に会った。

およそ四年ぶりに会う崎村は少し太っていた。左腕に嵌めているロレックスの腕時計にはダイヤがついていた。

「羽振りがよさそう」

「そうでもない」崎村は苦笑した。「二年ほど別荘に入っていたんだ」

「知らなかった。何をしたの」

崎村は、そんなことはいいじゃないかと言った。私もあえて聞かなかった。

「美鈴は結婚したって聞いたが」

「先週、離婚したわ」

「お互いにうまくいかないよな」

二人とも笑った。

「崎村さんにお願いがあるの」

「何だ？」

私は、離婚した夫を痛めつけてくれと頼んだ。それもすぐではなく、一年後くらいに、どこかで肩がぶつかったとかで因縁を付けて、めちゃくちゃにしてほしいと言った。

崎村は大笑いしながらも、約束してくれた。

「若い奴にやらせるよ。ただし、めちゃくちゃにはしない。顔面に一発くれてやって鼻を折るくらいにしとけって言っておく。でないと、事件になったら大ごとだからな」

私はそれでいいと言った。それから大橋の住所を書いたメモと顔写真、それに十万円が入った封筒を渡した。

「一年後でいいんだな。ことが済んだら知らせようか」

崎村は封筒を胸ポケットに入れながら言った。私は、その必要はないと言った。

「ところで、美鈴はまたこの仕事に戻るのか？」

「わからない。多分、戻らないと思う」と私は言った。「もう年だし、体がもたない」

崎村はうなずいた。

「話は変わるけど、アケミのことは知ってるか」

「知らない。何？」

「死んだぞ」

私は声を失った。

「二ヶ月前だ。同棲していた男に殺された」

「うそ――」

「別れ話がこじれたみたいだな。首を絞められて殺された。新聞にも載ってたぞ」

「ヒロちゃんという子？」

「名前までは知らない」崎村は言った。「この世界では珍しいことじゃないが、いい話じゃないな」

「私、アケミに相談を受けたの、彼とのことで。別れようかどうしようか悩んでた」

「何て言ったんだ？」

「別れた方がいいって――あの子が殺されたのは、そのせいかもしれない」

「違うだろ」崎村はあっさりと言った。「人が他人に相談すると言う時は、たいてい自分で答えを持っている。それを後押ししてほしいだけだ」

「そうかな」

「そういうもんだ」

その時、急に頭に強い痛みを感じた。思わず頭を両手で押さえた。まるで頭にアイスピックで穴を開けられているような感じだった。

「美鈴、どうした?」

私は返事ができなかった。激しい吐き気がして、目の前が真っ暗になった。テーブルの上のコップが割れる音と、崎村の叫ぶ声が同時に聞こえた——。


気が付くと病院のベッドの上だった。ホテルで倒れて救急車で運ばれたらしい。あれから二十四時間以上経っていた。

医者が症状を説明してくれた。クモ膜下出血を起こしたということだった。

私は医者に言われるまま、手や足や首を動かした。

「後遺症はほとんど見られませんね」

「自分ではわかりませんが、何ともありません」

「言葉も普通ですね」

「はい」

医者が言うには、動脈瘤(りゅう)が比較的小さかったことと、それが破裂した時にかさぶた状のものが傷口を覆い、出血を止めていたことが幸いしたということだった。

「幸運でした」と医者は言った。「本当に非常なラッキーに恵まれました。普通はクモ膜下出血が起こると、三〇パーセント以上は即死。仮に一命は取り留めてもその多くは重い後遺症が残り、社会復帰できるのは二〇パーセント以下と言われています」

「そんなに——」

「宝くじに当たったような幸運ですね。いや、別に何も手にしていないから、宝くじにたとえるのは変ですか」

　私は少しも変ではないと思った。宝くじで一億円手に入れるよりも、命を拾う方が何倍も幸運だ。いや、比較にさえならない。

　私は再発防止のための手術を受けた。私が受けたのはコイル塞栓術というもので、動脈瘤の中にプラチナでできたコイルを入れるという手術だ。本当はチタン・クリップで動脈瘤を止めるのがいいということだったが、その手術は全身麻酔で頭蓋骨の一部を外して行なうものので、私の体では危険が大きく、コイル塞栓術が選ばれた。もっともこの手術も脳の血管の中にカテーテルを入れて行なうもので、説明を聞いただけで、ぞっとするものだった。

　入院している間、あらためて自分の幸運に感謝した。

もし、あのまま大橋との結婚生活を続けていたら、誰もいない家で倒れていたはずだから、そのまま死んでいたに違いない。私が助かったのは、大橋と別れていたからだ。彼とは別れるべき運命だったのだ。そう考えると、これは運命的なものかもしれないと思った。

もしかしたら、私が生かされたのは、他にやるべき何かがあるからだ。

ベッドで養生しながら、もう一つ、私の心を占めていたのは、クモ膜下出血を起こす前に、崎村が言っていたアケミのことだった。

最後に会った時、アケミが言っていた言葉を思い出した。「ヒロちゃんは今まで付き合った男の中で一番優しい」「やっぱり結婚できない」「本当はヒロちゃんのことが好きなの」

崎村に、私のせいではないと言われても、そうは思えなかった。私が彼と別れるように言ったことが彼女の運命を変えた気がしてならなかった。

アケミとヒロちゃんの間にどんなやりとりがあったのかは知らない。アケミはヒロちゃんに向かって「愛していない」と言ったのかもしれない。それでヒロちゃんは逆上して殺したのかもしれない。

ヒロちゃんは、アケミを愛していなければ殺すまではしなかっただろう。殴って殺していたなら、逆上して暴力が行きすぎた可能性もある。しかし首を絞めて殺すというのは、明らかに殺意があったのだ。

ヒロちゃんはアケミを失いたくなかったのかもしれない。誰よりも優しい男が、殺してでも他の男にやりたくないと思ったのだ。

私を殺してまで自分のものにしたいという男はどこにもいなかった。これまで付き合った男たちは皆、私の体だけが目的だった。一度でも抱けば、男たちの目は変わった。あれほど私を欲しがった大橋でさえ結婚するなり、私に興味を失った。私の代わりに選んだのは、かいがいしく身の回りの世話をする美しくない女だった。そんな女を、安サラリーマンがマンションを売ってまで、手放したくないと思ったのだ。

アケミを羨ましいと思った。私も殺されるほど愛されたい。

どうせ私は長くは生きられない。このボロボロの体で、天寿を全うできるとは思えない。

それならいっそのこと燃えるような恋をして死にたい。

そう思った時、突如、英介の顔が脳裏に浮かんだ。

――英介、と呟いた。

そして、心の底から叫んだ。英介に会いたい！

十三・ 赤い糸

離婚した翌月、探偵社から、高木英介がアメリカから帰国し、本社に戻ったという報告を受けた。

これは運命だと思った。

英介は、まるで私が離婚するのを待っていたかのように日本に戻ってきた――私にはそうとしか思えなかった。運命の女神が二人を引き寄せている。私の狂気が芽生えたのはこの時からだ。

三ヶ月後、探偵社から、英介はK市で家を建てたという報告を受けた。K興産の場合、海外赴任から戻れば、よほどの例外がない限りしばらくは本社にいるということも報告で知っていた。英介が家を新築したということは、この町に落ち着くことが決まっているのだろう。英介は私が来るのを待っている――。

私は故郷に戻る決意をした。

かつて私を蔑み、馬鹿にし、踏みつけにした町に戻ろうと思った。

そのためにアンチエイジングの手術もした。リフトアップして肌の張りを増した。頬の肉の下に糸を入れ、引き上げる手術だ。

わずかにたるみかけていた顔は、鋭さを取り戻して五歳は若返った。額と顎にはボトックス注射も打っている。ボトックスを打てば、ボツリヌス菌のせいでその部分の筋肉組織が弱ってしまう。力を入れられなくなるので、その部分に皺ができない。美香や梨沙は、私の怒った顔を見たことがないと言うが、弱った筋肉では額に皺を寄せたり、口元を歪めたりすることが、簡単にできないだけなのだ。


こうして私は二度と足を踏み入れることがないと思っていた故郷に、二十年ぶりに帰ってきた。

私がレストランを作ったのは英介のためだ。

半年の間に多くの客がやって来たが、英介は現れなかった。でも、私は焦らなかった。毎夜、小さな落胆は味わったが、それは翌日への期待となって膨らんだ。

——彼は必ずやって来る、一年以内に。私はそう信じていた。だから一日が無駄に過ぎたとは思わなかった。むしろ彼が来る「その日」が一日近付いたと思った。

英介に会いたければ、直接会いに行けばいい。しかしそれはしたくなかった。彼の方から私に会いに来て欲しかった。町一番の美女である私に憧れ、私の顔を見るために、やって来て欲しかった。今日まで二十年近く待ったのだ。今さら数ヶ月待つことくらい何ともない。

英介と私は結ばれるはずだったのだ。

遠い昔、幼い二人が夜の町をさまよった時、二人の不思議な運命が始まった。彼が忘れていなかったことがその証だ。運命の赤い糸があるなら、あの夜、私と英介はその糸で結ばれた。本当なら、十年後に再会した時に結ばれるはずだったのだ。

そうならなかったのは、私が醜かったからだ——美しくないという、ただそれだけの理由が二人を引き裂いたのだ。しかし、私が美しくなった今、その糸は再び結ばれるはずだ。

私も英介も、ちぎれた赤い糸を持って彷徨(さまよ)っている。二人が再会した時、その糸はもう一度結ばれるのだ。

私からは絶対に会いに行かない。

私は長い年月を経て故郷に帰ってきた。今度は英介が私に会いに来る番だ。

現在の彼の顔は、探偵社が隠し撮りした写真で知っている。

昨年帰国した時に撮った三枚の写真を見るかぎり、彼は素晴らしい感じで年を取っていた。青年の面影を持ちながら、中年の渋みを身につけつつあった。細面の頬にはやや肉が付いていたが、それはむしろ男の貫禄を思わせた。髪は短く刈られていて、前髪は無造作に額に垂れていた。私はその顔を完全に頭に叩き込んでいた。どこで会っても見逃すことはない。

探偵社には彼の妻の調査も頼んでいた。報告書にあった旧姓の石川香奈恵という名前を見て驚いた。高校時代の同級生だったからだ。地味で目立たない女の子だったが、頭のいい子だった。たしか女子では一番成績がよかった。本が好きで、休み時間にもよく本を読んでいた。英介は女の子を顔でなく頭で選んだのだ。探偵社の報告によれば、香奈恵はお茶の水女子大学を卒業した後、故郷に戻ってK興産に就職し、そこで職場恋愛で英介と結婚したということだった。

嫌な気分だった。かつて別れた夫、大橋が平凡なブスとも言える顔の女を選んだことを思い出したからだ。世の中にはたまにそんな男がいる。女性の外面の美しさよりも、それ以外の方に魅力を感じるというおかしな男だ。英介はすごい面食いのはずだったが、美人には飽きたのだろうか。

英介が外見の美しさよりも知性を重んじるタイプであってもどうということはない。私の美貌には、そこらの知性が束になってかかってもかなわない。それに私の顔は知的に見えるのだ。

面接試験のような会話さえしなければ、十分に知的なイメージを与えられる。男が女の知性をどこで判断するのかはよく知っている。女が発する教養や知識じゃない。男は女の言葉なんか一つも聞いていない。男が女の知性を判断する一番の材料——それは自分の話を理解するかどうかなのだ。男の話を感心して聞くくらいわけもない。

もし英介が一年間来なければ、彼が来るまで店を続けるまでだ。私の予想に反して店は繁盛している。これは嬉しい誤算だったが、この人気がいつまで続くかはわからない。飽きられる時は意外に早いかもしれない。

しかしたとえ店が儲からなくても二、三年くらいはやっていける。金銭的な問題よりも心配なのは、私の健康と美貌だ。この半年、慣れない仕事をしたうえ、もともと丈夫でなかった私の体は相当弱っていた。夏以降、プライベートルームに置いた簡易ベッドで休む時間が多くなった。しかし体は弱っても、私の美しさは少しも減らなかった。むしろ、肌の白さが増して、美しさが増したようにも思えた。

私はひたすら、英介を待った。いつ彼が現れてもいいように、毎日、最高のメイクをしていた。

私は運命に賭けた。いや運命を信じた。必ず英介は来る——。

＊

その日は突然やってきた。

九月の最後の日だった。夕方くらいから体の調子が思わしくなく、早く閉めようと思っていた夜だった。

何気なく中二階のプライベートルームの小窓から四人連れの客の姿を見た時、目眩(めまい)を起こしかけた。

その中に、夢に見た男——英介がいたからだ。

私は椅子に座り込んだ。そして胸の動悸が鎮まるのを待ったが、なかなかおさまらなかった。

ラストオーダーぎりぎりの時間で、しかも予約もなかったので、今夜も何もないと思っていた。心の準備ができていなかった。

私は梨沙を呼んで、今来られたお客さんにオーダーをお聞きして、と頼んだ。

英介が来た時は、必ず自分が挨拶に行こうと思っていたのに、緊張してできなかった。頭の中でさんざんシミュレーションをしてきた会話があったのに、全部ご破算だ。

自分の腑甲斐なさに心の中で苦笑したが、逆にそれで少し落ち着きを取り戻した。

私は念入りにメイクを整えた。髪の毛の乱れがないのも確かめた。そして香水を体に噴き付けた。部屋を出る前に、鏡を見ながら何度も笑顔を作った。完璧な美しさだった。

部屋を出ようとすると足が竦(すく)んだ。開けたドアから一歩を踏み出せなかった。初めて舞台に立つ役者もこんな気持ちなのだろうかと思った。私の場合、この舞台に立つまでに二十年かかったのだ。

ドアを閉めて椅子に座り直し、大きく深呼吸した。その時、全身が小さく震えているのに気付いた。今まで一度も経験したことのない恐怖を感じていた。

私の美しさは世のほとんどの男を虜(とりこ)にするが、すべての男を魅了するものではない。そんな美しさはこの世に存在しない。九十九人の男を酔わせても一人の男を酔わせることができるとは限らない。私の美貌ははたして英介の心を捉えることができるのだろうか——。それができなければ、私がこれまでやってきたことはすべて無意味になる。

全身の震えはさらに大きくなった。寒くもないのに歯ががちがちと鳴った。机の引き出しから精神安定剤を取り出した。でも指が震えて、蓋(ふた)を開ける時に錠剤を床にぶちまけてしまった。

拾った錠剤を飲もうとした時、壁の時計が目に入った。英介が店に来て既に三十分も過ぎているのに気付いて愕然とした。

薬を投げ捨て、震える足で椅子から立ち上がった。そしてドアを開けた。

大きく息を吸い込み、「さあ、行くわよ」と声に出した。部屋を出た瞬間、足の震えは止まった。

階段を降りると、優雅な足取りで英介たちのテーブルに近付いた。


「こんばんは、いらっしゃいませ」

私はこの店で誰にも見せたことがない最高の微笑みで挨拶した。そして笑顔をたたえたまま、ゆっくりと頭を下げた。

四人の客は二人ずつ向かい合わせに座っていた。英介は私から見て左側の奥にいた。

私の顔は左から見る方が美しい。左の眉は右に比べてほんのわずかに下がっていて、その分かすかに憂いがかって見える。髪の毛も左の方に垂れていて、その印象を強くしていた。

英介以外の三人は私の顔に見とれた。彼ら自身はそのことに気が付いていないだろうが、その瞳は大きく開かれていた。

「当店のオーナーの鈴原と申します」

私は完璧な標準語で言った。しかし話すテンポは幾分遅い。それに少し鼻にかかったソプラノだ。もちろんすべて意識的なものだ。私は一度も英介の方を見なかった。それでも彼が私の顔を凝視しているのはわかっていた。さあ、たっぷり見て！

「噂通りの美人ですね」

右側の手前の男が言った。やや年輩に見える。もしかしたら英介の上司かもしれない。

私は目を閉じ、小さく首を振った。そして少し顔を赤らめた。自由に顔を赤くするのはソープ時代にマスターした特技だ。男たちはその風情がたまらなくそそられると言った。あっけらかんな仕草を好む男もいたが、年輩の男は恥じらいをもつ女を好む。ソープで働く女に恥じらいをもった女などお笑い種だが、男はいつも夢を見る生き物だ。

「噂の美人オーナーに会えて光栄です」

左側の手前の男が言うと、向かいの二人がうなずいた。

「よかったら、ママさんもご一緒にどうですか？」

右手前の男が言った。

「そうおっしゃっていただいて、有り難うございます。ですが、まだ少し雑用が残っておりますので、申し訳ございません」

私はそう言って深々と頭を下げた。こんな形で英介と同席したくない。しかし立ち去る前に、やらなければならないことがある。私はこの時を長い間待っていたのだ。

「ごゆっくりおくつろぎ下さい」

私はそう言ってお辞儀すると、テーブルの左側を通って、厨房に向かった。

英介の後ろを通りかかった時、かすかに「あら」と小さく呟き、動きを止めた。そして右手を英介の肩に伸ばした。

「御髪（おぐし）に――」

そう言って、彼の髪を撫でるようにして塵ぼこりをつまんだ。英介は少し驚いたように、私の顔を見て「ありがとう」と言った。本当は塵ぼこりなんかない。

「失礼をいたしました」

私は英介に右顔を見せた。私の右の目は左目よりもわずかに大きく作ってある。憂いのある左目に比べて明るく快活に見える。もちろん比べてもわからないくらいのわずかな違いだ。でもその印象はサブリミナル効果のように潜在意識にもぐりこむ。

私は英介にしか見えない角度で、英介の目を見つめながら、最上級の笑顔を見せた。その瞬間、英介の瞳がぱっと開くのが見えた。

私はテーブルを離れながら、英介の視線が私の背中を追ってくれることを信じた。

プライベートルームに戻ってからも、胸がどきどきした。

思い描いたパフォーマンスをやり終えた。私の目、口、眉、そして顔のすべてを使って最高の微笑みを見せた。一切が自然で、流れの中で一瞬だけ見える輝きだ。

私の微笑みは英介の胸に届いたと思った。たしかな一撃の手応えがあった。私はほくそえんだ。私の刃には毒が塗ってある。その毒は必ず彼の全身にまわるはずだ——。

それからの数日間はお酒でも飲んでいるような気分だった。

四六時中、微熱があるみたいで、目の焦点もしっかり定まらなかった。ドアが開くたびに、覗き窓からドアの方を見た。店に入ってくる男性客がみんな英介に見えた。そのたびに英介でないことを確認して、ベッドに体を横たえた。

自信はあった。私の魅力を込めた渾身(こんしん)の一撃だったはずだ。あの微笑みに参らない男はいない。

もっと露骨に誘惑することはできた。あの時、テーブルを共にして、英介たちと会話することもできた。会話の最中に、英介を何度も見つめ、英介の冗談に声を上げて笑い、何気なく彼の太股(ふともも)に触れながら、直接話しかけることもできた。しかしそんな簡単な手は使いたくなかった。あくまで微笑みの一撃だけで彼の心を摑みたかった。彼には純粋に私に恋して貰いたかった。そう「一目惚れ」のように。だから私は彼を見つめることしかしなかったのだ。

英介は必ず来る！　私に会いにやって来る。もう一度、私の微笑みを見たくてやって来る

——これはもう信仰に近かった。信仰を疑ってはならない。私は自分の美を信じている。これを疑うことは自分の人生そのものを否定することだ。

私は待っているだけでいい。愛されていることも気付かない少女のように、無心で待っていればいいのだ。

昼間も店からは一歩も出なかった。そんな偶然はないのはわかっていたが、ここに至って町でばったりと英介に会うのを恐れたのだ。そんな偶然は耐えられない！

七日目、待っていた時がついに訪れた。英介が来たのだ。

一週間前と同じように、ラストオーダーぎりぎりの時間にやって来た。

彼が一人でやって来たのを見て、私はやった！　と心の中で叫んだ。同じ曜日の同じ時間にやって来たことに胸が痺れた——彼はゲンを担いだのだ。

私は中二階のプライベートルームから厨房へ降りると、メニューを持っていこうとする梨沙を呼び止め、自分が持っていくと言った。

「いらっしゃいませ」

英介のテーブルに行き、声をかけると、英介の顔がぱっと明るくなった。

「一週間前にいらした方ですね」

私の言葉に英介は嬉しそうな顔をした。なんて可愛い笑顔だ、と思った。私は演技ではなく自然に微笑んだ。

「覚えていて貰えましたか？」

「もちろんです」

「さすがはプロですね。客の顔は忘れないんですね」

「それもありますが――」と私は言った。「お客さまの場合、個人的なことで印象に残っていたのです」

「それは何ですか？」

私ははにかんだような表情で言った。

「単純なよくある話で申し訳ありませんが、私の知っている方に似ていらしたんです」

そして顔を少し赤らめてみせた。英介の目が開いた。

「もしかして、昔好きだった人に似ていたとかですか？」

私はそれには答えずに微笑みだけを返した。そして少し腰をかがめて、英介の耳に囁くように言った。

「その話は、またいつか機会があればいたしますわ」

そして、英介が何か言う前に、軽くお辞儀してテーブルを離れた。

その日は英介が帰るまで一度も彼のテーブルには行かなかった。行きたいのを懸命にこらえた。


三日後、再び英介はラストオーダーぎりぎりにやって来た。

一人の客は珍しいので、梨沙は「また、あの人が来ました」と私に言った。

「ママさんに気があるんじゃないですか」

と美香が嬉しそうに言った。

私は首をかしげながら、「私ではなくて、あなたかもよ」と言った。

すると美香は「私の好みじゃないです」と口を尖らせた。その言い方は私を怒らせた。

「自分の好みじゃないから、私に気があるって言ったの？」

「ごめんなさい。そういう意味で言ったんじゃありません」

美香は慌てて謝った。

いつもなら笑って許すのだが、そうする気は起きなかった。返事もしないで睨み付けると、美香は少し泣きそうになった。

「あなたがオーダーを聞いてきて！」

美香は、すみませんと言いながら、メニューを持って厨房から出た。私は中二階に戻って、小窓から美香が英介のテーブルに行くところを眺めた。英介は美香を見て、明らかに落胆した顔をしていた。

テーブルから戻った美香は、プライベートルームをノックした。

「どうぞ」

美香はおずおずとドアを開けて、言った。

「あのお客さん、ママさんのことを聞いていました。今日はいらっしゃらないのかって」

思わず笑顔がこぼれそうになった。英介が私に会いたがっている！　私の顔を見るために、一万円もする料理を食べに来ているのだ。

もちろん、英介は週に二度も一人で来ることで、私に気があるとアピールしているのだろう。美香に私のことを聞いたのも、それが私の耳に入ると計算に入れてのことだ。

嬉しくてたまらなかった。

英介の皿はすべて美香に運ばせた。最後のコーヒーを美香が持っていった時、英介は寂しそうな顔をした。

彼がコーヒーを飲み終える頃を見計らって、私はプライベートルームを出て厨房に入った。

梨沙に「五分経ったら店内のＢＧＭを有線からＣＤに変えるように」と言って、一枚のＣＤを渡し、英介のテーブルに行った。

「ご挨拶が遅れました」

英介は私に気付くと、ぱっと顔を明るくした。

「また来ていただけたんですね。うちの店を贔屓にしていただいて嬉しいです」

「いや、実は今日一日、忙しくて、朝から何も食べていなくて、ようやく仕事が一つめどがついたので、自分にご褒美をあげようかと思って奮発したのです」

「有り難うございます。お仕事が上手くいって何よりです」

英介が緊張しているのがわかった。何か言うつもりだなと思った。

「もし、お時間が空いてたら、少し座りませんか？」

閉店間際だったので、他の客はいなかった。英介もそれを知って言ったのだ。

「ご迷惑ではありませんか？」

「とんでもないです。一人で食事して寂しかったところです」

「では、失礼いたします」

私はそう言って、英介の向かい側の椅子に座った。

それから美香を呼んで、英介にコーヒーのお代わりと、私の分の紅茶を頼んだ。

「何だかデートしているみたいです」

英介は言った。その言葉を聞いて胸が詰まった。こんな気持ちは生まれて初めてだった。

う。

　ああ、本当にデートしているようだ。多分、私の方が英介よりもずっと緊張していただろ
　しかしこの場の主導権は私にあった。ここは私のホームゲームだ。

「鈴原さんの下のお名前は何というのですか？」

「未帆です。未来の未に、船の帆と書きます」

「いい名前ですね」

　私は正面から英介の顔を見すえた。鼻筋の通った端整な顔だった。こんな風に彼の顔を見つめたことは一度もなかった。いや、英介だけではない。かつて醜い顔をしていた時は、誰の顔もまともに見つめたことはなかった。今の私は誰でもこうして正面からじっと見つめることができる。私は英介の顔を舐めるように見つめた。英介は私から視線を逸らした。私の視線をまともに受け止める男は滅多にいない。そんなのはよほどの女たらしか、堅気でない男だ。だから英介が視線を逸らしてくれて少しほっとした。

　英介は、どうしてこの町に来たのかということや、ここに来る以前は何をしていたのかなどを聞いた。私はもう何十回と答えてきた同じ言葉を繰り返しながら、うんざりしていた。意味のない会話、下らない会話、退屈な会話――しかし、大人になればこういう手続きを踏まなければならないのだろう。そうして彼もまた私の反応を見ながら、どこまで踏み込んで

いいのかを探っているのだ。

しかし英介の話はいつまでも私の周辺の当たり障りのないものに終始した。

その時、店内の音楽が変わった。私は音楽に耳を傾けるように目を閉じた。

「この曲――好きな曲なんです」

英介も耳をすました。

「ラフマニノフですね」と英介は言った。「ピアノ協奏曲第3番」

私はうなずいた。

「ぼくも大好きな曲です」

「まあ！」

私は小さく声を上げたが、英介がこの曲を好きなことは知っていた。高校時代、この曲について友人に熱く語っていた英介の姿は、今も鮮明に覚えている。彼の言葉は空で言えるほどだ。彼はかつてこう言った。

――この曲を聴いていると、青春の悲しさを感じるんだ。二度と戻らない、ある懐かしさを感じて胸が一杯になる。

「笑わないで聞いてくれますか？」

私ははにかんだような微笑みを浮かべながら言った。

「笑いません」

「私、この曲を聴いてると、何というか――青春の悲しさのようなものを感じるのです。二度と帰らない青春の日を感じさせられるのです。音楽を聴いてこんな感じ方するって変でしょう」

英介の表情に驚きが浮かんだ。

「いいえ、全然変じゃありません。ぼくも同じように感じたことがありました」

私は自分の胸に手を当てて驚きと喜びを表した。

「すごく嬉しいですわ。若い頃、この曲に共感してくれる方と出会うのが夢でした」

「本当ですか」

私は音楽に聴きいるように目を閉じた。この素敵な気分に浸りたかったからだ。目を閉じていれば、英介も話しかけることができない。私は音楽を聴きながら、陶酔を味わった。

やがて第一楽章が静かに終わった。

私は目を開けた。

「すみません。そろそろ閉店の時間のようです」私は腕時計を見ながら言った。「大変、楽しい時間を過ごせました」

「今度、ゆっくりお話ししたいです」

「私もですわ」

そう言いながら立ち上がりかけた私に、英介は言った。

「そんな機会はありますか？」

「お店では難しいかもしれませんね」

「じゃあ、無理ですか」

私は肩をすくめた。

「ご自分で無理だと思われたら、無理だと思います」

英介の顔がぱっと輝いた。そして慌てて言った。

「鈴原さんの携帯の番号を教えて下さい」

＊

私は丘に立っている。もうすぐ英介がやって来る。

長い間、夢見た瞬間が訪れるのだ。胸が異常に高鳴り、めまいを起こしそうだ。こんな時が来るなどとは思ってもいなかった。

携帯の番号を教えたその夜遅く、英介から電話があった。必ずかかってくると思っていた。

「どこからかけてらっしゃるの」と聞くと、英介は「家の外です」と答えた。「ずっと電話がしたくて、車で町を走っていました」

私はちぎれた運命の赤い糸が再びからみついていくのを見ているような気持ちになった。

その夜、今日の約束をした。丘の上で会おうと言ったのは私だ。英介はこの提案に少し驚いていたが、快く了承した。その日は店の定休日だったが、平日のため英介は有休を取った。

目を閉じると、潮騒(しおさい)の音がする。海の音がこんなにも騒がしいとは思っていなかった。風が私の頬を撫でる。時が一気に二十年も戻ってしまったかのような錯覚に陥った。でも私は十代の少女じゃない。それにもう醜い女じゃない。

足音が聞こえ、後ろを振り返る。松林の小道を登ってくる人影が見えた。英介だ。

私は手を振った。英介は一瞬立ち止まったが、すぐに手を振り返した。私の口から、ああ、という声が漏れる。そんな筈はないのに、今の声が風に乗って英介に聞かれないかと少し不安になった。

次第に英介が近づいてくる。私は少女のようにうろたえた。緊張で立っているのもやっとの状態だ。

英介が丘を登り切り、私の元に近づく。そのすべてがスローモーションのように見える。

英介の姿がぼやけてくる。私の目には涙が滲んでいた。

これは本当の情景なのだろうか。もしかしたら夢を見ているのではないか。私は目をつぶった。目覚めたら、ベッドの中に、醜い顔を持った十代の私がいるのではないか。

「やあ」

英介の声が響いた。私は目を開けた。目の前に英介が立っていた。

「待った？」

「いいえ、さっき来たところです」

私は微笑んで答えた。

「景色が綺麗で見とれていたところ」

口が勝手に喋っているようだ。

英介は海を見た。瀬戸内海に浮かぶ小さな島がいくつも見える。

「ここの景色は素晴らしい」と英介は言った。「でも、来たのは何年かぶりですよ」

「昔はよく来られたのですか？」

「高校時代は何回か来ました」

「デート？」

英介は笑って答えなかった。

「座りません？」

と私は言った。二人は海を見下ろす木の長椅子に腰掛けた。

ふと、英介は私が手にしている本に気が付いた。革のカバーがついた文庫本だ。

「何の本を読んでたのですか？」

「昔から何度も読んでる本です。新刊じゃないんです」

「よかったら、教えて下さい」

「どんな本を読んでるのか知りたがるのは、心の中を覗きたがるのと同じですよ」

私はそう言いながら文庫本をバッグに入れた。

「でも知りたいな」

私は少し迷ったふりをしながら、ハンドバッグから、文庫本を取りだして英介に渡した。

英介はありがとうと言いながら本を開いたが、すぐに軽い驚きの表情を浮かべた。

「井上靖の詩集ですか——これはぼくも好きだった」

「えっ？」

私は声を上げた。しかし本当は知っていた。

英介がページを繰るのを見ながら、心の中で、あなたの高校時代の愛読書は全部知っているると呟いた。——あなたが書いた井上靖の「敦煌」の読書感想文も覚えている。一時期、井上靖の現代詩に夢中になって、お気に入りの詩を机の上に書いていたことも知っている。それは「盗掘」というタイトルの詩だ。私は今でも全文を諳んじているのよ。

「本当だよ」と英介は言った。「その中にいくつか大好きな詩がある」

「嘘みたい」

「ぼくも驚いている」

「私もこの中に大好きな詩がいくつもある。『遠征路』も好きだし、『廃園』も好き、でも一番好きなのは――」

私はそこで一つ間を置いた。

「『盗掘』かな」

英介が息を呑むのがわかった。

しばしの沈黙があった後、英介は海を見つめながら、静かに暗唱した。

「天子が即位すると、盗掘団は直ちに、その日から、その天子が将来葬られるであろう想定の墓所に向って、秘密の地下の道を掘り始めるという――」

私があとを継いだ。

「もちろん古い中国の話だ。作り話にしても、私はこの話が好きだ。この話を思い出すと、いつも勇気を感ずる――」

英介は振り返って感動の眼差しで私を見た。

私もまた感動していた。英介が高校時代に、戯れに、そして多分に自己顕示欲の衒学(げんがく)趣味で書き写した詩を二十年後も覚えていることに——。

私はある日の放課後、彼の机の上に書かれた詩をこっそり手帳に写し取った。何度も読むうちに記憶してしまった。そして私のお気に入りの詩になった。思えば、あの日から私もまた盗掘団の一人になっていたのかもしれない。この日のために一所懸命に掘り続けてきたのだ——。

私は続けた。

「私もまた掘り始めなければならぬと思う、死者の静けさと、王冠の照りの華やぎを持つ何ものかに向って。たとえば、私の死後五十何年目かにやってくる、とある日の故里の落日の如(ごと)きものに向って」

英介は軽く首を振った。そして呟いた。「——信じられない」

「私も——」

「この詩を思い出したのは二十年ぶりだよ。自分でも覚えているとは思わなかった」

英介は私を眩しいものでも見るような目で見た。これこそ私が長い間待ち望んでいた瞬間だ——。

私は英介の目を見て言った。

「私、雷に打たれたみたい」

英介は私の手を握った。英介の手は震えていた。その震えは私を痺れさせた。彼は本気で私に恋していると確信した。その瞬間、私の中の何かが折れた。英介を翻弄しようという計算はどこかに吹き飛んだ。

英介は私の肩を抱いた。そして顔を近づけてきた。世界がつぶれるような気がした。しかし次の瞬間、私は英介の体を押しやっていた。

「どうして？」と英介は聞いた。

自分でもわからなかった。英介とのキスを望んでいたはずなのに、何かが違うという気がした。もっと緊張して躊躇(ためら)いながら、勇気をふるってキスして欲しかったのだ。これではあまりに簡単すぎる。足森とまるで変わらない。

私に対してもっと畏(おそ)れを感じて欲しかったのだ。少年が恋する女に対して持つ怖さを抱いて欲しかったのだ。

でも、それは無理なことだった。あれから二十年近い時が流れている。もう二人とも十代の少年少女ではない。彼は様々な経験を積み、中年に足を踏み入れかけている。そして私もまた十分すぎるほど経験を積んだ女だ。

英介は私を少女のようには見ないし、少年のようには恋してはくれない——すべては遅すぎたのだ。

私の目から涙がこぼれた。英介は驚いたが、それ以上に私自身が驚いていた。こんなことで涙をこぼすなんて——。

「ごめんよ」

と英介は言った。

私は涙で濡れた目で彼を見た。彼は戸惑い、うろたえていた。その目は中年男の目ではなかった——恋する少年の目だった。次の瞬間、私は彼に抱きついていた。

そして驚く彼の肩に顎を載せて言った。

「ごめんなさい。いい年をして、恥ずかしい」

英介は私を抱きしめた。英介の頰の温もりが頰に伝わるのを感じた時、もう駄目だと思った。

英介は一旦私の体をゆっくりと離した。理由はわかっている。キスするためだ。焦らすために抗わないといけないのはわかっていたのに、体が言うことをきかなかった。

十四．和子の亡霊

丘の上のデートの日から、十日以上、英介とは会わなかった。電話にも出なかった。英介は何度も電話をくれた。携帯の留守電には「好きだ」という言葉と「電話をくれ」という言葉がいくつも吹き込まれていた。その言葉は私をとろけさせた。そのうちに、自分をからかっただけなのか、という恨みごとのような言葉も入っていた。かと思うと、すぐにそれを取り消す謝りのメッセージが入っていたりした。私はそれらの留守電メッセージをすべて保存し、何度も聞いた。

しかしすぐに会う気はなかった。やすやすと手に入る女だと思わせたくなかったからだ。人は簡単に手に入れたものは大事にしない。それは物でも女でも同じだ。だから、しばらくは会わないと決めたのだ。それは初めてのデートでキスまで許してしまった腑甲斐ない自分への罰でもあった。

英介には死ぬほど会いたかったが、待つことは苦ではない。今日までの気の遠くなるような時間を思えば、十日や二十日待つことなど何ほどでもない。

その間、英介は一度店にも来たが、私は彼の前に姿を見せなかった。

英介は戸惑っていることだろう。あの時、キスまでしたのに、なぜ急に冷たくなってしまったのかと、何度も考えているに違いない。いっぱい考えて欲しいと思った。

あの日のことは何度も思い返した。まるでエンドレステープのように私の心の中であの日の光景が再現された。

何度もキスをした。

立ったまま、そして椅子に座って、そして松林の中で、砂浜の上で——。

歩いてはキスして、キスしては歩いた。どうかしていた。キスくらいでめろめろになってしまうなんて。

ほとんど感覚がないはずの私の唇が、英介の唇と舌をはっきりと感じた。英介に体を支えられながら、何度もキスされた。舌を入れられ、舌を吸われた。

昼間でよかった。もし夜のデートなら、英介はもっと大胆になっていただろう。私はそれを拒めなかったかもしれない。

遠くの船の汽笛が、私を正気に戻した。英介の腕からゆっくりと体を引き抜いた。

「私って最低ね」と言った。「あなたは結婚してるのに」

英介は何か言おうとしたが言葉にならなかった。

「反省だわ。今日のことは許してね」

「どうして？　大好きだ」

彼は焦って再びキスしようとした。彼の焦る姿を見て、ようやく余裕を取り戻せた。

「そろそろ店に戻らないと――」

彼は呆然とした。

「今日一日空けてくれたんじゃないの？」

私は英介に自分から軽くキスをした。そして別れ際に言った。

「今日は、最高に素敵な一時間だったわ」

それは本当だ。三十八年間の人生で最高の一時間だったかもしれない。


英介は何度も電話をくれたが、私が出ないとわかると、やがてかけてこなくなった。

電話が途絶えて五日目に、私から電話した。丘の上の逢瀬から二十五日が過ぎていた。

英介は職場にいるにもかかわらず声が少し上ずっていた。彼の緊張は私を喜ばせた。仕事中に電話したのはわざとだ。

「お仕事中だったのね。ごめんなさい」

私はそう言って電話を切った。

一時間後、英介から電話がかかってきたが、出なかった。その夜、もう一度電話があったが出なかった。

翌日の夜、三たびかかってきた英介からの電話に出た。

「なぜ、電話に出なかったの？」

「あなたに惹かれていくのが怖かったから」

電話の向こうで英介が息を呑むのがわかった。

「だから、もう会わない方が、いいと思って――」

意識して少し声を詰まらせながら言った。

しばしの沈黙のあと、英介は言った。

「この一ヶ月、仕事が手に付かなかった」

私は目を閉じて携帯電話を耳に押し当てた。体までとろけるような言葉だった。

「自分がどうかなりそうだった」

全身が痺れるようだ。私は携帯電話を持ったまま、ベッドに横たわって目を閉じた。

「こんな気持ちになったのは、初めてだ」

英介が私のすぐ横にいるようだ。

「本当なの？」と私は聞いた。

「本当だ」英介は力を込めて言った。「嘘じゃない」

この言葉を高校時代に聞けていたら——。そう思った瞬間、涙が溢れてきた。

しかし英介の言葉を冷ややかに聞いているもう一人の自分がいた。

英介が吐いたセリフは、この十年、多くの男たちが私に囁いてきたセリフと同じだ。私の体を欲しがる多くの男たちの言葉と何ら変わりがない。所詮、恋の言葉なんて、みんな同じだ。そう思う一方で、その言葉に酔っている自分がいることが不思議だった。

自分自身が二つに分かれたような気がした。一人は絶世の美女の私、そしてもう一人は醜い私——。

こんな感情は初めてだった。長い間、心の底に眠っていた「和子」が甦ってきたのだ。それは私を慄（おのの）かせた。

英介は店が終わった後に会いたいと言った。私は、仕事の後は疲れているから嫌だと言った。会うなら店の休みの日の昼間がいい、と。

夜に会えば、強引な誘いを断る自信がなかったからだ。英介が本当に私を好きなのか、それとも体が目的なのか、それがわからないうちはセックスはしたくなかった。

でも英介の気持ちがどちらなのか、見分ける自信はまるでなかった。ただ本能が、まだ体を許してはいけないと言っていた。

もし、私がこれほどまでに美しくなくて、それでも彼がここまでの情熱を注いでくれたなら、その気持ちは多分本物だ。でも私はあまりにも美しすぎた。東京にいた頃も、そしてこの町に来てからも、何度男たちの誘惑に遇ってきただろう。おそらく遠い昔から、世の中の美女たちは、ずっとこんな悩みを背負ってきたに違いない。

英介の心が見える魔法のメガネが欲しいと思った。

気持ちの整理がつかないまま、翌週、店の休みの日に英介とデートすることになった。町中では人目があるため、英介の車で県外に出た。私が夕方には帰らないといけないと言ったので、行く先は決めずに途中で気に入った喫茶店に入ってお茶を飲もうということになった。

ドライブは最高に楽しかった。英介の車の助手席に乗っていると思うと、感動で震えた。国産の普通乗用車だったが、高価な外車に乗っているより心地よかった。車の震動さえも私をうっとりとさせた。

車の中で、英介に高校時代のことを聞いた。彼はハンドルを握ったまま、聞かれるままにいろんな話をした。

株で大儲けした話。高校生なのに大金を持ち歩いていた話。勉強がすごくできた話。女生徒にもてた話などを淡々と語った。英介の話には虚飾も見栄もなかった。自分をよく見せるために、嘘を混ぜたりもしなかった。

途中で国道沿いの喫茶店に入った。

「株は今でもしているの？」

私はジュースを飲みながら聞いた。

「もうやってない」

「なぜ？」

「バブルがはじけた時、大損したんだ。先物でやっていた分もあって、すごく借金を作ってしまった。結局、株で大儲けしたのはたまたまバブルだっただけで、実力じゃなかったんだ。それ以来、株は一切やってない」

英介は少し苦笑いを浮かべた。

「今にして思えば、ぼくの人生は高校時代がピークだったかもしれない」

「そうなの？」

「高校時代は東大にも行けると言われてたんだけど、浪人中に株で大損して、勉強どころじゃなくなった。結局、二浪したけど、東大には行けなかった。それに株で作った借金で、東京の大学に行くお金もなくなって、地元の国立大学を出て、K興産に就職した」

それを言う時、彼は少し悲しそうな顔をした。

全然知らなかった。高校時代にあれほど輝いていた彼が、そんな青春を送っていたなんて――。友人たちの多くが東京の大学に行き、東京の一流企業に就職する話を、彼は地元でどんな思いで聞いていたのだろうか。

「高校時代の恋人って、どんな人？」

「どうして、そんなことを聞くの？」

「何となく。高木さんの高校時代をイメージしたいの」

英介は少し考える表情をした。

「何人かと付き合ったけど、あまり深くは付き合わなかった。だから恋人とは言えないかもしれない」

「肉体関係はなかったの？」

「なかった。高校時代はキスしかしたことがない」

意外だった。てっきり英介は何人もの女生徒とセックスをしていると思っていた。私が思っていたよりもずっと純情な少年だったのだ。

昔の話をする英介の言葉を聞きながら、時々、目を閉じた。すると高校時代の英介の姿が瞼の裏に浮かんだ。

帰り道、英介は広い路肩に車を止めて、キスしてきた。私は抵抗しなかった。

英介とのキスは最高だった。これまで何百人の男たちとセックスしてきたのに、キスでこんなに感じるとは知らなかった。愛する男とのキスはこれほどまでに体を痺れさせるものだったのか。

英介は胸に右手を伸ばしてきたが、私がその手を押さえると、それ以上はしてこなかった。私はほっとした。強引にこられたら、抵抗できなかったからだ。

私はずっと聞きたかったことを聞いた。

「高校時代の一番嫌な思い出ってある？」

「嫌な思い出？」英介は言った。「やっぱりバブルがはじけたことかな。いや、それは高校卒業後か」

「じゃあ高校時代は楽しいことばっかりだったのね」

英介は笑った。

「辛かった思い出ってないの？」

「どうして、そんなこと聞くの？」

「明るい話より、嫌な思い出の方に、その人の本質が見えるから」

英介はしばらく無言で運転していたが、ふと、「一つ思い出した」と言った。

「クラスの連中とカラオケに行った時、その一人にメチルアルコールを飲まされたことがある」

私の心臓が早鐘のように打った。車の中でよかったと思った。テーブルで向かい合っていたら、顔色が変わるのを見られてしまうところだった。

「エチルアルコールと勘違いしたんだろうけど、運が悪ければ失明するところだった」

「その人は男？」

「いや、女だ」

「どんな女だったの？」

「どんなって――」

「仲が良かったか悪かったかとか、綺麗だったとか、いろいろあるでしょう」

「ほとんど話したことのない子だった」

英介はそう言った後で、付け加えた。「すごく不細工な子だった」

「そんなに？」

「うん」英介はちょっと思い出し笑いをした。「学校でも話題になるくらいのブスだった」

「あなたも嫌いだったの？」

「好きでも嫌いでもなかった。ただ、本当にひどい顔をしていて、可哀想なくらいだった」

笑おうとしたが、声が出なかった。英介の顔を横目で見ながら言った。

「その子は、あなたのことが好きだったんじゃない？」

「ぼくのことを？　まさか――」

そう言いながら、英介は何かを思い出したようにうなずいた。

「思い当たることがあるのね」

「何度か、その子に後をつけられたことがある。住んでる町が全然違うのに、ぼくの家の近くまで、後ろをついてきたことが何回かあった。今から思えば、軽いストーカーだったのかも」

思わず、両手で自分の顔を押さえた。まさか、気付かれていたとは知らなかった。

「その子、わざとメチルアルコールを飲ませたのかもしれないわね」

英介はえっという顔をした。

「メチルアルコールであなたを失明させようとしたのかもしれない」

「どうして？」

「あなたの目が彼女の顔を見られなくなるように。そして、失明してすべての女性に相手にされなくなったあなたを、自分のものにしようとしたのかもしれないわ」

英介は、まさかと言いながら、表情を曇らせた。それから呟くように言った。

「でも、同じことを言った奴もいたな」

「その子の名前、覚えてる？」

「覚えてないな。何人かが言ってたから」

「いいえ、メチルアルコールを飲ませた子の名前よ」

「ああ」と英介は言った。「田淵──下の名前はたしか、和子」

久しぶりに耳にする名前だった。まるで他人の名前のように聞こえた。

「よくフルネームを覚えてるね」

「その事件以来、モンスターと言われて、有名人になったから。卒業してからも何度も噂になった」

「その子は今どうしているのかしらね」

「町を出て、三年後に死んだらしい。交通事故と聞いている」

やはり私は死んだことになっていた。町で一番醜い女だった田淵和子はもうこの世にいないのだ──。

私は「私が和子よ」と言い出したくなるのを必死でこらえた。なぜそんな気持ちになったのかわからない。

英介はやがて車を走らせると、国道沿いのラブホテルに車を入れた。

別に驚きはしなかった。今日ドライブに誘われた時から、想定していたことだった。拒否するつもりでいたはずなのに、私はなぜか黙っていた。もしかしたら和子の話で動揺していたせいかもしれない。

ラブホテルは古いモーテルタイプで、部屋に専用のガレージが付いていた。今どきの都会には見られないものだ。

部屋に入ると、赤い絨毯と円形のベッドが目に入った。ピンク色の照明と合わせて、いかにも一昔前のラブホテルという感じだった。でも私はその古くささは嫌じゃなかった。タイムスリップしたような気になったからだ。

私はようやく落ち着きを取り戻した。ここまで来てしまったものはしょうがない。しかし今日はまだ体を許す気はない。

英介はいきなりキスしてきた。それから私をベッドに優しく押し倒した。体重がかからないように上になり、唇に舌を入れてきた。私はその舌を吸った。

英介は私の胸に手をやった。私は「いや」と言って、その手を摑んだが、英介はやめなかった。私は抵抗するのをやめた。

英介はさんざん胸を揉みしだくと、私を抱き起こして、ワンピースの背中のホックを指で外しにかかった。私はされるがままになっていた。やがてワンピースが脱がされ、下着姿にされた。ピンクのブラジャーにショーツだった。ブラジャーは乳房の下半分が隠れるだけの小さなもので、ショーツもビキニタイプだ。男が小さな下着を好むのは知っていた。

私は両手で顔を覆って、ベッドに倒れ、うつぶせになった。Tバックのショーツが英介の目に入っているはずだ。英介の唾を飲む音が聞こえた。

英介はゆっくりと覆い被さると、私の背中にキスした。ぞくっとするほど感じた。

ブラジャーのホックが外されるのがわかる。英介は私の体に手を掛け、仰向けにする。そして私の上半身からブラジャーを取り去った。私は両手で胸を隠した。

しかし英介に手首を摑まれると力が抜けた。

「私だけが裸になるのは嫌」

英介はうなずくと一旦私の体から離れ、ベッドの脇に立って、服を脱いだ。

私はベッドに横たわったままその様子を眺めていた。英介の裸を見ているなんて現実の世界の出来事とは思えなかった。

英介はトランクス一つになると再び私の体に覆い被さってキスした。優しいキスだった。それから胸を覆っている私の手をどけた。私はもう抗わなかった。英介は乳房全体を優しく揉んだ。それから乳首を指でつまんだ。さするように乳首をこねた。乳首はたちまち硬くしこってきた。全身に快感が走った——もうどうなってもいいと思った。

ちらっと英介の股間を見た。英介のそれはトランクスを突き破らんばかりになっていた。それを見て、英介もただの助平だと思ったが、興奮してくれるのは嬉しかった。そしてそれが欲しいと思った。

英介はショーツに手を掛けた。

「いや」

そう言って、その手を握った。

「愛してる」英介は言った。

「本当？」

「本当だよ」

私は目をつぶって、握っていた英介の手を離した。英介がショーツをゆっくりと下げていく。

「あ！」

私は大きな声を上げて、自分の股間を押さえた。

「どうしたの？」

「——始まっちゃった」

英介は何も言わなかった。

「どうしてだろう。全然、周期じゃないのに」

英介は「生理？」と尋ねた。私はうなずいた。

「ごめんなさい」

「仕方がないよ」

そう言う英介の声は、明らかに落胆していた。

「ちょっと待っててくれる」

私はそう言ってハンドバッグを持ってトイレに行った。ショーツを降ろすと、クロッチのところに血ではないものがべっとりとついていた。私はティッシュでそれを拭うとナプキンをショーツに貼った。

部屋に戻ると、英介がトランクス一つの恰好のまま、ベッドに腰掛けていた。

「ごめんなさい」

英介は首を振った。

「こんなことになっちゃって——。私も覚悟してたのに」

「仕方がないよ」

「でも、男の人って、我慢できないんでしょう」

「そんなことないよ」

私は英介の足もとに跪いた。

「口でしてあげる」

英介の顔がぱっと輝いた。

「あまり経験がないから上手にできないけど——」

「うん」英介は上ずった声で言った。「じゃあ、シャワーを浴びてくる。待っていてくれる？」

「はい」

英介はシャワーを浴びにバスルームに行った。寝室とバスルームを隔てる壁は透明に近い曇りガラス一枚だったから、英介の裸体がほとんど丸見えだった。私はベッドの上に腰かけながら、それを見て、年の割には太っていないなと思った。

まもなく英介はバスタオルを腰に巻いただけの恰好でバスルームから出てきた。そしてベッドに腰かけた。

私は英介の足もとに跪き、バスタオルに指をかけた。英介のものを目の当たりにすると思うと、珍しくドキドキした。バスタオルを解くと、硬くなったものが飛び出した。大きくはなかった。むしろ小振りな方だった。先の方からは透明な液が流れていた。私は愛しさを感じて、それをくわえた。

慣れていない感じでぎごちなくやろうと思っていたが、くわえてしまうとその気はなくなった。どうせなら、いい思いをさせてやりたい。私はヘルス時代のテクニックを使った。一番感じるところを舌で集中的に愛撫した。男はくわえている女の顔を見たがるのを知っていたから、前髪が顔に垂れないように両方の耳に引っかけた。

英介は手を伸ばして私の胸を触った。全体を揉み、乳首を愛撫した。私はくわえたまま呻き声を上げた。時々口から抜いて、喘いで見せた。それは演技ではない。

私もすごく興奮していた。憧れだった英介のものを口にして頭がどうにかなりそうだったのだ。私のショーツの中は再びひどいことになっていた。もし英介が挑みかかってきて無理矢理ショーツの中に手を入れたなら、もう抵抗できなかっただろう。

英介のものが口の中でぐんと大きくなった。もうすぐいくと思うと、胸が切なくなった。

いって！　私の口の中に出して！

英介は背中を反らすと、私の髪の毛を摑んだ。次の瞬間、うっと呻いて、私の口の中に放出した。私は喉の奥で受け止め、英介のものをくわえたまま、それを飲み下した。

帰りの車の中で、英介は満足そうだった。私の口に放出したことと、この次は私を抱けるという確信が彼を上機嫌にしていた。

でも次は抱けるという思いが、実は一番危険だということを英介は知らないのだ。キャバクラ嬢やホステスをしていた女の子たちが口を揃えて言っていた。「次こそやれると思わせられれば、男は何でも言うことを聞く」と。「あまり早く思わせてもいけないし、遅すぎてもいけない。そのあたりがテクニックよ」と。

セックスをした後の方が言うことを聞く男もいた。一度味わったものを失いたくなくて、何でも言うことを聞いてしまうのだ。ただしこれはすべての男に通用する手ではない。何度かセックスしてしまえば、急激に気持ちが冷めていく男の方が多かった。

しかしどんな男も、憧れていた女と「次こそセックスできる」という確信を持った時は、あらゆる抵抗力を失ってしまう。女の要求をいくらでも呑んでしまうのだ。

英介の脳裏には私の裸身が刻み込まれていることだろう。世にも美しい女が、小さなショーツ一つでベッドに横たわって悶える姿がくっきりと残っているはずだ。そして肉体は私の口と舌のテクニックを覚えているはずだ。妻では味わえない快感を味わったはずだ。

帰り道、英介は車を運転しながら、私を見て、にっこりと笑った。私も微笑み返した。そして心の中で言った。

——私の裸身と快感の記憶は、数日後には麻薬のように全身に回るわよ、と。


ラブホテルへ行った日の翌日、夜遅く英介から電話があった。

「今から会いたい」

「もうすぐ十二時よ」

「近くまで車で来ている。行ってもいいか」

「いいけど。私、まだ——」

「わかってる。一目でいいから会いたい」

「いいわ」と言った。「三十分後に来て」

三十分後に家を出ると、英介は店の近くに車を止めて待っていた。

車に乗ると、いきなりキスしようとしてきた。

「待って」私は言った。「ここじゃいや」

「わかった」

英介は笑いながら車のエンジンをかけた。

英介の声の態度に変化が表れているのに気が付いた。先週までのおずおずとした感じは消えていた。ハンドルを握る英介の横顔を見ながら、彼が私に対して自信を持ち始めているのがわかった。昨日、ラブホテルで私の体を自由に愛撫したことで得たものだ。

英介の中で、すでに私は女神の座から降ろされようとしているのかもしれない。それはそうだろう、自分の愛撫で喘ぎながら身悶えした女なのだ。それに口も汚した。もはや神聖な存在でなくなりつつあるのは当然かもしれない。

すべては私のせいだ。あの時、心が乱れに乱れて、彼の愛撫に身を任せてしまった。最後までさせなかったのが、せめてもの救いだった。でも英介の態度の変化は悲しかった。同時に少し腹立たしかった。

たしかに私はあなたに体を愛撫された、と心の中で呟いた。でもあなたはまだ私を手に入れていない。そう思うと、冷静になれた。

英介は広い国道を二十分くらい走らせて、人影のない路肩に車を止めた。

「会いたくてたまらなかった」

「私もよ」

英介はいきなりキスしてきた。私は英介の背中に手を回して彼の口の中に舌を入れた。

「今日一日、どうかなりそうだったわ」

私は英介の唇を離して言った。

「本当?」

「本当よ」

英介は再び私の唇を唇でふさいだ。互いに舌を吸いあいながら激しいキスを繰り返した。

私はやっとのことで英介の体を押し返した。

「こんなとこ、誰かに見られたら――」

英介はエンジンをかけると車を走らせた。

二人とも黙っていた。

車は隣の市のラブホテル街に向かっていた。彼がセックスをしたがっているのは明らかだった。生理中でセックスはできなくても、また昨日のように私を裸にして楽しみたいと思っているのだ。あるいはまた口でして貰えると考えていたのかもしれない。

思い通りにはならないことを教えなくてはならない。

「今日は、あなたに抱かれてあげてもいいと思ってた」

英介は一瞬私の顔を見た。

「でも、その気がなくなったわ」

少し沈黙があった。音楽だけが流れていた。

しばらくして英介は、「どうして？」と聞いた。

「あなたが結婚してるから」と私は言った。

英介は黙っていた。

車の中の沈黙はかなり長い間続いた。

英介は車を路肩に止めると、「君のことを愛してる」と言った。

「最初は遊びのつもりだった。でも、今は真剣に愛してる」

私のことを「君」と呼んでいるのに気付いた。

「こんな気持ちになったのは初めてだ。自分でも驚いている。本当に好きなんだ」

英介はまるで堰を切ったかのように、口説きの言葉を口にした。

「こんなに魅力的な女性に会ったことはない。君は最高の女性だ」

私は耳をふさぎたかった。これまで多くの男たちが吐いてきた言葉とまったく同じ言葉を聞かされるのは辛かった。そんな口説きの言葉はうんざりするほど聞いてきたのだ。

「もう、やめて」

私は英介の台詞を遮った。

「甘い言葉はもう沢山。私を愛しているという証拠を見せて。そうすれば、私はあなたのものになる」

「どうすればいい？」

「私が欲しいんなら、その覚悟を見せて」

「覚悟って？」

「私と結婚してくれる？」

「結婚――」と英介は戸惑ったように言った。「まだ、知り合って間もないのに」

「知り合って間もないのに、セックスはしたいの？」

英介は一瞬、私から目を逸らした。

「あなたは単に浮気で、私を抱きたいだけでしょう」

「浮気じゃないよ」英介は苦しそうに言った。「本気で好きなんだ」

英介はキスしてきた。私は抵抗しなかった。

私は英介の背中に両手を回して、口の中に舌を入れてやった。英介は夢中で私の舌を吸った。

キスさせてあげるわ。胸も触らせてあげる。それは試食みたいなものよ。一口だけ囓(かじ)らせてあげる。でもなまじ一口だけ味わう方が苦しいのよ。

舌を存分に吸わせてから、彼の顔を両手で持ち、ゆっくり離した。

「愛は目に見えないものよ。目に見える形にしてみせて」

「未帆――」

英介はかすれたような声で私の名前を呼ぶと、再びキスしてきた。私は彼の顔を手で押さえた。

「私は真剣よ」

そう言って英介を睨んだ。私が睨むと凄みがある。多くの男たちが言っていた。私の目は優しいだけの形には作っていないのだ。

「どうなの？」

英介は怯んだ。

「少し時間をくれ」

「どれくらい待つの？」

わざと突き放すように言った。

英介は答えなかった。

十五・幸福

次の日の夜、続けて三回電話があったが、出なかった。三回目の呼び出し音が切れた後、携帯の電源を落とした。私の毒が回るまで、英介を一人にしておきたかったからだ。

翌日、九時過ぎに英介が店にやってきたが、私はプライベートルームから一歩も出なかった。

英介は食事の後も一人で酒を飲んでいたが、閉店少し前に帰って行った。

三日目の夜、二階の部屋に戻り、久しぶりに携帯の電源を入れると同時に英介から電話がかかってきた。ずっとかけ続けていたのかもしれない。

「未帆か――」

三日ぶりに聞く英介の声は何か別人みたいだった。疲れているのか声に力がなかった。私は切なくなった。

「なぜ、電話に出なかった?」

英介は泣きそうな声で言った。

「いろいろ考えた結果なの」

「会える？　今」

三十分後、私は英介の車の中にいた。

英介は店からかなり離れた公園の駐車場に車を止めた。

「あなたとはもう会わないでいようと思ってるの」と私は言った。

「何だって――」

「聞いてくれる？」

英介は黙ってうなずいた。

「私、どうかしてたの。あなたに夢中になってしまった。自分の人生にこんなことが起きるなんて信じられなかった。不倫なんて馬鹿な女のすることだと思ってた。世の中には星の数ほど男性がいるのに、よりにもよってなぜ結婚している男性と恋愛するのかって――。でも、あなたに出会って、恋に落ちちゃった」

「だったら――」

英介が言いかけるのを制して言った。

「だめ。私にはまだ理性が残っている。今なら引き返せると思うの。これ以上進めば、もう戻れない。この前、あなたとセックスできなかったのは神様の思し召しだと思うの。もし、セックスしていたら、私は一生あなたを忘れられなくなる」

英介は喉の奥で呻いた。

「今なら美しい思い出で終われると思う。あなたとのことを嫌な思い出にしたくないの」

「ぼくはもっと会いたい」

私は返事をしなかった。

「どうしたらぼくの元にいてくれる？」

「あなたが奥さんと別れてくれたら、いつでもあなたのものになるわ。でも、そんなこと言いたくないし、望みたくもない」

「実は妻とは別れようと思っている」

「本当なの？」

英介はうなずいた。

「奥さんを愛していらっしゃるんでしょう」

「前は愛していた――と思う。でも、今はそうじゃない」

「私のせい？」

「うん」

「それだけ？」

英介は大きなため息をついた。

「昨日、妻に言った。好きな人ができた、と」

「奥さんはなんて」

「泣いたよ」

英介は苦しそうだった。その顔を見て彼が妻を愛しているのがわかった。愛していながら、私が欲しいのだ。

私は英介の肩に手を置いた。英介は私に体を預けてきた。私は英介の頭を胸に抱いた。英介は私の胸にすがりつくように、未帆、未帆、と何度も言った。

「英介、好きよ」

その時、初めて英介に好きと言ったことに気が付いた。ずっと言いたかった言葉だ。二十年前はどうしても言えなかった言葉だ。

「未帆、好きだ」

英介は私の胸にすがりついたまま喘ぐように言った。

「誰よりも好き？」

「ああ、誰よりも好きだ。だから、どこにも行かないでくれ」

私は次の休みの日に英介に会うことを約束した。

その日、私は英介に抱かれることになるだろう。

再会した英介と何度か逢瀬を重ね、彼が白馬にまたがった王子なんかじゃないことは、私にもわかっていた。英介は地方都市の上場企業のサラリーマンで、背が高く、年の割には痩せていて、ハンサムな、ただそれだけの男だった。でもそんなことはどうでもいい！　私は英介に心の底から恋している——そう、平凡な中年男に死ぬほど恋焦がれていたのだ。


翌日の夜、店に入ってきた男を見て、私は息を呑むほど驚いた。

男は崎村だった。見慣れた色付きのシャツと黒い背広ではなく、地味なブレザーを着ていた。

私は崎村のテーブルに近付いた。崎村は私の顔を見て、微笑んだ。

「座ってもよろしいですか」

「ママさんがお相手してくれるとは嬉しいね」

私は崎村のテーブルに座ると、美香を呼んで、ワインを注文した。

「どうしたんですか、突然」

嫌な予感がした。こんなタイミングで崎村が現れることは私の計画にはなかった。

彼の狙いは何だろう。普通に考えれば、金しかない。しのぎにしくじって金が入り用になったのかもしれない。私のところにくれば、いくらかでも融通は利くだろうと思ってのことか。

「流行ってるな」

崎村は店の中を見渡して言った。

「お陰さまで」

「結構なことだ」

崎村は笑った。頭の中では、私がいくらくらい出せるか値踏みしているのかもしれない。

「どうして、この店がわかったのですか？」

「蛇の道は何とやら、だ。後を辿るくらいは難しくない」

私はうなずいた。その時、美香がワインを持ってきた。グラスに注ごうとする美香からボトルを受け取り、私が注いだ。

その後、崎村はメニューの中のアラカルトをいくつか頼んだ。

「再会に乾杯」

崎村が言った。私は彼のグラスにグラスを合わせ、ワインを飲んだ。

「この店はずっとやるのか？」

私はすぐには答えず、少し考えるふりをした。

「長くやるつもりはないんだろう」

さすがは崎村だ。勘がいい。

私は思い切って聞いた。

「崎村さん、今日ここへ来られた理由は何ですか？」

崎村はワイングラスをテーブルに置き、私の顔をじっと見つめた。そしてぽつりと言った。

「仕事を引退してな」

「引退って——組を抜けたってこと？」

崎村はうなずいた。

「この年になって、やってることが馬鹿らしくなってな。それなりの金は稼いだし、田舎に帰ることにした」

ああ、そうだったのかと思った。店に入って来た時、崎村から抜き身のようなぎらぎらした何かが消えていたわけがわかった。

「それで、九州へ帰る途中で、美鈴のところに寄ったわけだ」

「そうだったんですか」

「強請（ゆす）りにでも来たかと思ったか」

崎村は悪戯そうな目で笑った。私は苦笑するしかなかった。

「故郷には身内の方がいらっしゃるんですか」

「おふくろが一人でいる。生きているうちに親孝行をしたいと思ってな。おふくろが持ってる小さな田圃（たんぼ）を耕すさ」

「私に似ているお母さんなんでしょう」

崎村は、えっという顔をした。

「崎村さんに初めてお会いした時に、そうおっしゃってました」

「覚えてないな」崎村は苦笑した。「とにかく、今のお前とは似ても似つかないよ」

二人とも声を上げて笑った。

あれはもう十三年も昔のことだ。私は世にも醜い顔をして、風俗店に雇ってもらおうとしていた。あの時、崎村は「ここはあんたのような女が来るところじゃない」と言った。そして「田舎へ帰れ」と。

私は目をつむった。十三年間の出来事がフラッシュバックのように脳裏に光った。そして私は故郷へ戻ってきた。

「美鈴――」

と崎村は言った。

「何?」

「お前さえよければ、俺と一緒に宮崎へ来ないか」

一瞬、崎村が何を言っているのかわからなかった。少し遅れて、愛の告白だということがわかって、激しく動揺した。

「何もない田舎だが、空気は旨い」

まさか崎村にこんなことを言われるとは思わなかった。私は固まったまま返事ができなかった。崎村との田舎暮らしが一瞬脳裏に浮かんだ。

でも崎村とは一緒にはなれない。

「どうなんだ?」

崎村の言葉に、私は思わず、「子供がいます」と答えていた。

崎村は驚いた顔をした。「知らなかったな」

自分がなぜこんなことを口走ってしまったのかわからない。でも今さら、冗談だとは言えない。

「父親になってくれますか」

「もちろんんだ」

その瞬間、涙がこぼれた。崎村をだましたことによる後悔ではない。崎村の真心に打たれたのだ。崎村は私が醜い女だったことを知っている。本当は美しくない女であることを知っている。そしてどんな仕事をしてきた女であるかも知っている。その上で求婚してくれたのだ。

「泣くなよ」崎村は困ったように言った。「ママに難癖をつけてる客に見えるじゃないか」

私は笑いながら涙を拭いた。

「どうだ？」

「ごめんなさい、崎村さん」

私はテーブルに手をついて頭を下げた。もし客がいなければ、床に土下座して謝りたかった。テーブルに私の涙が落ちた。

「美鈴、顔を上げてくれ」

私は顔を上げた。崎村が穏やかな顔で私を見ていた。

「涙を拭いてくれ。それで、俺の言葉は忘れてくれ」

それからにっこりと笑った。

「せめて食事の間、テーブルに付いていてくれるか」

私は黙ってうなずいた。

崎村は最近の東京のことなど、取るに足らない話を一時間ほどした後、帰っていった。

私は店の外まで送っていった。

「じゃあな」

「崎村さんも、お元気で」

崎村の後ろ姿を見ながら、もう一生会うこともないと思うと、悲しくてたまらなかった。

彼は私を女として見てくれた、ただ一人の男だった。私が唯一恋した男が英介だったとすれば、唯一愛した男は、もしかしたら崎村かもしれない。

突然、崎村について行きたいという強い衝動にかられた。英介のこともレストランのことも、何もかも全部擲（なげう）って、崎村と暮らしたい！

彼を追いかけようとするのをすんでのところでこらえた。私が恋したのは英介だ。ここにきて英介への想いを捨てることはできない。

なぜこんな時にやって来たのよ！　と崎村に対して怒りにも似た感情が湧き起こった。どうして今ごろ現れて、私の心をかき乱すのよ。なぜ、もっと早く私を欲しいと言ってくれなかったのよ！

崎村の小さくなっていく後ろ姿を見つめながら、私は今、自分の幸福が崎村とともにゆっくりと去っていこうとしているのがわかった。でも私はそれを追いかけて摑まえようとはしなかった。

崎村の姿が消えた途端、胸が苦しくなると同時に激しい頭痛がして、立っていられなくなった。しゃがむと少し楽になったが、今度は涙が止まらなくなった。

泣きながら、神様は残酷だ、と思った。

＊

月曜日の夜、英介と会った。

英介の様子はいつもと違っていた。運転中もほとんど話さず、何か怒っているような雰囲気だった。

食事もせずにいきなりラブホテルに車を入れた。

「結婚したい」

部屋に入った途端、英介は私を抱きしめながら言った。

「奥様はどうするの？」

「妻とは別れる」

私は英介の目を見た。英介は目を逸らさなかった。

その夜、そんな気はなかったのに私は英介に全部許した。もしかしたら、崎村を失ったことで心の中の何かが壊れていたのかもしれない。

英介に愛撫されながら服を脱がされていく時は、この上なくどきどきして興奮した。前にも同じようなことをされたが、あの時は最後までいく気がなかったから、気持ちが全然違った。

英介はショーツの上からキスした。英介の唇が強く押しつけられた時、私は軽くいった。こんなことは生まれて初めてだった。

ショーツを剝ぎ取られ、今度は直接キスされた。長い間、仕事でいろいろな声を出してきたが、自然に声が出たのは初めてだった。ああ、女って本当に声が出るんだ、と思った。

英介のものが入ってくる時、かなり痛みを感じた。久しぶりだったからかもしれない。完全に入った時、あまりの気持ちのよさに一瞬気を失いそうになった。でもそれは肉体的な快感ではない、完全に精神的なものだ。

ついに英介と結ばれた嬉しさで涙が止まらなかった。声を上げて泣いた。私は二十年かけて、ついに英介を手に入れたのだ。

英介が動くたびにじんじん感じた。ああ、すごく気持ちいい——セックスってこんなに気持ちがよかったんだ！　私は泣きながら、気持ちのよさに声を上げた。もう何がどうなっているのかわからなかった。息が苦しい。いくら息を吸っても空気が足りないと思った——。

気が付くと、私の隣で英介が髪を撫でていた。少しの時間、気を失っていたようだ。胸がまだ激しく動悸を打っている。下半身が痺れたみたいになっている。

英介の方に顔を向けると、彼がキスした。

彼の顔に浮かんでいるのは、純粋な喜びだけではなかった。後悔に似た苦い何かがあった。おそらくセックスする前に口にした言葉がのしかかっているのだ。

私はその顔を見たくなくて、英介から顔を背けた。

「どうしたの？」

私は首を振った。

「楽しい話をしましょう」

私はわざと明るい声で言った。セックスの後に深刻なムードはいやだ。せっかくの喜びが消えてしまう。

「あなたの初恋を教えて」

英介は、「うん？」という感じで聞き直した。

「あなたの一番古い恋の思い出を聞きたいの」

「一番古い恋の思い出か――」

英介は天井を見つめながら言った。

「小学校の時かな——四年生の時、クラスに好きな女の子がいた。それが初恋かな」

「幼稚園の時はないの？」

「そんなに小さい時は恋なんてしないよ」

「あら？　感受性の乏(とぼ)しい子供だったのね」

英介は何も言わなかった。

「幼い頃の英介さんのお話が聞けると思って楽しみにしてたのに、がっかりだわ」

「恋というのとは違うかもしれないけど——」英介は言った。「幼稚園の時の思い出はある」

「どんなの？」

「同じクラスの女の子と一緒に隣町に行ったんだ。でも帰り道を間違えて、迷子になった。その女の子は泣いていた」

「あなたがその子を守ってあげたの？」

「守ったわけじゃない。でも、その子が泣きながらぼくの手を離さなかった時、子供心にこの子を守らなければいけないと思った」

「ラブリーストーリーだわ」

私は囁くように言った。英介は恥ずかしそうな笑顔を浮かべた。

「その子は本当にぼくを頼りにしてくれた。ぼくが泣かないでと言ったら必死で泣きやんでくれた。ぼくを支えに思っているのがわかった。結局、最後は大人の人に助けて貰ったと思う」

「あなたは泣かなかったの？」

「ぼくは泣かなかった」

それは記憶違いよ。あなたはお母さんが来た時、大きな声で泣いたのよ。でも、あなたは立派だった。最後まで私を守ってくれた。小さくても、勇敢なナイトだった。

「その女の子とはどうなったの？」

「ぼくが引っ越してから一度も会ってない」

それは嘘だわと心の中で言った。でも彼がそう言ったのは、光代にふられたからだ。多分嫌な思い出として残っているのだろう。

「名前も覚えていないの？」

「覚えていない。でも、印象だけは覚えている。可愛い子だった」

その瞬間、涙が出そうになった。

違うのよ、私は可愛い子じゃなかった。醜い女の子だったのよ！

「本当はどこかで再会したんじゃないの？」

「どうして？」

「あなたの言い方には、何かごまかしている感じがあるから」

英介は少し驚いたような顔をした。それから、まいったなと言った。

「未帆は勘がいいというのか、鋭いというのか――」

それからかすかに苦笑した。私は緊張して彼の言葉を待った。

「実は、高校時代にクラスで『私の初恋』とかいう文集を出すことになって、その話を書いたんだけど、その女の子は私だという子が現れたんだ」

「まあ。劇的な再会ね」

「でも、彼女じゃなかった」

私は驚いた。まさか、英介がそのことに気が付いていただなんて――。

「どうして、違うってわかったの？」

つとめて冷静に聞いたが、声が震えているのが自分でもわかった。

「住んでる町の方向が違っていた。十二年後に再会した女の子は、一緒に遊んだ公園の記憶も全然違っていた」

「ショックだったでしょうね」

「それほどでもない。もともとが幼い頃の他愛ない思い出に過ぎなかったし――」

私はうなずいた。

「ただ、彼女がそんな嘘をついているのが嫌だった。それで、別れた」

知らなかった。ずっと英介がふられたと思っていた。たしか光代も自分が英介をふったような言い方をしていた。私は英介に気付かれないように大きく息を吐いた。

「その時の女の子に会ってみたい？」

「そうだなあ」英介は遠い目をした。「どんな女性になっているかなと思う。できたら一目見てみたいような気もする」

あなたの目の前にいるわ、と私は心の中で言った。会いたいと言ってくれたら、名乗り出るわ。

「その子のことを探そうとは思わなかったの？」

「探す気になればできたと思う。同じ幼稚園出身の友達にアルバムを借りて、住んでる町をチェックしていけば、多分絞り込めたと思う。もしかしたら同じ高校にいたかもしれない」

「しなかったの？」

「するわけないじゃないか。子供の頃の他愛ない思い出だよ。そんなものを真剣に探したら変態のストーカーだよ。それに、女の子は覚えてないだろうし――」

「覚えてるわよ！」

思わず大きな声で言ってしまった。英介は驚いた顔をした。

「一度見てみたい気もするけど、是非とも会ってみたいというほどの気持ちはない」

「夢がないのね」

英介は少し表情を曇らせた。

「もし、その女の子が、今でもそのことをずっと覚えていたら？」

「覚えていてくれたら、か——」

英介は少し考えるような顔をしたが、すぐに「でも、もう三十八歳だよ」と言った。

「二十代の頃だったら、会ってみたいと思ったかもしれない。高校時代のことがあってから、しばらく思い出すこともなかったんだけど、大学生の頃はたまに思い出した。あの時の女の子は今頃どこでどうしているのかなって。綺麗で素敵な女の子になっていて、いつかどこかで再会できたらいいなって、思う時もあった」

英介はそう言った。

「失恋した時なんか、よくそんなことを考えたよ。長いこと、ぼくにとっては、何だろう——現実にはいない夢の女の子だった。でも、今にして思えば、若い頃特有のロマンチックな感傷に過ぎないんだよね。さすがに二十代の終わりには、そんな子供じみたことは考えなくなった」

英介の言葉を聞くうちに、涙が流れてきた。英介がそんな想いで待っていてくれたことが切なくて悲しかった。もし私が醜い女の子でなかったら、高校時代に名乗り出ることができたのに、と思うと悔しかった。英介に申し訳ない気持ちで一杯になった。

涙が頬を伝って英介の裸の胸に落ちた。英介はそれに気付いて驚いた。

「どうしたの？」

私は何も答えずに首を横に振った。

ホテルを出たのは午前二時過ぎだった。英介は別れ際にすがるような顔で、「明日も会ってくれる？」と聞いた。私は「もちろんよ」と言って彼にキスした。

部屋に戻ると、ベッドに倒れ込んだ。くたくたに疲れていたが、心の中は喜びで一杯だった。英介に抱かれたことを思い出すと、また涙が出てきた。

とうとう英介を手に入れた。英介の体も心も手に入れた。失った時間も愛も全部取り戻した。遠い昔に切れてしまった赤い糸を再び結びつけることができた！

その時突然、心に暗い影が走った。それは英介が愛しているのは和子ではなく未帆だという思いだった。英介は未帆という美しい女に心惹かれただけだ。和子の赤い糸はちぎれたまま漂っている——。

私はその思いを振り払った。こんなことを考えるなんてどうかしてると思った。おそらくあまりに幸せすぎて、自分で無理矢理に悲しみをこしらえたのだと思った。

寝る前にシャワーを浴びようと思ったが、体がだるくていうことをきかなかった。何年かぶりのセックスは私をがたがたにしていた。ベッドに横たわって目を閉じた途端、深い眠りに落ちた。

翌日、店を閉めて、部屋で休んでいると、英介から電話があった。時刻は十二時を大きく過ぎていた。

「会いたい」と英介は言った。

「私の部屋に来て」

「いいの?」

「ええ」

英介はすぐに行くと言って電話を切った。

いよいよこの日が来たと思った。店の二階にあるこの部屋に英介を迎え入れることこそ、私が本当に待ち望んだことだ。

もしかしたら今夜が二人の赤い糸が結び直される時かもしれない。そう思うと、心臓がどきどきして立っていられなくなった。気持ちを鎮めるためにブランデーを飲んだ。

三十分後、携帯が鳴った。英介だ。

私は店の裏口のドアを開けて英介を部屋に入れた。二階に上がり、初めて私の寝室に入る英介の顔は喜びに満ちていた。

「会いたかった」

「私も」

寝室で抱き合った。何度もキスした。昨日の感動と喜びが甦って来るのを感じた。

ようやく体を離すと、英介をソファーに座らせた。

「紅茶かコーヒー、どちらがいい？　それともお酒にする？」

英介は紅茶が欲しいと言った。

一番お気に入りのカップに紅茶を淹れて英介に出した。英介は二つのカップが色違いの対のデザインになっているのに気が付いた。

「お洒落だね」

英介が気付いてくれて嬉しかった。この部屋にある食器類は全部二つずつセットになっている。すべて英介と私用だった。いつか、英介がこの部屋に訪れる日を夢見て買ったのだ。

でも英介のために用意したのはカップだけではない。もっと恐ろしいものがある。

英介はふと壁に貼られている写真を見て、はっとした。

「あれは？」

それは英介の高校時代の写真だった。高校の卒業アルバムにあった集合写真から英介の部分だけを引き伸ばして加工したものだ。

英介は自分の写真だということに気付いた。

「どういうこと？」

英介は私の顔を見て聞いた。

「やっぱり英介だったのね」

私の言葉に英介は怪訝そうな顔をした。

「なぜ、ぼくの写真を、未帆が？」

「私の友人の形見の品の一つなの」

私は静かに言った。「昔、一緒に住んでいた女性のものよ」

英介は私の言葉の意味がすぐにはわからないようだった。

「その写真の男性は、彼女が昔恋した人なの」

私は写真を指差して言った。

「彼女が死んで、なぜかこの写真を捨てることができずにずっと持っていたの。いつしか私にとっても、この少年が忘れられない存在になっていた」

英介はぼんやりとうなずいた。

「あなたを初めて見た時に、私の心が動いたのは、この写真に似ていたからだったのよ。でも、まさか本人だとは思わなかった」

私は朗読するように言った。「あなたがこの前、話してくれたことを聞いて、この写真の少年はあなただと確信したの。なぜなら、彼女が話していた物語と同じだったから」

「彼女の名前は？」

英介は勢い込んで聞いた。

「田淵和子」

英介は大きく口を開けた。「まさか――そんなこと」

「ええ、信じられない偶然だわ」と私は言った。「私を英介に出会わせてくれたのは、和子よ。和子は本当にあなたを愛していた。わたしはいつもそれを聞かされていたの」

「知らなかった」

私は机の中から一枚の写真を取りだして見せた。

「私と和子よ」

それは二人の女が桜の木の下で並んで立っている写真だった。

一人は美しくなった私、もう一人は醜い時代の私だ。

昔の写真はすべて処分していたが、古いノートに一枚だけ残っていたものを知り合いに頼んで、パソコンで合成加工して貰った写真だ。

「田淵和子か、覚えている。まさか、未帆の友達だとは――」

「素敵な人だったわ。顔は美しくなかったけど、心はそうじゃなかった。でも、男性は誰も彼女を愛さなかった」

英介は深く頭を垂れた。

「やっぱり彼女は、ぼくのことを好きだったのか」

私はなぜか涙が出てきた。

「でも、和子のその想いがぼくと未帆を引き合わせたのかと思うと、何だか、運命的なものを感じるよ」

私は英介に抱きついた。英介は私を抱きとめてキスした。抱き合ったままベッドに倒れ込んだ。

セックスが終わった後、私は聞いた。

「和子のこと、少しくらい好きだった？」

英介は答えなかった。

「メチルアルコールを飲まされる前の話よ」

英介は大きなため息をついた。

「意識したことはなかった」

「もし、和子に告白されてたら？」

「――断っていたと思う」

その答えは予想通りだったが、聞きたくなかった。

「なぜ？」

「彼女は暗い性格だったから」

「嘘よ！」と私は言った。「本当は醜かったからでしょう」

英介は黙っていたが、違うとは言わなかった。

「男の人は女性を顔でしか判断しないんだわ」

「そんなことはないよ」

「もし、私が醜かったら？　それでも私を好きになっていた？」

「好きになっていたよ」

「もし、私が和子みたいな顔だったら？」

「そんなありえない仮定は意味がないよ」

「考えてみて」

「好きになっていたかもしれない」

「嘘だわ。高校時代は和子を好きじゃなかったのに」

「未帆と和子の性格は全然違う」

私は英介の顔を見た。英介はキスしようとしたが、私はそれを避けて体をそむけた。

「何を怒ってるの？」

自分でも何に怒っているのかわからなかった。ただ、無性に悲しかった。英介が私の肩に手を掛けて振り向かせようとした時、自分から英介の方に向いてキスした。

「抱いて！」と私は言った。「私を滅茶苦茶にして！」


目が覚めると、英介の姿はなかった。ベッドの脇に「仕事に行きます」という書き置きのメモがあった。「午前四時」と記されていた。

私はベッドから体を起こすと、戸棚からブランデーを取り出した。

一人で何時間も飲んでいた。気が付くと、ボトルの半分以上が空になっていた。頭の中に様々な思いがぐるぐる回った。

いつのまにか泣いていた。なぜか悲しくてたまらなかった。悲しいことなんか何もないはずなのに。私は美しさも英介も手に入れた。英介は私の美貌に惹かれ、私に恋をした。私のために家庭も捨てようとしている。すべてが夢見たことだ。それなのになぜ悲しむことがあるだろうか――。

そう思った時、またあのぞっとする思いが襲ってきた――英介が愛しているのは私ではなく未帆だという思いだ。いつものように払いのけようとしたができなかった。それは心の壁にへばりつき、私に囁いた。

――お前は、和子として英介に愛されたいのだろう。

ああ、そうだ。私は和子として愛されたいのだ、未帆ではなく。

英介にすべてを打ち明けてしまいたい。そして田淵和子として英介の前に身を投げ出したい！　彼は私を受け止めてくれるだろうか。美しくなった和子を愛してくれるのだろうか――。

いや、できない。そんなことは絶対にできない。

英介は作り物の私の美を、気持ち悪いと感じるだろう。不気味でグロテスクな私から逃げ出すに違いない。

いつのまにか私は号泣していた。声を上げて泣きながらブランデーをストレートで飲み続けた。

ベッドの脇の電話が鳴っていた。ベルの音が頭に響く。さっきから何度も鳴っている。頭が割れるように痛い。それに体が鉛のように重い。ようやく手を伸ばして受話器を取ると、村上からだった。

「どうしたんです？　もう店が始まってますよ」

「起きられない」

と私は言った。「体が言うことをきかない」

「大丈夫ですか？」

「昼の客が帰ったら、二階に来て。梨沙たちには内緒にして」

私は電話を切るとベッドに横たわった。二日酔いもあったが、だるいのはそれだけではない。この異変には記憶がある。肝臓だ。

いつ寝たのか覚えていなかった。テーブルの上のブランデーのボトルに目をやると、空になっていた。ぞっとした。

ベッドのサイドテーブルに置いてある手鏡を手にとった。顔がむくんでいる。

三時過ぎに村上が部屋のドアをノックした。私は起き上がることができなかった。

部屋に入ってきた村上は、私の様子を見て救急車を呼ぼうとしたが、私はそれを押しとどめて、タクシーを呼んでほしいと言った。市内の病院に運ばれるのは嫌だった。

村上に付き添われて、タクシーで隣の市の病院まで行った。診察の結果は、思った通り肝機能がかなりやられていた。朝の酒のせいかどうかはわからなかったが、引き金になったのかもしれなかった。医者はできるだけ早く入院するように言った。

私は村上に、入院中の店のこと一切をお願いすると言った。梨沙たちには、親戚の訃報で東京に行くことになったと言っておいてと頼んだ。英介には私から電話でそう言った。入院のことは言わなかった。むくんで醜くなった顔を見られたくなかったし、肝臓が悪いことも知られたくなかったからだ。

英介は何も疑わず、早く帰ってきてくれと言った。


入院は五日間に及んだ。

肝機能はかなり回復したが、医者は希望的なことは言わなかった。私の肝臓はもうかなりボロボロの状態らしかった。医者は今後酒は絶対に飲んではいけないと言った。もし酒を飲み続ければ確実に肝硬変になる、と。そんなことはわかっていた。前に肝炎を患った時にも同じことを言われていたからだ。肝硬変になれば、完治は難しいらしい。

病院のベッドで、私は五十歳までは生きられないだろうと思った。もしかしたら四十歳を迎えるのも無理かもしれない。だとすれば、私の人生はあと二年足らずだ。でも不思議と悲しみはなかった。

美しくなった時に、自分はなぜか長く生きられない気がしていた。鏡に映った怖いくらい美しい自分の顔を見て、いずれ大きな代償を払わされる気がしていたが、今、その時が来たのだ。

しかし後悔はなかった。醜いままでいたなら、今も健康でいられたかもしれない。でも製本工場で働き続ける貧しく醜い中年の独身女——愛もなく、共に暮らす人もなく、誰からもかえりみられることもなく、一人で老いていく——そんな人生が幸せだろうか。

美しくなった私は大金を得た。同性から羨ましがられ、嫉妬された。多くの男たちに女神のように崇められ、憧れられ、求愛された。何度も恋をしたし、結婚もした。そして今、英介に愛されている——。

美しくなって、これほどのものを得ることができたのだ。たとえ今死んでも本望ではないか。

しかし一方で悲しみも引きずっていた。それは私の中の和子の叫びだった。和子は死んでいなかったのだ。

病室にいる間は携帯を切っていたから、英介ともほとんど会話しなかった。

六日目に退院した夜、英介に電話をかけた。

英介は深夜に店にやって来た。

部屋に入るなり、私を抱きしめた。それからキスした。

「会いたかった」英介は言った。「たった五日間会えないだけで、死ぬかと思った」

「本当に？」

「会えなくなって、どれだけ未帆を愛しているのかわかった。未帆がいない人生は考えられない」

私の耳元で囁き続ける英介の言葉が遠く聞こえた。数日前はあれほど私の心をとろけさせた英介の言葉が、なぜかむなしく響いた。

——和子だ、と思った。私の中の和子が英介の言葉を聞いているのだ。

英介に力一杯抱きついてキスした。「吸って！」と言って舌を入れた。英介は舌をからませながら、私を抱きしめた。英介のたくましい腕が、私の不安を消した。

「英介、結婚したい」

英介は、「うん」と言った。

「いつ結婚できるの？　私は早くしたい」

英介は私から体を離した。

「結婚はしばらく待って欲しい」

心に冷たいものが走った。「どういうこと？」

「妻には、まだ何も言ってない」

私は英介から離れて部屋の端に行った。英介は追いかけてきた。

「すまない」

と英介は言った。

私はソファーに腰を下ろして首を振った。

「いいのよ。私もあなたに謝らないといけないことがあるから」

英介は怪訝そうな顔をした。

「好きな人ができたの」

英介はぽかんと口を開けて私を見た。「本当か？」

私はうなずいた。

「それは誰だ」

「あなたの知らない人よ。東京で出会ったの」

「どういう関係なんだ？」

「私を愛してくれてる人よ」私は早口に言った。「独身よ」

英介が顔に怒りの色を見せて私に近付いた。

「私を殴る気？　一度でも殴ったら、あなたから永久に去るわよ」

英介の目が私を睨んだ。私はその視線を受け止めて睨み返した。

英介は私の視線を避けた。そして俯いた。

「そいつとしたのか？」

「まだよ」

英介の顔にほっとした表情が浮かんだ。

「でも、抱かれるかもしれない」

英介は苦しそうな顔をして言った。

「君を愛してるんだ」

「私も愛してるわ」

英介は顔を上げた。「本当か？」

「本当よ」

それは嘘じゃない。私はあなたを死ぬほど愛している。あなたのために美しくなって、あなたのためにこの町に帰ってきたのだ。だから、今度はあなたが私を死ぬほど愛してほしい！

「だったら、ぼくと一緒になってくれ」

「あなたは結婚してるわ」

「一年待ってくれ。必ず妻と離婚する」

「一週間、待ってあげる」私は言った。「一週間の間に離婚届を持ってきて。でなければ、彼の元へ行く」

英介の顔が歪んだ。

「これ以上の話は無駄よ。もう帰って」

英介は力無く立ち上がった。何か言おうとしたが、私は目と手でそれを制した。

別れ際に、私は言った。

「忘れないで。私はあなたを愛してる。でも、いつまでも待てない」

英介はうなずいた。

次に会ったのは五日後だった。

その間、英介は何度も私の携帯に電話してきたが一度も出なかった。

英介は直接店にやって来た。もうすぐ閉店という時間帯だった。とっくにオーダーストップしていた。

プライベートルームの小窓から英介の顔を見た時、一瞬、彼だとはわからなかった。髪は乱れて、頬はこけ、うっすらと無精髭も生えていたからだ。

店に入ってきた英介に、梨沙が「まもなく閉店です」と言ったが、彼は「一杯だけ飲ませてくれ」と言った。

「恐れ入りますが、もうラストオーダーを過ぎています」

「頼むよ」

何度かやりとりしていたが、引き下がらない英介に困って、梨沙がプライベートルームにいる私に訊きに来た。

私は彼女に、「テーブルにご案内して」と言った。

「ママさん、あの人、ちょっと怖いです」

と梨沙は言った。「お酒を飲んでいて――、何か思いつめた感じで」

「大丈夫よ。お酒を一杯だけ差し上げて」

梨沙はまだ何か言いたそうだったが、私が微笑むと安心したようで、フロアに行き、英介をテーブルに案内した。

英介は一人寂しそうにワインを飲んでいた。私はプライベートルームの窓から、じっと彼を見つめていた。

まもなく閉店の時間が来て、英介は帰っていった。

店の後片付けを終えて、梨沙と美香は帰った。村上もマンションへ帰っていった。

私は店の椅子に腰かけてぼんやりしていた。朝からひどい頭痛で、体の調子が悪く、二階の自室に上がるのも億劫だったのだ。私の体はもう長くないかもしれない。

突然、アケミのことを思い出した。アケミを殺した男は本当にアケミを愛していたに違いない。その男は殺してでもアケミを他の男にやりたくなかったのだ。殺されるほど愛されるって、何て幸せなことだろうと思った。

その時、店のドアを叩く音がした。私は椅子から立ち上がると、ドアの傍まで行った。

「どなた？」

「ぼくだ」

英介だった。私はドアの鍵を開けた。

英介は黙って店に入ってくると、血走った目で私を睨んだ。

「店の中は外から見えるから、中に入って」

私は英介を二階の寝室に連れていった。

「どうして、電話に出てくれなかった？」

英介は部屋に入るなり、非難するように言った。

「一週間は会わないし、話もしないつもりだったから」

英介はうなずいた。

「奥さんと別れたの？」

英介は首を振った。

「妻に言ったが、離婚には応じて貰えなかった」

私はそれを聞いた途端、全身の力が抜けた。でも、もう十分だと思った。英介は私を本気で愛してくれた。妻にも離婚を切り出してくれた。

私は、もういい、と言おうとした。あなたの気持ちはわかった。私のために何もかも捨てようと思ってくれた。それだけで満足だ。私はもうあなたのものよ。

——いや、まだだめだ！　と心で叫んだ。

英介が愛しているのは美しい未帆だ。醜い和子じゃない！

私は和子なのよ！　と言いたかった。それでも愛してると言ってくれる？

「未帆」

英介は私の肩を摑んだ。

私は体を捻（ひね）ってその手を逃れた。でも、もう一度強く抱かれたら抵抗できないのは自分でわかっていた。

「だめよ」私は力のない声で言った。「あなたとはもう別れるんだから」

英介は「わかった」と言った。私は思わず、えっと聞き返した。

「別れる前に一つだけ頼みがある」

「何？」

「最後に——もう一度だけ抱かせてほしい」

その瞬間、全身の血が凍りついた。

「——何て言ったの？」

「君のことは忘れる。もう付きまとったりしない。だから、最後に抱かせてほしい」

私は目眩がして、ベッドの上に座り込んだ。

「思い出が欲しい——」

激しい頭痛がして、頭を抱えた。気分が悪くて吐きそうだった。

私はようやくのことで顔を上げて言った。

「何を言ってるのかわかってるの？」

「わかってるよ」

英介は言った。「いいだろう？」

「いやよ！」

英介の表情が険しくなった。

「なぜだ。君の言うことを受け入れて、別れると言ってるじゃないか。最後に一度だけ抱かせてくれというのは、無茶な要求じゃないだろう」

私は耳をふさいで激しく首を振った。

「君のために時間もお金も使った。その見返りにもう一度くらい、いいじゃないか」

「出ていけっ！」

私は叫んだ。

「私を何だと思ってるの！　売春婦みたいに扱わないで！」

私はベッドの脇の目覚まし時計を摑んで、英介めがけて投げた。時計は的を大きく外れ、壁際に置いていたサイドボードにぶつかってガラスが割れた。それで私はさらに逆上した。

ベッドから立ち上がると、サイドボードの上に載っている皿を手で払い落とした。皿が床に落ちて、大きな音を立てて割れた。

「出てけっ！」

私は外に通じるドアを指さした。

「ごめんよ」と英介は言った。「どうかしてた。許してくれ」

「あなたの本性がわかったわ。あなたが欲しいのは私の体だけでしょう」

「違う！」

「違わないわ。あなたは美しい女を抱きたいだけよ」

「違うんだ」

英介は力無く肩を落とした。

「いいことを教えてあげましょうか」

私は英介の顔を覗き込むようにして言った。「あなただけに教えてあげるわ」

それから最高の笑顔を作って言った。

「私の顔は整形よ」

英介は驚いた顔で私を見た。

「私の本当の顔を見れば、あなたは私のことなんか好きにならない」

「そんなことはない。君がどんな顔であっても好きだ」

私は一瞬、笑うのをやめた。

「私の本当の顔は田淵和子みたいな醜い顔よ」

「まさか――」英介は言った。「ぼくは君がどんな顔でもいい」

「もう十分。さあ、出ていって」

私は立ち上がった。自分でも驚くくらい残忍な気持ちになっていた。

「お願いだ。好きなんだ。別れたくない。妻は必ず説得する」

「駄目よ。私は別の人と結婚するわ」

英介の顔が強張った。

「東京で出会った男か」

「そうよ。私は一目で恋に落ちたの。その日に抱かれた。何度も抱かれたわ」

英介は小さな声で、やめてくれ、と言った。私はやめなかった。

「最高のセックスだったわ。セックスがこんなにも素敵だなんて知らなかった。彼にはいっぱい教えられたわ」

「やめろ！」

英介は怒鳴った。

「やめるわ。そのかわり、早くここから出ていって」

私は泣いていた。もう自分が何を言いたいのかわからなかった。

「一度だけ抱かせてほしいって――。よくもそんなこと言ってくれたわね。あなたの言葉を彼に伝えるわ。彼と二人で笑いながら、セックスするわ」

英介はサイドテーブルに置いてあった果物ナイフを手に取って腰に構えた。狂気を帯びた英介の目を見た時、全身に電流が走った。

「行って。もうあなたには興味はないの」

「頼む。愛してるんだ」

私は笑った。私に向けられたナイフを見ても、恐怖はなかった。

「あなたが出ていかないなら、私が出ていくわ」

私はベッドから立ち上がって、ドアの方に歩いた。英介がその前にナイフを持って立ちふさがった。

「行くな！」

彼はもう一度叫んだ。「本当に刺すぞ」

「刺したらいいわ」

「何っ？」

「私は行くわ。止めたかったら、それで刺すしかないわ」

私はそう言ってドアの方に向かった。でも、英介は私を刺さなかった。

彼はナイフを床にぽとりと落として、両手で顔を覆った。ただ、跪いて子供のように泣いた。

私は英介の肩を抱いた。

「私を殺したいほど、好きだったの」

英介は泣きながら、何度もうなずいた。

その時、また頭が割れるように痛んだ。私は頭を押さえて、うずくまった。

「どうした！」

私は返事ができなかった。この痛みは覚えがある。いつかの時と同じだ――アイスピックで、頭を突き刺されたような鋭い痛み。手足が動かなくなって、体が床に崩れ落ちた。

英介は私を抱きかかえて、ベッドに横たえた。目を開けると、すぐそばに英介の顔があった。

「大丈夫か、未帆」

「未帆――じゃない」私はかすれた声で言った。「私の、本当の、名前は和子――田淵和子」

「――何を言ってるんだ」

「覚えてる？　あなたにメチルアルコールを飲ませた」

英介は口を開けたまま私の顔を見つめた。

「ずっとずっと幼い頃、二人で道に迷ったわ。あなたは私を守ってくれた。嬉しかった。あなたが子猫を助けたのを覚えてるわ。白と黒のブチだった」

「どうして、それを――」

「あとを尾けて、偶然見たの」

英介の唇が震えるのが見えた。「本当に、田淵なのか？」

私がうなずくと、英介の顔が引きつった。

「ずっと、好きだった——」私は切れ切れに言った。「でも、私は醜かったから、言えなかった」

その時、頭にこれまで感じたことのない強烈な痛みが走り、全身が痙攣した。

「しっかりしろ！」英介が叫ぶように言った。

「英介」と私は言った。「手を握ってて」

英介は両手で私の手を握った。頭に激痛が走り、嚙みしめた自分の口から泡が吹くのがわかった。

「しっかりしろ！」

「ごめんね、嘘ついてて——」

もう目が見えない。愛しい英介の顔も見えない。暗闇の中に落ちていくようだ。

最後の力を振り絞って言った。

「和子でも、好きでいてくれる？」

英介は私を抱きしめながら、「ああ、ああ」と言った。全身に喜びが走った。うれしい、と言おうとしたが、その声はもう自分にも聞こえなかった。

突然眩しいまでの光に包まれた。はるかかなたに少年の姿が見えた。光の中で少年は手を振っている。幼い私はそこに向かって走る。

うすれゆく意識の中で思った。私の人生はこの時のためにあったのだ――。

エピローグ

半年も経つけど、今でもあの時のことを思い出すと、いやーな気持ちになるわ。

何回も警察に呼ばれて、いっぱい訊かれたんだから。さっきと言ってることが違うって、何回も同じことを訊かれたわ。でも、自分でも毎回言ってることが違うのがわかるの。喋ってて、あれっ？　と思うけど仕方ないのよ。頭の中が無茶苦茶になってるんだから。笑ってるけど、あんたもその場に出くわしたら、そうなるわよ。

どうも最初は事件かなと思われたらしいのよね。というのは、ママさんは亡くなった夜、誰かと一緒にいたらしいの。それは私もわかってた。ミニテーブルの上にグラスが二つあったもの。動顛（どうてん）してても、ちゃんと見てたのよ。

だから警察も最初は殺人事件の線で捜査してたみたいなの。それで何回も警察に呼ばれたのね。大分経ってから気が付いたんだけど、もしかしたら私、疑われてたのかも。ほら、よく言うじゃない、第一発見者を疑えって。

でもママさんはクモ膜下出血で亡くなったってわかって、ちゃんちゃん。なんでわかったのかって？　解剖したんじゃないの。

人に聞いたんだけど、クモ膜下出血って、ものすごーく痛いんだって。本当に頭が割れるくらい痛いらしいよ。だから、私、ママさんがクモ膜下出血というのは本当は違うんじゃないかなって。だってそんなに痛かったら、苦しそうな顔をして死ぬと思わない？　最初、ベッドの上で寝ているママさんを見た時、眠ってると思ったの。なんていうのかなあ、ほんと気持ち良さそうに、笑ってるみたいだったわ。

一緒にいた人？　結局、誰だかわからなかったみたい。でも夜中に部屋に入れたんだから、そういう関係の人よね。私の勘だけど、ママさんはその男と喧嘩したんだと思う。なんでって？　サイドボードのガラスが割れてたし、お皿なんかも床に落ちて割れてたもん。きっと修羅場があったのよ。で、男が帰った後に、ママさんは頭の血管が破れたのよ。いや、その時には男はいなかったと思うよ。いたら救急車を呼ぶでしょう。ママさんは一人で死んだのよ。

もし一緒にいて、倒れたママさんをほうって逃げたとしたら、そいつは最低の男だよね。

解説

中村うさぎ

２０１２年1月、「婚活詐欺事件」と呼ばれた一連の事件の公判が始まった。この事件が世間の注目を集めた理由は、結婚を餌に男たちから金を巻き上げた末に殺したと言われる容疑者の木嶋佳苗が太っていて醜かったためである。

「あんなブスでデブに何故、複数の男たちが金を貢いだのか？」

事件に対する世間の関心は、まさにこの一点に集中したと言っても過言ではなかろう。男たちを騙(だま)して金を巻き上げるのは美人の特権である……みんながみんな、そう思っていたからだ。

木嶋佳苗が殺人犯であるか否かは、私にはわからない。ただ、彼女が何人もの男たちから金を巻き上げていたことは事実であり、私にはそれが彼女の「男への復讐」のように思えて仕方ないのである。

　女がブスに生まれるということは、男たちには想像もつかないほどの不幸だと私は思う。何故なら、女は幼少の頃から逃れられない美醜のヒエラルキーの中に置かれて育つからだ。

　小学生の男子は残酷で、驚くほど酷いあだ名を女子につける。思春期になればさすがに酷いあだ名で呼ぶことはしなくなるが、その代わり、美人とブスに対する態度の違いでそれを見せつける。

　存在するだけで目障りな存在、いてもいなくてもいい存在、心ない揶揄や嘲笑の的となる存在……そんなふうに扱われ続けた女子が苦しまないはずはないし、心がねじけてしまうのも当然ではないか。木嶋佳苗が世の男たちに対して鬱屈した怒りを胸に溜め込んでいたとしても、ちっとも不思議ではないのである。そして、ある時、彼女が犯罪という形で男たちに復讐しようとしたとしても。

　さて、この作品のヒロインは「バケモン」と呼ばれたほどのブスであった。おそらく、木嶋佳苗などより遥かに醜かったのであろう。男たちに忌み嫌われ、女たちに嘲笑され、行き場のない怒りが彼女の胸に積もっていく。思春期の少女らしい恋もするが、失恋という言葉では表現できないくらい残酷な結末が待っている。ただ醜く生まれただけで、彼女は地獄のような日々を送るのだ。

そして、ついに彼女はある事件を起こし、石もて追われるような形で故郷を出る。だが、上京した彼女は風俗で働きながら美容整形に金をつぎ込み、見違えるような美女に変身して、故郷の町に帰ってくるのである。復讐のために？　それとも、満たされなかった想いを遂げるために？　いや、おそらく、その両方のために。

ヒロインが美容整形を繰り返して変身していくくだりは、読んでいてワクワクする。私自身が何度も美容整形をしているため（たぶん、それが理由で私に解説の依頼があったのだと思うが）、著者の知識と理解の深さに感銘を受けた。生半可な知識で書くと、美容整形ネタは荒唐無稽で非現実的な話になってしまう。

美容整形は、魔法ではない。バケモンとまで言われたブスが絶世の美女になるには、それ相当の大掛かりな手術が何度も必要で、一朝一夕に華麗なる変身が遂げられるものでは決してないのだ。チープな設定の漫画や小説だと、このあたりがかなり杜撰で、読んでいて興ざめしてしまうことが多々ある。その点、この作品は、ヒロインが最初に二重まぶたの整形をし、そこから時間をかけてだんだん大規模な手術に移っていく過程が、とてもリアルに描かれている。

そして、ヒロインはついに美貌を手に入れる。喉(のど)から手が出るほど欲しかった男たちからの称賛、女たちからの羨望(せんぼう)を、彼女は一身に浴びるのだ。

美しくなることは、快感である。男の出世物語のように、ヒロインのヒエラルキーがどんどん上がり、周囲の扱いが変わっていく様子も、読み応えのある描写になっている。そう、これは女の出世物語なのだ。最下層にいた人間が頂点に登りつめる物語。だから、読者はここで大いにカタルシスが味わえる。

しかしまぁ、美女となったヒロインに対する男たちの態度は、なんと滑稽(こっけい)に描かれていることだろう。かつてヒロインを傷つけた男は、犬のように舌を出しながら、欲望を丸出しにして近づいてくる。そして、ヒロインに腹を蹴られてキャンキャンと鳴いて退散するのだ。ははは、ざまぁみろ。

人間というのはさもしい生き物だ。外見よりも中身が大事、などと真顔で綺麗事(きれいごと)を言う者ほど、美貌という餌を前にすると恥も外聞もなく食らいついてくる。

私事で恐縮だが、昔から自他ともに認める面食いである私は、それを公言すると必ず「男を外見でしか判断しない軽薄で愚かな女」という批判や軽蔑を浴びたものだ。だが、本当に中身だけで相手を選んでいる人に、私はほとんど会ったことがない。

たとえイケメンじゃなくても、たとえば知的な容貌であるとか誠実そうな面立ちであるとか、みんな多かれ少なかれ、外見の印象で判断しているのである。そのくせ、誠実そうな外見の男がじつは誠実でなかったりすると、裏切られたとばかりに嘆く。外見と中身なんて、全然別物なのに。顔で判断してるのはどっちだよ、と笑ってやりたくなる。

だが、それでも男であれば、容貌以外の魅力で女を惹きつけることは可能だろう。ところが、女はそうはいかない。若さと美貌は、何にもまさる武器となるのだ。富も知性も経験も、若さと美貌にはかなわない。賢いブスよりも愚かな美人が確実に選ばれる。

この残酷な現実に憤慨したところで、何の意味もないのはわかっている。女を容姿で選ぶ男たちを糾弾する者もいるが、そもそも他人の欲望に口を出すこと自体、野暮ってもんだ。異性の好みなんて、本人の自由ではないか。

だから女たちは、より美しくあろうと努力する。化粧をし、髪を巻き、競い合う花のように華やかに着飾る。ダイエットをし、エステに通い、肌の手入れも欠かさない。それでも満足できない者は、美容整形クリニックに行って金で「美貌」を買う。それは少し前までは禁じ手とされていたが、プチ整形を含めれば今やかなりの女たちが気軽に施術を受けている。美しさを求めて何が悪い、どうせ女は容姿でしょ、と開き直って。

だが我々は、そうやって必死になって美しさを手に入れて、それからどうしたいと言うのだろう？　この作品のヒロインのように明確な目標や胸にくすぶり続ける夢があるなら、まだ意味がある。しかし、たいていの場合は、そこから先に何のビジョンもないのである。ただ今より綺麗になりたいという、その欲望だけが目的化しているのだ。

そう、それはゴールのないゲームを延々と続けているようなもの。美という幻の蝶（ちょう）を追って、どこにも行き着かない道をぐるぐると歩き続けているようなものだ。どこかで諦（あきら）められればいいのだが、美容整形という奇跡は、我々から「諦める」という選択肢を奪ってしまった。何しろ金さえ出せば、いつまでも老いと戦うことが可能なのだ。永遠に若く美しく、時間の止まった城で百年眠る姫君のように、50歳になっても60歳になっても美醜のヒエラルキーから降りることができず、終わらない舞踏会で踊り続ける。それはもはや、「美」という名の牢獄（ろうごく）のようなものである。

我々のその虚しさに比べれば、このヒロインのなんと羨（うらや）ましいことだろう。たったひとつの恋のために生きることができたのだから。己の獲得した美貌を夢にまで見た王子様に捧（ささ）げて、燃え尽きることができたのだから。

なるほど、彼女を見れば、我々の諦めきれない欲望の地獄の正体がわかる気がする。彼女と我々の違いは、「ひとりの男をゴールにできるか」なのである。思春期に恋い焦がれた憧れの君だって、付き合ってみればただの男に過ぎないことを我々は知っている。ある程度の年齢になれば、もはや男に対して、思春期のような過剰な幻想を抱けなくなるのだ。我々は、王子様を永遠に失ったまま、鏡に己の若さと美貌を映しながら百年生きる古城の妖怪なのである。

そう、我々こそが真の「モンスター」なのだ。

——作家

この作品は二〇一〇年三月小社より刊行されたものです。

モンスター

百田尚樹（ひゃくたなおき）

平成24年4月15日　初版発行
平成25年4月15日　18版発行

発行人――石原正康
編集人――永島賞二
発行所――株式会社幻冬舎
〒151-0051東京都渋谷区千駄ヶ谷4-9-7
電話　03(5411)6222(営業)
　　　03(5411)6211(編集)
　　振替00120-8-767643
印刷・製本―株式会社　光邦
装丁者――高橋雅之

幻冬舎文庫

ISBN978-4-344-41850-9　C0193　ひ-16-1

幻冬舎ホームページアドレス　http://www.gentosha.co.jp/
この本に関するご意見・ご感想をメールでお寄せいただく場合は、
comment@gentosha.co.jpまで。